Cómo vivir bien después de jubilarse

1,001 maneras de estirar sus ingresos y disfrutar de sus años dorados

Nota de la editorial

Los editores de FC&A han puesto el máximo cuidado para garantizar la exactitud y la utilidad de la información contenida en este libro. Aunque se ha hecho todo lo posible para asegurar que la información sea precisa, algunos sitios web, direcciones, números telefónicos y otra información pueden haber cambiado después de la impresión de este libro. Todas las estimaciones fueron hechas con los mejores datos disponibles en ese momento.

La información que se ofrece en este libro debe utilizarse únicamente como referencia y no constituye práctica ni consejo médico, legal o financiero. No podemos garantizar la seguridad o eficacia de los consejos o tratamientos mencionados. Exhortamos a nuestros lectores a consultar con asesores en finanzas personales, abogados y profesionales de la salud.

La editorial y los editores renuncian a toda responsabilidad (incluida la responsabilidad por cualquier lesión, daño o pérdida) derivada del uso de la información aquí contenida.

> *La fe es la certeza de lo que se espera, la convicción de lo que no se ve.*
>
> *Hebreos 11:1*

Índice

Cree su propio "fondo de retiro":

ahorre hasta $100,000 este año

En este capítulo usted descubrirá formas sencillas e inteligentes para ahorrar dinero y asegurar su futuro creando su propio "fondo de retiro". Las secciones se centran en áreas de la vida en las que usted puede empezar a ahorrar: desde la vivienda, los servicios públicos y los gastos de supermercado hasta la salud, los viajes y el tiempo libre.

Cada sección ofrece valiosos consejos para aumentar su presupuesto y una estimación de cuánto dinero puede usted ahorrar en un año. Sus ahorros totales pueden variar dependiendo de su situación. Sin embargo, al hacer el esfuerzo de recortar poco a poco sus gastos, usted podrá cosechar más adelante beneficios inmensos.

Banca

Evite ahogarse en un mar de comisiones

 Aumento en el ahorro este año: $209.50

Los bancos no solo prestan dinero. También hacen dinero, a menudo de cargos poco conocidos y de comisiones ocultas. Se sorprenderá de lo mucho que usted puede ahorrar leyendo la letra pequeña.

De centavo en centavo se hacen las grandes fortunas. Si usted tuviera que pagar cada uno de los siguientes cargos solamente una vez al año, acabaría pagando $131.50:

- Cargo por recibir cheques cancelados con su estado de cuenta mensual: hasta $3.

- Copias de comprobantes de depósito o de cheques: $2 por copia.

- Cargo por fondos insuficientes: $24 como promedio.

- Cargo de protección contra sobregiros: hasta $10 por transferir fondos para cubrir el sobregiro.

- Cargo por sobregiro: $34 por ocurrencia.

- Cargo por "investigación" de consultas, como la "conciliación de estados de cuenta": $20 por hora, con un mínimo de $20.

- Cargo por verificar la cuenta de un pariente fallecido: $20 o más.

- Carta de referencia: $10.

- El uso de cajeros automáticos (ATM) en el extranjero: puede costar más de $5.

- El uso de cajeros automáticos (ATM) en otro banco: $3.50.

Cuidado con las comisiones de las "cuentas gratuitas". Incluso si usted llega a evitar las comisiones ocultas como las mencionadas más arriba, usted podría perder dinero. Por ejemplo, hay cuentas de cheques que en un principio son gratuitas, pero después de un tiempo el banco puede empezar a cobrar una comisión mensual a menos que usted cumpla con ciertos requisitos, como el depósito directo de su sueldo en la cuenta. Si evita estas comisiones mensuales por mantenimiento, usted puede ahorrar un promedio de $78 al año.

Revise su estado de cuenta. Si encuentra cargos inesperados, llame al banco y solicite ser eximido del pago de esos cargos. O bien considere la posibilidad de cerrar dicha cuenta. Visite *www.bankrate.com* (en inglés) para encontrar cuentas verdaderamente libres de comisiones. También puede abrir una cuenta en una *credit union* o cooperativa de ahorro y crédito. Estas cooperativas suelen cobrar menos y menores comisiones. Póngase en contacto con la Asociación Nacional de Cooperativas de Ahorro y Crédito (CUNA) en *www.cuna.org* (en inglés) o llamando al 800-356-9655, para encontrar una cooperativa cerca de usted.

Descubra las comisiones ocultas. A pesar de los requerimientos del gobierno federal, los bancos rara vez revelan las comisiones y los términos de sus cuentas. Estas son las siete preguntas que su banco espera que usted nunca haga:

- ¿Qué comisiones tendré que pagar?

- ¿Eliminarán las comisiones de mi cuenta corriente si pido un préstamo o adquiero un certificado de depósito?

- ¿Cuánto tiempo debe pasar antes de que pueda retirar un depósito hecho a mi cuenta? De ese modo, usted evitará los sobregiros, así como los cargos y las sanciones por sobregiros.

- ¿Cómo se acumula el interés en una cuenta corriente que paga intereses? Es probable que usted salga perdiendo con un banco que emplea "tasas mixtas" para calcular estos intereses.

- ¿Cuál es la sanción por no mantener el saldo mínimo? Si el banco ofrece varios tipos de cuentas corrientes, evite elegir una en que puedan aplicarle una sanción si se acerca demasiado al saldo mínimo.

- ¿El banco va a "truncar" mis cheques originales en papel? Esta sustitución de los cheques originales por sus equivalentes electrónicos significa que el banco ahorra dinero cada mes al no tener que enviar los cheques cancelados, sino una lista de los mismos. Usted debería beneficiarse de este ahorro.

- ¿El banco reducirá la tasa de interés de un préstamo si opto por la modalidad de pago automático?

¡ALERTA!

No escriba cheques con un bolígrafo normal si tiene pensado enviarlos por correo. Podría costarle los ahorros de toda la vida. Los ladrones de identidad roban cheques de los buzones de correo y utilizan productos caseros comunes para "lavar" toda la información en el cheque que haya sido escrita a mano, con excepción de su firma.
Luego vuelven a escribir el cheque pagadero a su nombre por la cantidad que les place. Para prevenir esto, utilice un bolígrafo *Uniball* con el logo de "uni Super Ink" o un bolígrafo de tinta permanente.

Menos estampillas, más ahorro

 Aumento en el ahorro este año: $79.20

Ahorre tiempo y dinero pagando sus facturas por Internet. Usted no necesitará tener a mano una chequera, un bolígrafo, estampillas ni sobres. Estas son otras ventajas de pagar sus facturas en línea:

- Los cheques no se pueden perder en el correo.

- El servicio de pago de facturas en línea le permite programar pagos automáticos por adelantado, de modo que usted ya no corre el riesgo de cargos por pagos tardíos o pagos faltantes.

- No hay peligro de girar un cheque sin fondos. Muchos bancos no permiten el pago de una factura por Internet si usted no tiene suficiente dinero en su cuenta.

- El pago de facturas en línea toma menos tiempo.

- La banca en línea está protegida por una serie de leyes y normas. Es más fácil para los ladrones de identidad robar información de las facturas y los estados de cuenta de las tarjetas de crédito en los buzones de correos que acceder al sitio web de un banco.

Además, el pago en línea favorece el ahorro: en un hogar típico se pagan entre 12 y 15 facturas al mes, más 44 centavos por cada estampilla o sello postal. Si opta por pagar estas facturas en línea usted podría ahorrar entre $5.28 y $6.60 al mes, es decir, hasta $79.20 al año. Y si lo hace a través del servicio de pago en línea de su banco, usted además podría ahorrar en el costo de los cargos por sobregiro $35 en promedio. Es más, su historial de crédito no se verá afectado negativamente por pagos que se pierdan accidentalmente. Eso puede significar menores tasas de interés sobre sus préstamos y mayores ahorros para usted.

Para empezar a pagar sus facturas por Internet visite el sitio web de su banco. Si usted prefiere tratar directamente con las empresas que le facturan, averigüe si ofrecen la opción del pago en línea. Asegúrese de que el servicio sea permanentemente gratuito antes de inscribirse.

NO OLVIDAR

Actúe con rapidez si advierte un error en el estado de cuenta de su tarjeta de crédito o de su cuenta bancaria. Bajo la Ley de Facturación de Crédito Equitativa y la Ley de Transferencias Electrónicas de Fondos, usted tiene 60 días para hacer un reclamo por error de facturación. Esta notificación debe hacerse por escrito.

Maximice sus ahorros en línea

 Aumento en el ahorro este año: $49.50 o más

Los bancos en línea ofrecen tasas de interés más altas que los bancos tradicionales, por lo que su dinero crece más rápido. Por ejemplo, cuando un conocido banco nacional ofrecía solo 0.2 por ciento en sus cuentas de ahorros, HSBC promocionaba una tasa anual del 1.85 por ciento. Si usted tiene $3,000 en una cuenta de ahorros, esa tasa mayor podría significar $49.50 en intereses adicionales en tan solo un año. Es más, las cuentas corrientes de los bancos en línea pueden ofrecer un servicio gratuito de pago de facturas por Internet y realmente no cobrar comisiones ni exigir requisitos previos ocultos.

Pero los bancos que solo operan por Internet, como INGdirect.com o HSBC.com, son bancos puramente en línea, sin cajeros automáticos ni sucursales físicas. Se puede retirar dinero de un cajero automático de otro banco, aunque tal vez deba pagar una comisión por hacerlo, pero no se puede ir a una sucursal a depositar dinero. ¿Qué hacer?

Usted podría enviar sus depósitos por correo, pero eso toma tiempo. O bien puede establecer el depósito directo de su sueldo. Pero lo mejor es preguntar si puede vincular su cuenta corriente local a su cuenta de ahorros en línea, y así transferir dinero electrónicamente entre cuentas. Esto le dará un cómodo acceso a las cuentas de ahorros con altos intereses de los bancos que solo operan por Internet.

Antes de abrir una cuenta en un banco que solo opera por Internet, asegúrese de que sea legítimo. Lea y entienda los términos de su cuenta, como las comisiones y los requisitos de saldo mínimo. Vea si en el sitio web del banco hay un número de teléfono de atención al cliente. Confirme si la Corporación Federal de Seguro de Depósitos (FDIC) asegura los depósitos bancarios. Verifique si las páginas web del banco tienen el logo de la FDIC y visite *www2.fdic.gov/idasp* (en inglés) para buscar el nombre del banco en los listados de la FDIC.

Super**ahorro**

Pregunte si recibirá un descuento por prepagar sus facturas mensuales una vez al año o cada seis meses. Usted podría incluso ahorrar en cargos por el servicio de facturación. Por ejemplo, si usted prepaga seis meses de una póliza del seguro de auto, su descuento puede llegar a $40, mientras que el pago en cinco cuotas podría costarle hasta $30 extra en cargos. Esa es una diferencia de $70. El prepago también significa un ahorro en cheques y estampillas.

Control de deudas

Salga de las deudas de las tarjetas de crédito

 Aumento en el ahorro este año: $600

Cancele la deuda de su tarjeta de crédito más rápido y a un costo mínimo simplemente pagando no una sino dos veces al mes.

Digamos que usted tiene una tarjeta de crédito con un saldo de $2,200, con un interés del 12 por ciento y con un pago mínimo de $44.16. Si usted paga esa cantidad cada mes, le tomará seis años y casi $980 en intereses cancelar dicho saldo. Pero si usted paga $22 y pico cada dos semanas, usted habrá cancelado el saldo en menos de cinco años por un poco más de $330 en intereses: un ahorro total de más de $600. Créalo, aunque parezca demasiado bueno para ser cierto.

Haga pagos quincenales. Los intereses que las compañías de tarjetas de créditos cobran sobre el saldo se acumulan diariamente. Así que si usted paga la mitad del pago mínimo requerido dos semanas antes, disminuirá la cantidad de intereses que le cobrarán para las siguientes dos semanas y para todos los pagos futuros.

Eso no es todo. Si paga cada mes, usted solo hace 12 pagos al año. Pero, por extraño que parezca, cuando usted paga cada dos semanas, usted hace 26 medios pagos al año, lo que equivale a 13 pagos completos. Esto ocurre porque muchos meses cuentan con días adicionales aparte de las cuatro semanas, y esos días adicionales suman 29 días extra por año.

Pero no se detenga en medios pagos quincenales. Pague la misma cantidad cada vez —en lugar del pago mínimo requerido que se reduce constantemente— y cancelará el saldo aún más rápido.

Establezca un sistema. Primero consulte con la compañía de tarjetas de crédito y asegúrese de que está permitido enviar la mitad del pago cada dos semanas. Luego pregunte qué puede hacer para que esos pagos adicionales sean procesados rápidamente. Establezca un sistema para que sus pagos sean efectivamente quincenales y no tener que pagar cargos por pago tardío. Si no está seguro de poder recordar hacer los pagos cada 14 días, considere la posibilidad del retiro automático. Si usted mismo envía los cheques, escriba el número de cuenta sobre cada uno, especialmente si no tiene un cupón de pagos para adjuntar.

Este método no es para todos. Algunos no podrán cumplir con este sistema de pagos frecuentes en el largo plazo, mientras que otros tienen saldos o tasas de interés tan bajos que no vale la pena hacer pagos quincenales.

Si usted necesita reducir una deuda lo antes posible, deje de cargar más gastos a su tarjeta y utilice el método de pagos quincenales.

Un buen consejero financiero le puede ayudar a reestructurar su deuda, negociar con sus acreedores y evitar la bancarrota. Conceptos Financieros Crown es un grupo reconocido que proporciona asesoramiento crediticio desde una perspectiva cristiana. En *www.conceptosfinancieros.org* encontrará información de contacto. O consulte con su iglesia para ver si dispone de consejeros financieros capacitados como parte de su ministerio.

Controle el impulso de derrochar

 Aumento en el ahorro este año: $1,560

Derrochamos más de lo que creemos. Según un estudio, cerca de un tercio de todos los consumidores hacen cada semana una compra "considerable" por impulso de $30 en promedio. Eso es $1,560 al año. Para que ese dinero se quede en su bolsillo, pruebe hacer lo siguiente.

Tome un bolígrafo y varias hojas de papel. En la parte superior de cada hoja, escriba el nombre de una de sus tarjetas de crédito. Cada vez que use esa tarjeta, saque la hoja y anote la fecha, lo que compró y cuánto pago. Al final de cada semana, sume las cantidades para saber cuánto gastó. Si usted es un comprador impulsivo, verá la cantidad de dinero que pierde con estas compras. Solo saber esa cantidad le puede ayudar a resistir la tentación.

Estrategias sencillas para estirar el presupuesto

 Aumento en el ahorro este año: $1,196

Usted siempre puede encontrar dinero oculto en algún recoveco de su presupuesto, por más ajustado que este sea. Unos cuantos pequeños sacrificios pueden significar un gran ahorro en el curso de un año:

- Supongamos que usted gasta $30 cada cuatro semanas en la peluquería. Eso es aproximadamente $360 al año. Pero si en vez de cada cuatro usted va cada cinco semanas, al final del año habrá ido solo 10 veces en lugar de 12, para un ahorro de $60.

- En lugar de comprar el último bestséller cada mes, obtenga una tarjeta de la biblioteca pública. Si gasta $20 al mes en libros, usted podría ahorrar al año $240 con esta tarjeta. Vea si también puede sacar CDs y DVDs y así tampoco tendrá que comprar música ni alquilar películas.

- Sustituya el agua embotellada por el agua de grifo y cuando coma fuera, pida agua en vez de té, gaseosa o café. Sustituir cinco botellas de agua a la semana podría significar un ahorro de hasta $11 a la semana, o $572 al año. Pedir agua en los restaurantes podría ahorrarle $234 al año, si sale a comer dos veces por semana. Eso es un total de $806 al año.

- Cancele sus suscripciones a revistas y lea las mismas revistas en la biblioteca pública. Si cancela tres revistas, podría ahorrar más de $90 al año.

Tres maneras fáciles de obtener dinero en efectivo

 Aumento en el ahorro este año: $250 o más

Consiga dinero en efectivo extra sin recurrir a una casa de empeño ni pedir un préstamo sobre su sueldo. En su lugar, pruebe estas opciones:

Gane dinero los fines de semana. Según indican algunas estadísticas, la típica "venta de garaje" genera $250 o más. Así que busque en casa todos los objetos que "están ocupando espacio". Usted puede recibir dinero en efectivo por ellos. Vaya a *www.yardsalequeen.com* (en inglés) para consejos ingeniosos que pueden hacer que su venta de artículos usados sea aún más rentable.

Haga dinero por Internet. Ciertos objetos especiales no logran venderse por todo su valor en un mercadillo casero, ya que muchos no conocen su valor real. Sin embargo, usted puede vender estos tesoros por Internet, incluso si no tiene computadora. Solo necesita visitar una oficina cercana de eBay, empresa dedicada a las subastas en línea, y deje que ellos se encarguen de vender el objeto por una comisión.

Encuentre dinero que es suyo. Actualmente, la Asociación Nacional de Administradores de Propiedad No Reclamada tiene miles de millones de dólares en ingresos procedentes de seguros de vida, cajas de seguridad, cheques de dividendos y fondos similares que no han llegado a manos de sus legítimos propietarios. Ese dinero es retenido en las tesorerías estatales hasta que los propietarios sean ubicados. Muchos estafadores pretenden cobrar comisiones para dar con el dinero que podría ser suyo. Opte por las fuentes confiables de información, como *www.unclaimed.org* o *www.missingmoney.com*.

> **¡ALERTA!**
>
> Cancelar sus tarjetas de crédito para no endeudarse puede ser buena idea, pero no exagere. Cerrar más de dos tarjetas en un mes puede afectar negativamente su historial de crédito.

Ahorre $ con un puntaje de crédito más alto

 Aumento en el ahorro este año: $105

Si logra aumentar su calificación de crédito en tan solo 30 puntos, usted podría ahorrar $105 en cargos financieros cada año, según un estudio reciente realizado por la agencia de información crediticia Experian. Siga estos consejos para mejorar su calificación de crédito:

Pague a tiempo. Son varios los factores que intervienen en la calificación de crédito. El más importante, representando el 35 por ciento del puntaje de crédito, es el historial de pagos. Los calificadores de crédito toman en cuentan el pago puntual de facturas. Así que asegúrese de pagar todas sus facturas tan pronto como las reciba.

Limite sus deudas. Mantenga el saldo total muy por debajo del límite de crédito en las tarjetas de crédito. ¿Por qué? Los calificadores de crédito otorgan puntos a las personas que no utilizan el máximo permitido en sus tarjetas de crédito. De hecho, esto afecta su puntaje de crédito casi tanto como su historial de pagos. "Si usted tiene una línea de $10,000 y un saldo de $2,500, la utilización es del 25 por ciento", explica Curtis Arnold, fundador de Cardratings.com. "Lo ideal es apuntar al 10 por ciento", añade. "Si sobrepasa el 30 por ciento, su puntaje de crédito de hecho empezará a caer". Así que mantenga su saldo al mínimo posible por debajo de su límite de crédito.

Utilice su crédito responsablemente. El uso responsable del crédito representa el 15 por ciento de su puntaje de crédito. Cuanto más tiempo utilice su crédito de manera prudente, mejor será su calificación crediticia. Mantener activas las tarjetas con el historial más prolongado de uso responsable también ayuda. Eso no es todo. Revise su informe de crédito para corregir cualquier error que pueda dañar su historial crediticio. Para obtener una copia gratuita de su informe de crédito, visite *www.annualcreditreport.com* (en inglés) o llame al 877-322-8228. Usted tiene derecho a un informe gratuito cada año de cada una de las tres agencias de informe de crédito. Si encuentra un error en su informe de crédito, usted puede reclamar y pedir que lo corrijan.

Sea selectivo. Cuanto más crédito obtenga en un período dado, peor será su calificación crediticia. Proceda con cuidado. Limite o evite abrir nuevas cuentas de tarjeta de crédito.

No vuelva a pagar un cargo por pago tardío

Sea siempre puntual en sus pagos. ¿Cómo? Solo tiene que configurar la opción de pago automático de facturas o de retiros automáticos en su cuenta bancaria. Esto funciona para las hipotecas, los alquileres, las facturas de servicios públicos y más. Incluso puede emplearla para las facturas mensuales por una cantidad variable. Solo asegúrese de monitorear su estado de cuenta bancario para detectar cualquier error de facturación.

Reduzca el saldo en rojo con mayor rapidez

 Aumento en el ahorro este año: $3,334

Una oferta por correo de cero por ciento de una tarjeta de crédito podría ser la manera perfecta de reducir rápidamente el saldo pendiente de pago en su tarjeta. Sin embargo, usted dispone de otras buenas opciones:

Elimine su deuda rápidamente. Pagar cero intereses significa que usted por fin podrá hacer que todo su dinero vaya hacia el saldo. Por ejemplo, si usted tiene una deuda de $2,200 con un interés del 17 por ciento y paga $183.34 cada mes, usted pagará el saldo en 14 meses y $228.60 en intereses. Pero si usted transfiere ese saldo a una tarjeta de cero por ciento, no hace nuevos cargos y sigue pagando $183.34 cada mes, acabará pagando el saldo en 12 meses y ahorrará $162 en intereses, a pesar de que tenga que pagar un cargo por la transferencia.

Ahorre aún más. Elija con cuidado: la mayoría de las ofertas de cero por ciento aplican un cargo por transferencia del saldo de hasta el tres por ciento de la cantidad a transferir. Curtis Arnold, fundador de Cardratings.com, recomienda buscar una oferta que le permita mantener la tasa del cero por ciento durante 12 meses y cuyo cargo máximo por transferencia sea de $100 o menos. Si necesita ayuda para encontrar una oferta de este tipo, vaya a *www.cardratings.com* (en inglés). Pero antes de aceptar una oferta de cero por ciento, asegúrese de poder cancelar el saldo antes de que esta maravillosa tasa de interés expire. La tasa que se le aplicará luego podría saltar a 30 por ciento o más.

Explore otras opciones. ¿Y si su saldo es demasiado alto como para cancelarlo en 12 meses? Arnold sugiere buscar una oferta "de por vida", como la de las tarjetas que ofrecen 4.99 por ciento para siempre. O bien una tarjeta que ofrezca una tasa baja por un período de años, como 4.99 por ciento por cuatro años. De ese modo, su ahorro será sustancioso, sobre todo si no hace nuevas compras con la tarjeta.

Por ejemplo, si usted tiene un saldo de $7,900 con un interés del 17 por ciento y paga $183 al mes, usted acabará pagando $4,401 en intereses antes de llegar a cancelar el saldo en casi seis años. Si usted acepta una oferta de cero por ciento a 12 meses y sigue pagando $183 cada mes, no podrá cancelar el saldo antes de que la tasa de cero por ciento expire. Si la tasa se eleva a 22 por ciento, usted pagará $2,831 en intereses sobre el saldo restante, más un cargo por transferencia del saldo de hasta $237.

Esto sería mejor que el préstamo al 17 por ciento, ya que usted pagaría $1,333 menos en intereses. Pero con una tarjeta que fija su tasa en 4.99 por ciento durante cuatro años, usted podría seguir pagando $182 cada mes, cancelaría el préstamo en cuatro años y solo pagaría el cargo por transferencia del saldo, más $830 en intereses. Usted habrá ahorrado $3,334 sobre la opción de quedarse con su tarjeta con el 17 por ciento y $2,001 más que con una tarjeta de cero por ciento. *(Ver cuadro)*.

Antes de aceptar una tarjeta con tasas bajas o del cero por ciento, lea la letra pequeña. Algunas tarjetas pueden requerir que usted haga nuevas compras con regularidad, tal vez a una tasa de interés alta, y eso impediría que usted pueda salir de sus deudas por un buen tiempo.

	Préstamo actual	Oferta de cero por ciento	Oferta de por vida
Saldo	$7,900	$7,900	$7,900
Tasa de interés	17%	0% y 22% después del primer año	4.99%
Pago mensual	$183	$183	$182
Plazo de pago	6 años	5 años	4 años
Total de intereses	$4,401	$2,831	$830
Cargo por transferencia	-	$237	$237
Intereses + cargo	$4,401	$3,068 (ahorro de $2,001)	$1,067 (ahorro de $3,334)

Defiéndase de los altos cargos y comisiones

 Aumento en el ahorro este año: $69.50

Tal vez ya vio los comerciales de Priceline, donde el actor William Shatner llama a la gente a negociar para obtener mejores tarifas en los hoteles y las aerolíneas. Bueno, también se puede negociar para mejorar los cargos y demás términos de las tarjetas de crédito.

Eso quiere decir que si usted detecta cargos inesperados en su estado de cuenta, podría no tener que pagarlos. Si le cobran una cuota anual, por ejemplo, llame a la compañía emisora de su tarjeta de crédito y solicite que la retiren. Esto suele funcionar con la mayoría de las tarjetas y usted podría ahorrar $43.50, el costo promedio de una cuota anual.

Y si usted es un buen cliente que casi nunca incurre en pagos tardíos, llame a la compañía emisora de su tarjeta de crédito la próxima vez que le suceda. Podrían eximirle del pago de ese cargo, lo que significaría para usted un promedio de $26 ahorrados. Si no tiene suerte con el servicio de atención al cliente, pida hablar con un supervisor. Usted puede hasta amenazar con cerrar su cuenta. Eso ha funcionado para algunas personas.

Además de negociar cargos y comisiones, usted puede mejorar su paquete de recompensas o lograr que le aumenten su límite de crédito. Sin embargo, tenga en cuenta que algunos beneficios son más fáciles de conseguir que otros, especialmente en una economía difícil.

Logre un milagro con las tasas de interés

 Aumento en el ahorro este año: $490

¿Se imagina lo que sucedería si la tasa de interés de su tarjeta de crédito cae del 18 al 13 por ciento? Si usted tiene un saldo de $3,000 y paga $60 al mes, usted podría ahorrar $490 en cargos por intereses, incluso si la tasa más baja solo fuera válida por un año. Si lograra mantener la tasa para siempre, podría ahorrar $1,242.37 en intereses.

Entonces, ¿cómo lograr ese milagro? Muy sencillo. Pida a la compañía emisora de su tarjeta de crédito que reduzca su tasa. Empiece por guardar las ofertas de tarjetas de crédito que recibe por correo y anote las tasas que ofrecen. Luego llame a la compañía de su tarjeta de crédito, dígales que sabe que hay tasas más bajas, que está pensando en cambiarse de tarjeta y pregunte si ellos le pueden dar una tasa mejor.

Por lo menos un estudio sugiere que solo por el hecho de preguntar, la probabilidad de obtener esa tasa más baja es del 50 por ciento o más. La probabilidad podría ser incluso mayor si usted antes verificó su informe de crédito, evitó pagos tardíos en todas sus tarjetas, mantuvo activa esta tarjeta en particular durante varios años y mantuvo el saldo muy por debajo del límite de crédito.

Usted verá una reducción considerable en sus pagos de intereses incluso si obtiene esa tasa inferior únicamente por un período corto.

¡ALERTA!

Una tarjeta de recompensas podría en realidad acabar costándole dinero. ¿Por qué? Porque estas tarjetas suelen tener una tasa de interés un uno por ciento más alta que la tasa de una tarjeta de crédito estándar. Así que si usted mantiene un saldo en esta tarjeta, lo que pagará por intereses puede llegar a sumar más dinero que lo que usted podría obtener en recompensas.

Pare en seco el alza de las tasas

 Aumento en el ahorro este año: $3,219

Usted nunca dejó de hacer un pago de su tarjeta de crédito, pero de pronto la tasa de interés se disparó a nueve por ciento. En lugar de pagar cientos o miles de dólares en intereses adicionales, pruebe hacer esto.

Llame a la compañía. "Lo cortés no quita lo valiente", dice Curtis Arnold, fundador de Cardratings.com. Él recomienda abordar este problema de manera directa. "Sea amable pero firme y póngalos en evidencia diciéndoles: 'No toleraré esto. He sido un buen cliente'. No levante la voz. Si usted amenaza con cerrar su cuenta y optar por otra tarjeta de crédito, podrá mejorar su tasa de interés," dice Arnold. "Muchos de los grandes bancos tienen un departamento de retención de cuentas cuya única misión es mantenerlo a usted como cliente, debido a un secreto de industria poco conocido: los costos de marketing para reemplazarlo como cliente pueden llegar a ser de $200 o $300."

Si eso no funciona, considere la posibilidad de transferir su saldo a una tarjeta con una tasa de interés más baja. Vea la sección *Reduzca el saldo en rojo con mayor rapidez* en la página 13, para conocer los detalles sobre la manera de hacerlo y de cuándo vale la pena hacerlo.

Opte por la exclusión voluntaria. "*Opt out*" o exclusión voluntaria es cuando usted tiene la oportunidad de rechazar el alza de una tasa de interés. Usted ya no podrá hacer nuevos cargos a su tarjeta, pero podrá mantener la misma tasa de interés sobre el saldo existente hasta que lo termine de pagar. Por ejemplo, si usted tiene un saldo de $2,500, más un pago mensual mínimo de $50 y una tasa de interés del 13 por ciento, usted pagará el saldo en unos seis años a un costo de $1,120.22 en intereses. Pero si la tasa se eleva al 22 por ciento, le tomará 11 años y medio pagar el saldo y gastará $4,339.09 en intereses. Con la figura de la exclusión voluntaria el ahorro es asombroso: $3,218.87 en intereses.

"Lamentablemente, los avisos de exclusión voluntaria (*opt out notices*, en inglés) a menudo se desechan como correspondencia no deseada", señala Arnold. "Así que si usted detecta un aumento del tipo de interés, vigile atentamente su correo". Arnold también recomienda seguir de cerca sus cuentas para evitar el incremento subrepticio de la tasa de interés en alguna de ellas.

Si bien las compañías de tarjetas de crédito deben informar con 45 días de anticipación del alza de las tasas, no está de más mantenerse alerta. Usted debe solicitar la exclusión voluntaria (*opt out*) por escrito e indicar con claridad que desea seguir con su tasa actual. Hágalo rápidamente porque este tipo de ofertas pueden tener una vigencia limitada.

Evalúe sus opciones. La exclusión voluntaria (*opt out*) es ofrecida por la mayoría de las emisoras de tarjetas de crédito, pero no es para todos. "Evalúe antes todas sus opciones", recomienda Arnold. La exclusión voluntaria podría afectar su puntaje crediticio, sobre todo si se trata de su tarjeta más antigua o una con los mayores límites de crédito.

"Si elevan su tasa de 9.99 por ciento a una de 19.99 por ciento y usted no encuentra una buena oferta para transferir sus saldos, entonces la exclusión voluntaria puede que sea su mejor opción", dice Arnold.

Seis peligros de los servicios de alivio de deuda

 Aumento en el ahorro este año: $2,000 o más

Justo cuando usted está a punto de ahogarse en deudas aparece una compañía de resolución de deudas y le promete que hará desaparecer la mitad de lo que adeuda. Todo lo que usted tiene que hacer es pagar una cuota por adelantado. Sin embargo, hay muchas cosas que podrían ir mal con este plan.

Conozca los peligros. Si bien hay muchas agencias de asesoría crediticia legítimas que ayudan a resolver problemas de endeudamiento, también hay muchas con prácticas cuestionables. Estas compañías que ofrecen servicios de resolución, negociación o liquidación de deudas pueden ser especialmente peligrosas, debido a que:

- Pueden causar un daño adicional a su crédito.

- No resuelven el problema de las llamadas de cobro. Si usted refiere estas llamadas a su compañía de liquidación de deudas, algunos acreedores podrían transferir su caso a una agencia de cobranza antes de lo previsto.

- Usted pagará muchísimo. Compañías de mala reputación cobran enormes cuotas por adelantado, a veces miles de dólares.

- Pueden empeorar las cosas. Compañías cuestionables pueden echar mano del dinero destinado a sus acreedores para pagarse a sí mismos. Esto podría resultar en pagos tardíos y cargos por intereses adicionales.

- Usted puede que ahorre lo suficiente para cancelar la deuda, pero, ¿podrá pagar los impuestos? Cuando un acreedor perdona parte o la totalidad de su deuda se llama "deuda condonada". El IRS considera que las deudas condonadas son ingresos. [Y eso significa que usted debe pagar impuestos sobre ellas.

- Usted podría estar infringiendo la ley. Si usted reside en Georgia, Luisiana, Misisipi, Nueva Jersey, Nueva York, Virginia Occidental, Arizona, Nuevo México, Hawai, Maine, Dakota del Norte o Wyoming, contratar los servicios de una compañía de liquidación de deudas puede ser ilegal si se trata de una empresa con fines de lucro.

Salde sus propias deudas. Llame a sus acreedores, dígales cuál es su situación y solicite una tasa de interés más baja. Si su situación es desesperada, reconozca que no podrá pagar ese mes y pregunte si hay una manera de resolver esto. Una compañía de resolución de deudas podría pedirle $2,000 por sus servicios. Usted puede llegar a un arreglo con los acreedores por su propia cuenta y así ahorrar $2,000 o más.

¡ALERTA!

El incumplimiento universal significa que el pago tardío de una tarjeta de crédito —o cualquier otra acción que afecte negativamente su informe de crédito— puede aumentar las tasas de interés de todas sus tarjetas de crédito. Cuidado. El aumento de las tasas por incumplimiento universal es ilegal si se aplica al saldo existente. Las compañías de tarjetas de crédito pueden utilizar el incumplimiento universal únicamente para incrementar las tasas de interés de los cargos futuros y siempre que le envíen antes una notificación.

Alimentos y abarrotes

Ahorre en grande cuando vaya al supermercado

 Aumento en el ahorro este año: $1,920 o más

Disfrute de una jubilación sin preocupaciones sabiendo que no tiene que limitar su consumo de alimentos. Si compra con inteligencia, usted podrá recortar sus gastos de mercado en 50 por ciento. ¿Acaso es posible reducir a la mitad lo que gasta en alimentos? Sí, pero solo si usted conoce los secretos que utilizan las tiendas de abarrotes y los supermercados. Entre el 50 y el 67 por ciento de todas las compras de abarrotes son "compras por impulso" de artículos que usted en realidad no quiere ni necesita. Sepa cómo evitar caer en esta trampa.

Si usted suele gastar $100 a la semana en el mercado, estas son algunas tácticas básicas para reducir gastos innecesarios y gastar solo $50:

- No vaya de compras con el estómago vacío. Cuando se tiene hambre es difícil no sucumbir a la tentación de los bocadillos, las golosinas y de otras delicias costosas.

- Haga una lista. Tómese el tiempo para elaborar una lista de compras y luego cúmplala.

- Entre y salga rápidamente. Cuanto más tiempo pase usted en el supermercado, más dinero gastará.

- Recorra el perímetro de la tienda en busca de los artículos de primera necesidad: frutas, verduras, carnes, pan y leche. Esto le ayudará a limitar la compra de alimentos envasados más costosos que se encuentran en los pasillos centrales.

- Esté atento a los artículos en ubicaciones estratégicas. Evite los dulces y las revistas en las cajas de cobro o al final de los pasillos. Recuerde, los artículos más caros suelen estar a la altura de los ojos. Mire hacia arriba y hacia abajo para los grandes ahorros.

Eso es solo el comienzo. A continuación le ofrecemos otras maneras de recortar entre $50 y $150 al mes en su factura de alimentos:

Prefiera las marcas de la tienda. Un estudio de la Universidad de New Hampshire evaluó la lista de compras para una semana de una familia de cuatro y comparó los precios de los productos de marca con los precios de los productos de la tienda. La bolsa de compras con los productos de marcas comerciales costó $181.72, mientras que la bolsa con los productos de la marca de la tienda solo costó $136.76: un ahorro increíble de alrededor de $45 o del 25 por ciento. Con esta estrategia, usted puede reducir $25 si su gasto promedio semanal es de $100. Eso significa un ahorro mensual de $100 o un ahorro anual de $1,200.

Esté atento a los precios por unidad. Compare los distintos tamaños, marcas y presentaciones de un producto. El precio unitario está por lo general en el estante debajo del producto. Recuerde, más no siempre significa mejor. Usted puede ahorrar un 15 por ciento si combina esta táctica con una buena preparación, como crear el menú para la semana, así como la lista de compras, a partir de las ofertas de la tienda. Eso es un ahorro de $15 a la semana si su gasto promedio semanal es de $100, es decir $60 mensuales o un ahorro de $720 al año.

Siga los precios. En un cuaderno anote las variaciones de precios entre tiendas y las que se dan de semana a semana en una misma tienda. Así podrá reconocer cuáles son las verdaderas gangas y abastecerse de algún producto cuando su precio esté más bajo. Comprando solo unos cuantos productos al precio más bajo, usted puede ahorrar un 47 por ciento.

Controle sus porciones. Puede que usted no necesite tanta comida como cree. Las porciones más pequeñas estiran el presupuesto.

Rompa las reglas. Solo porque es una oferta de "dos por uno" o de "cuatro por $10" no significa que usted deba comprar esa cantidad. Usted debería poder recibir el precio de oferta por solo un artículo.

Detecte los errores. Esté atento a los precios en la pantalla de la caja registradora y verifique el recibo. Es posible que incluso le reembolsen el precio total si el precio de oferta no registra.

El mejor lugar para comprar artículos de uso diario

 Aumento en el ahorro este año: $156 o más

La tienda de comestibles de su barrio puede tener las mejores carnes, frutas y verduras de la ciudad, pero la tienda de todo a un dólar tiene artículos para el hogar, bocadillos y más en perfectas condiciones y que cuestan entre 40 y 90 por ciento menos. Si usted normalmente gasta $30 al mes en esos artículos en el supermercado, eso significa un ahorro de entre $12 y $27 al mes, o de entre $144 y $324 al año.

- Ahorre dinero en efectivo y compre productos de limpieza de marca a precios rebajados. Contienen los mismos ingredientes básicos de una marca a otra.

- Adquiera sus tarjetas de felicitación y papel de regalo a buen precio en cualquier época del año. Nadie, excepto usted y su cuenta bancaria, notará la diferencia.

- Aproveche las increíbles gangas en golosinas y comidas para picar. Estas suelen tener un largo período de conservación y usted encontrará las mismas marcas comerciales del supermercado en las tiendas de todo a un dólar, pero a mejores precios. Busque las que están en envases cerrados herméticamente.

- Compre el champú y los aerosoles de marcas genéricas para el cabello en las tiendas de descuento y gaste el dinero extra en un acondicionador para el cabello de alta calidad.

- Ahorre una fortuna en espátulas y otros utensilios de cocina evitando las tiendas *gourmet* en favor de las tiendas de dólar.

Sin embargo, hay cinco cosas que usted nunca debe comprar en las tiendas de todo a un dólar. Algunas son un desperdicio de dinero, por baratas que sean, mientras que otras podrían arruinar su salud:

Vitaminas. El gobierno no regula la calidad de las vitaminas y de los suplementos. Los más baratos pueden no contener los nutrientes que dicen tener o pueden no disolverse adecuadamente al ingerirse.

Pilas. Las pilas o baterías de las tiendas de dólar son generalmente de cinc-carbono y no duran mucho. En su lugar elija las pilas alcalinas.

Pasta de dientes. En 2007 se detectaron tubos de pasta dental que contenían un ingrediente anticongelante tóxico en las tiendas de dólar en todo el país, y se dispuso su retiro masivo. Vaya a lo seguro y opte por los dentífricos de marca comercial en la farmacia o el supermercado.

Productos eléctricos. Si las luces navideñas son demasiado baratas, también lo serán sus alambres y el aislante. Tenga cuidado con los artículos eléctricos de las tiendas de dólar. La seguridad es lo primero.

Juguetes para niños y joyas. Las versiones baratas generalmente provienen de China y es más probable que contengan plomo.

Recorte sus gastos semanales en 20 por ciento

 Aumento en el ahorro este año: $1,000 o más

Dedique un tiempo a los cupones y gastará mucho menos en el supermercado. Efectivamente, el Consejo del Cupón de la PMA (Asociación de Promociones y Marketing) dice que dedicar 20 minutos al recorte de cupones puede reducir las facturas semanales del supermercado en 20 por ciento, esto es, en $1,000 o más cada año.

Estudie el ciclo de las ofertas. Los supermercados rebajan artículos de distintas categorías cada semana —una semana son los productos de papel, la otra es el pollo— y programan las ofertas en ciclos de 12 semanas. Lleve un registro de las ofertas durante 12 semanas para averiguar cuándo suelen rebajarse los productos que usted utiliza. Luego aproveche al máximo los cupones. En lugar de comprar solo lo que necesita para la semana, planifique y utilice sus cupones para abastecerse de los productos que están en oferta esa semana. Este secreto de los usuarios de cupones podría ahorrarle cientos de dólares.

Saque la tarjeta. Cada vez más tiendas están optando por las tarjetas de fidelidad —tarjetas o tarjetas tipo llavero que se pasan por los lectores de la caja registradora para obtener precios de oferta. Solicítela y muchas tiendas también le enviarán por correo cupones adicionales y le ofrecerán descuentos sobre el total de su compra.

Búsquelos por Internet. El periódico del domingo ya no es ni la única ni la mejor fuente de cupones:

- Imprima los cupones directamente desde su computadora en sitios web, como: *www.coupons.com*, *www.smartsource.com*, *www.coolsavings.com* y *www.ppgazette.com*.

- Vea si el sitio web del fabricante ofrece cupones para imprimir, además de muestras gratis de sus nuevos productos.

- Vaya a *www.couponcravings.com* y *www.becentsable.net* para enterarse de nuevas promociones y especiales de tienda.

- Cargue los cupones directamente a la tarjeta de fidelidad de su tienda en *www.shortcuts.com* y nunca más volverá a olvidar usar un cupón.

Duplique el ahorro. Target, Walgreens y otros comerciantes minoristas a menudo aceptan cupones solamente en sus tiendas. Lo que tal vez usted no sepa es que puede juntar un cupón del fabricante con un cupón de la tienda para obtener un ahorro aún mayor.

Super**ahorro**

Cuándo lo hace puede ser tan importante como *dónde* lo hace. Los mejores días para ir de compras son durante la semana del ciclo de ofertas de 12 semanas en que los artículos que le interesan están rebajados. Se reirá de los derrochadores que compran en otros días: pagan mucho más por lo mismo.

Cuando se trata de frutas y verduras, cómprelas siempre el día sábado. Están más frescas ya que ese día las tiendas reabastecen sus contenedores con el fin de prepararse para los compradores de fin de semana.

Reduzca su presupuesto en cinco pasos sencillos

 Aumento en el ahorro este año: $1,800

¿Provisiones para toda la familia por solo $2 al día por persona? Steve y Annette Economides revelan su secreto. Ellos tienen cinco hijos y tan solo gastan alrededor de $350 al mes en alimentos, artículos de aseo y productos de limpieza. Es así como lo hacen:

- Planifican. La familia Economides supera a Papa Noel porque hacen una lista y la chequean tres veces para asegurarse de comprar únicamente lo que necesitan. También planifican los menús con anticipación para ajustar su lista de compras.

- Usan cupones. Ellos recortan cupones y los organizan para tenerlos a mano cuando van a una tienda.

- Recorren las tiendas. A través de *walkie-talkies*, la familia Economides hace un esfuerzo coordinado para recorrer las tiendas en busca de ofertas de último minuto, como las ofertas de dos por uno o de compra uno por el precio de dos.

- Congelan los excedentes. Como tienen mucho espacio en el congelador, los Economides pueden comprar alimentos que están en oferta pero que no pueden consumir de inmediato.

- Evitan el uso de tarjetas de crédito. La familia Economides no usa tarjetas de crédito y no tiene que pagar intereses costosos, pero sí hace un presupuesto detallado. Así que calcule sus gastos mensuales. Una vez cubiertos, divida el fondo restante en un fondo de emergencia para la casa, un fondo de recreación y vacaciones y un fondo de ahorro o para donaciones caritativas.

Según el Departamento de Agricultura de EE.UU., el adulto mayor promedio gasta alrededor de $50 a la semana en el supermercado. Eso es $7 al día. Sin embargo, la familia Economides demuestra que es posible gastar menos en alimentos. Con el plan de los Economides, usted solo gastará alrededor de $2 al día, eso es un ahorro de $5 cada día. Estos consejos útiles le pueden ayudar a ahorrar hasta $1,800 al año.

Super**ahorro**

Cuando un supermercado pone límites a los artículos en oferta es un claro indicador de que se trata de una verdadera ganga. Los artículos rebajados podrían estar a precio de costo o incluso por debajo del costo. Los supermercados establecen límites para impedir que los propietarios de tiendas más pequeñas adquieran grandes cantidades de estos artículos para revenderlos a un precio más alto.

Estrategias inteligentes para conservar los alimentos

Aumento en el ahorro este año: $440 o más

Poco importa si usted consigue frutas y verduras a precio rebajado si luego se van a echar a perder. La manera como usted almacena los alimentos es tan importante para su presupuesto como el precio que paga por ellos. Tirar comida es como tirar el dinero.

En 2006, el estadounidense típico gastó $592 en frutas y verduras. Si la cuarta parte se estropea y no se consume, se pierden $148. Lo mismo ocurre con los productos lácteos, que cuestan alrededor de $368 al año. Usted pierde $92 si la cuarta parte de la leche que compra se corta y la cuarta parte del queso se vuelve rancia. La carne, el pollo, el pescado y los huevos suman unos $800 al año. Si la cuarta parte de estos productos se deteriora, usted habrá despilfarrado $200. Convierta esas pérdidas en ahorros adoptando estas estrategias para almacenar sus alimentos.

Protéjalas. El supermercado debe ser su última parada camino a casa para que las frutas y verduras no permanezcan demasiado tiempo en el coche. Nunca las compre magulladas o dañadas. Sepa cuáles son las que se conservan mejor a temperatura ambiente, como el tomate y la banana, y guarde las demás frutas y verduras por separado en el refrigerador. Lave las verduras de hoja verde tan pronto llegue a casa, envuélvalas en papel toalla y guárdelas en una bolsa resellable. Durarán tres o cuatro días más.

Rote los alimentos en el refrigerador para que aquellos que duran menos sean consumidos primero. En cuanto a las frutas, primero consuma las uvas y las bananas, seguidas por las peras, las manzanas y las naranjas, que suelen durar más. Si observa moho en alguna fruta o verdura en el refrigerador, tírela de inmediato para que no contamine a las demás.

Haga que la carne dure más tiempo. La carne molida se conserva entre uno y dos días en el refrigerador. Después de eso, guárdela en el congelador. Usted puede comprar carne en grandes cantidades y congelarla, pero es importante que la etiquete para saber el tiempo que lleva almacenada. Para el mejor sabor y textura, consúmala en un plazo de tres meses. Un buen truco es la técnica del envoltorio doble. Primero envuelva pequeñas porciones individuales para descongelarlas a medida que las necesite, luego coloque todo en una bolsa especial para congelar.

El cuidado de las hierbas. Después de lavar y secar las hierbas, colóquelas en el microondas entre 30 y 40 segundos, sobre un papel toalla limpio. Desmenuce las hierbas secas y guárdelas en un recipiente hermético hasta por tres meses. Usted también puede almacenar las hierbas en el congelador, picadas o enteras. Consérvelas en un recipiente hermético o en una bolsa especial para congelar.

Errores evitables. Evite estos errores comunes en el almacenamiento de alimentos adoptando estas soluciones infalibles:

- Asegúrese de que las tapas y los tapones estén bien cerrados. Extraiga todo el aire de las bolsas antes de cerrarlas. Sea cuidadoso para evitar que entre aire o humedad.

- Vuelva a envolver la carne de res, la carne de ave y los fiambres del supermercado. Los envoltorios de tienda pueden verse bien, pero podrían tener pequeños agujeros.

- El tamaño de los contenedores debe adecuarse al contenido. Demasiado espacio entre los alimentos y la tapa de los recipientes puede resultar en deterioro y quemaduras por frío.

- Los alimentos se conservan más tiempo si el refrigerador está a 37 grados y el congelador a 0 grados Fahrenheit.

- Utilice el compartimento de la puerta del refrigerador, que por lo general es entre 3 y 5 grados menos frío que el interior, para los condimentos a base de vinagre, como la mostaza y el *ketchup*. Mantenga los huevos, la leche y otros artículos delicados en la parte posterior del refrigerador que es más fría.

- Deje enfriar las sobras antes de refrigerarlas. Cuando se colocan alimentos muy calientes en el refrigerador, los alimentos que están alrededor se calientan.

- Preste atención a las fechas de caducidad (*use-by date,* en inglés), así como al aspecto y la consistencia de los restos de comida. No se confíe únicamente en la nariz. Los alimentos pueden estar en mal estado y no oler mal.

- Envuelva bien los alimentos con olores fuertes para evitar que alimentos como la leche o los huevos absorban esos olores.

- Etiquete y ponga fecha a sus contenedores y haga un inventario con regularidad. De este modo, usted siempre sabrá lo que tiene en el refrigerador y hace cuánto tiempo que lo tiene.

Super**ahorro**

No se deje encajonar en el supermercado. Si tiene la opción, compre en bolsas y no en cajas. Los alimentos empacados en bolsas suelen costar menos. El arroz y los cereales para el desayuno son dos buenos ejemplos de esta estrategia.

Cuide los centavos con una despensa bien surtida

 Aumento en el ahorro este año: $675

Tenga una despensa surtida con lo básico y reducirá sus gastos en salir a comer fuera, así como en comida para llevar o de entrega a domicilio.

Según la Oficina de Estadísticas Laborales de Estados Unidos, el estadounidense típico gastó cerca de $2,700 comiendo fuera de casa en 2006. Si gracias a una despensa bien surtida usted se queda a comer en casa tan solo una cuarta parte de las veces, usted ahorrará $675.

Con una despensa bien surtida, usted podrá preparar comidas deliciosas y de bajo costo en un instante y sin salir de casa. Menos salidas al mercado significan menos dinero en combustible y menos desgaste de su coche. Tenga estos ingredientes básicos en la despensa y ahorre dinero:

- Alimentos súper básicos. Toda cocina necesita sal, pimienta, aceite de oliva, aceite vegetal, harina común y azúcar granulada. De seguro ya los tiene, solo asegúrese de que no se le agoten.

- Enlatados, como el caldo de pollo y el de res, los tomates o los frijoles en lata, la salsa y la pasta de tomate y el atún.

- Almidones y productos secos, como el espagueti y otras pastas, los fideos al huevo, el arroz, los chícharos partidos y las lentejas.

- Papas, cebollas y ajo.

- Condimentos, incluidos el vinagre blanco, el vinagre balsámico y el vinagre de sidra de manzana, la salsa de soya, la salsa inglesa o Worcestershire y la salsa picante.

- Especias. Toda comida necesita algún tipo de aderezo. Tenga a mano albahaca seca, hojas de laurel, pimienta de Cayena, chile en polvo, comino, canela, orégano y *paprika* o pimentón.

- Productos refrigerados, tales como huevos, leche, mantequilla o margarina, *ketchup,* mostaza, mayonesa y queso.

- Verduras congeladas, como el maíz, la espinaca y los chícharos. Y tenga carne molida y pechugas de pollo en el congelador.

- Productos para hornear, como harina de maíz, azúcar morena, azúcar en polvo, miel, bicarbonato de sodio, polvo de hornear, extracto de vainilla, maicena, copos de avena, frutos secos, pasas y chispas de chocolate.

Una buena despensa no tiene que armarse de golpe. Usted puede surtirla gradualmente, aprovechando las ofertas, los cupones y otras promociones de los supermercados.

¿No sabe qué hacer para la cena? Busque una receta en línea que lleve los ingredientes que usted ya tiene en su despensa. Por ejemplo, pruebe RecipeMatcher en *www.recipematcher.com* (en inglés). Solo ingrese los ingredientes que tiene a mano y verá lo que puede preparar con ellos.

Buenas razones para no comprar agua embotellada

 Aumento en el ahorro este año: $75 o más

El agua embotellada no es más segura que el agua del grifo, a pesar de que pueda tener mejor sabor. En efecto, alrededor de una cuarta parte del agua embotellada no es otra cosa que agua de grifo embotellada. Por supuesto, es más cara que el agua de grifo y los ftalatos, sustancias químicas dañinas presentes en el plástico utilizado para fabricar las botellas, pueden filtrarse al agua embotellada.

Si el agua de su casa tiene un sabor raro o si le preocupa si es segura, compre un grifo o una jarra con un filtro de agua de bajo costo. Sustituir el agua embotellada por un filtro de grifo Brita, por ejemplo, podría significar un ahorro de $75 al año. Busque un filtro certificado por NSF International y asegúrese de darle mantenimiento adecuado, reemplazando el filtro según lo recomendado. De lo contrario, la calidad del agua podría empeorar.

Si le agrada la comodidad del agua que puede llevarse a todas partes, invierta en una botella de acero inoxidable para llevar consigo. Lávela bien cada vez que la va a utilizar y reúsela una y otra vez.

Por último, en vez de ir a tiendas *gourmet* para comprar esos cafés costosos para llevar, prepare su propio café en casa. Eight O'Clock, que es una marca modesta de café, se ubicó por encima de todas las marcas de lujo en una prueba de sabor realizada recientemente por *Consumer Reports*. Y su precio de $6 la libra es imbatible.

Servicios públicos

Ahorre en calefacción sin renunciar a la comodidad

 Aumento en el ahorro este año: $75 o más

Bajar el termostato apenas cinco grados durante el invierno puede reducir considerablemente sus facturas de calefacción, entre $75 y $300 al año, dependiendo del tipo de combustible que utilice.

Baje la temperatura 5 grados en invierno y ahorre

Tipo de combustible	Gas natural	Electricidad	*Fueloil*	Kerosene
Reducción de los costos de calefacción	25%	30%	20%	25%
Ahorro aproximado por año	$81.20	$75.61	$318.24	$87.45

Si usted utiliza gas natural, bajar la temperatura en apenas un grado puede reducir su consumo en 5 por ciento, lo que para una familia típica equivale a un ahorro modesto de $16.24 cada año. Abríguese mejor y baje la temperatura 5 grados y el ahorro ya no será tan modesto: $81.20 al año como promedio. Lo mejor de todo es que usted puede ahorrar dinero cualquiera que sea el tipo de calefacción que tenga: gas natural, electricidad, *fueloil* o kerosene.

Recordar bajar el termostato antes de irse a dormir o cada vez que salga de casa es difícil. Por esa razón los expertos recomiendan instalar un termostato programable de bajo costo. Configure las temperaturas para los meses de verano y de invierno para poder ahorrar de manera consistente durante todo el año. La familia típica estadounidense gasta cerca de $1,000 al año en costos de calefacción y enfriamiento. La instalación de un termostato programable puede reducir esa cantidad en $180 al año en promedio.

Ahorre al máximo adoptando las siguientes configuraciones. Durante el invierno, mantenga el termostato por debajo de los 70 grados en las mañanas y las tardes. Bájelo a 62 grados cuando salga de casa y por las noches mientras duerme. Durante el verano, reduzca su factura de electricidad de manera fácil. Mantenga el termostato por encima de los 78 grados en las mañanas y las tardes. Súbalo hasta los 85 grados cuando salga a la calle y a 82 grados por la noche mientras duerme.

Haga dinero con las empresas de electricidad

 Aumento en el ahorro este año: $20 o más

Haga que la compañía de electricidad, para variar, le pague a usted. Sí, leyó bien. Hay programas secretos para el manejo de carga que ofrecen recompensas monetarias basadas en su factura eléctrica.

Durante los días calurosos de verano las unidades de aire acondicionado funcionan durante más horas de lo normal y las compañías eléctricas se esfuerzan por producir suficiente electricidad para satisfacer las necesidades de sus usuarios. Si bien la construcción de nuevas centrales eléctricas podría aliviar la presión, es una solución costosa. Las compañías de electricidad prefieren más bien pagarle a usted.

Inscríbase en un programa de manejo de carga y obtenga un crédito inmediato en su factura de servicios públicos. La compañía de electricidad instalará un receptor de radio en su equipo de aire acondicionado. Cuando el consumo de electricidad en su comunidad empieza a abrumar el sistema, la compañía eléctrica envía una señal al remoto para apagar su aire acondicionado durante unos pocos minutos. Cada vez que accionan el interruptor, usted gana más créditos.

Georgia Power, por ejemplo, paga $20 a los usuarios que le permiten instalar el receptor y otros $2 cada vez que apagan el interruptor, por lo general unas cuantas veces cada verano. Si la compañía acciona el interruptor cinco veces durante el verano, el usuario recibe $30 el primer año, más $10 cada año adicional. Llame a su compañía de servicios públicos y pregunte si ofrecen un programa de incentivos similar.

Busque la estrella para economizar

 Aumento en el ahorro este año: $388 o más

La próxima vez que deba reemplazar algo en casa, desde una bombilla a un lavaplatos, invierta en un producto que lleve la etiqueta de Energy Star. Los productos Energy Star están diseñados para utilizar menos energía que los modelos normales, por lo que son buenos para su bolsillo y buenos para el medio ambiente. Si usted sustituye todos los electrodomésticos mencionados más abajo con modelos de Energy Star, usted podría ahorrar $388 o más en servicios públicos en un año.

- Jubile su vieja lavadora de ropa y adquiera un modelo nuevo de Energy Star. Ahorrará $50 al año en servicios públicos al consumir menos energía y 7,000 galones de agua menos. Durante la vida útil de la lavadora usted ahorrará $550, lo suficiente para comprar una nueva secadora de ropa.

- Reemplace su ruidoso refrigerador de un modelo anterior a 1992 y ahorre más de $100 al año. Los refrigeradores de Energy Star utilizan 20 por ciento menos energía que los demás modelos nuevos y un asombroso 40 por ciento menos que los fabricados antes del año 2001.

- Cambie su viejo calefactor a gas por uno de Energy Star y reduzca su factura de calefacción en 12 por ciento, casi $40 al año, más si usted vive en un clima frío.

- Instale un calentador de agua con tanque de Energy Star y ahorre $30 al año en costos de energía, esto es $360 durante la vida útil del calentador. El ahorro será aún mayor para las familias numerosas.

- Cambie su viejo ventilador de techo por uno de Energy Star y ahorre $15 al año por ventilador. Utilice focos o bombillas fluorescentes compactas (CFL, en inglés) y ahorre aún más.

- Reemplace su aire acondicionado central de 12 años con un nuevo modelo de Energy Star y rebaje en 30 por ciento sus facturas de enfriamiento para un ahorro promedio de $123 al año.

- Deshágase de su lavavajillas si es de antes de 1994 en favor de un modelo de Energy Star y deduzca $30 al año de sus facturas de servicios públicos. Estas máquinas utilizan 41 por ciento menos energía que los otros modelos nuevos y ahorran $90 en las facturas de agua caliente durante su vida útil.

Las compañías de servicios públicos, el gobierno federal y los gobiernos estatales se han unido para ayudarle a comprar electrodomésticos de Energy Star. Gracias a reembolsos y financiamientos a bajo interés usted puede adquirir estos modelos de consumo eficiente de energía. Llame a su compañía de servicios públicos y pregunte acerca de los programas disponibles, o búsquelos en línea en *www.energystar.gov* (en inglés) o *www.dsireusa.org* (en inglés). ¿Necesita más ayuda? Averigüe sobre los incentivos fiscales en *www.energytaxincentives.org* (en inglés) o *www.energytaxincentives.org/consumers/espanol/index.php* (en español).

¿No tiene computadora? Entonces llame al IRS al 800-829-3676 y solicite el formulario 5695. Este formulario explica qué mejoras califican para el crédito federal por bienes residenciales de eficiencia energética. Para los créditos fiscales estatales, póngase en contacto con el departamento de impuestos de su estado. Conserve los recibos de compra, las garantías y otros documentos del producto o servicio.

Cómo aumentar al máximo el ahorro de energía

En Washington, D.C., una familia que vive en una casa típica de 1,800 pies cuadrados, construida en la década de 1970, ahorraría $595 al año en servicios públicos si optara por los electrodomésticos de Energy Star. Eso significa un ahorro de $6,701 durante la vida útil de los electrodomésticos.

No es necesario actualizar todos los electrodomésticos a la vez. Vaya reemplazándolos con nuevos modelos eficientes de Energy Star solo cuando sus viejos aparatos empiecen a fallar y tengan una avería.

Electrodoméstico	Ahorro anual	Ahorro durante la vida útil del electrodoméstico
Lavadora de ropa	$68	$596
Calefactor a gas y termostato programable	$290	$3,675
Calentador de agua con tanque	$28	$364
Dos accesorios luminosos	$21	$279
Ventilador de techo, más bombillas CFL	$32	$258
Aire acondicionado central y termostato programable	$95	$1,002
Lavavajillas	$29	$250
Refrigerador	$8	$85
Congelador adicional	$9	$83

Mejoras gratuitas para conservar energía en el hogar

 Aumento en el ahorro este año: $358 o más

Usted puede recibir $6,500 como financiamiento gratuito para mejorar el rendimiento energético de su hogar y ahorrar más de $358 al año en costos de energía a través de un programa de asistencia para la protección contra los efectos adversos del clima llamado WAP, sin importar si usted alquila o es propietario, si vive en un departamento, en una casa móvil o en una vivienda unifamiliar.

El programa WAP tiene como misión hacer que las viviendas de las familias de bajos ingresos tengan más eficiencia energética, lo que reduce sus facturas de energía, así como la necesidad de solicitar ayuda al gobierno. Hasta el momento, 5.6 millones de familias se han beneficiado con este programa. Su familia podría ser la siguiente.

Al principio el programa solo cubría mejoras baratas, como colocar burletes o cintas aislantes para sellar las puertas y las ventanas. Ahora, además de una evaluación sofisticada de la eficiencia energética de su vivienda, usted obtiene soluciones integrales, como el aislamiento del ático y de las paredes. Un experto también medirá los niveles de monóxido de carbono, moho y humedad en su vivienda para corregir esos peligros. Algunos estados dan preferencia a las personas mayores siempre y cuando cumplan con el límite de ingresos establecido.

Póngase en contacto con los programas de asistencia para la climatización en su área a través de NEAR, un proyecto nacional de referencia para recibir ayuda con los gastos de energía. Llámelos gratis al 866-674-6327. Si usted no reúne los requisitos para recibir ayuda para la climatización, tal vez sí califique para el programa LIHEAP, que ofrece ayuda a los hogares de bajos recursos para pagar las facturas de servicios públicos y que además podría cubrir parte de la climatización de manera gratuita.

Utilice un aerosol para no desperdiciar energía

 Aumento en el ahorro este año: $230

Sellar las fugas de aire con espuma en aerosol, masilla y burletes o cintas aislantes es una de las maneras más económicas de reducir su consumo de energía y de ahorrar dinero. Tape las fugas y reduzca en 10 por ciento sus facturas de energía, con lo cual conseguirá un ahorro anual de $230. Combata el calor del verano y el frío del invierno y reduzca sus costos de energía con los siguientes consejos:

Detecte las fugas de aire. El incienso no es solo para las iglesias. Encienda una varita de incienso y sosténgala cerca de las ventanas, las puertas, las instalaciones de iluminación y de plomería, las compuertas de acceso al ático y los tomacorrientes. Si el humo sopla lateralmente quiere decir que usted detectó un escape de aire. Fíjese también en las manchas de suciedad en las partes expuestas del aislante. Podrían indicar que hay un agujero cerca por el cual el aire entra y sale de su casa. Las manchas de suciedad en la pintura del cielo raso y en las alfombras apuntan a posibles fugas en las juntas entre las paredes y el techo o en las viguetas entre las paredes y el piso.

Séllelas firmemente. La espuma en aerosol tapa los agujeros en las paredes exteriores, mientras que la masilla y los burletes o cintas aislantes sirven para sellar las puertas y las ventanas. Coloque una junta plana flexible a lo largo del borde inferior de las puertas exteriores. Utilice el aislante de R6 o más para revestir los conductos expuestos en áticos y sótanos sin calefacción.

Revise el ático. Los áticos mal aislados pierden mucho aire frío y caliente. Si las viguetas del piso pueden verse fácilmente, usted necesita más aislante. La mayoría de los áticos necesitan entre 10 y 14 pulgadas, según el tipo de aislante que se utilice.

EL SIGUIENTE PASO

Las auditorías energéticas son mucho más divertidas que una auditoría del IRS. Además, le permiten ahorrar dinero. Estas herramientas en línea son fáciles de usar y son gratuitas.

- Home Energy Saver en *hes.lbl.gov* (en inglés).

- Energy Guide en *https://www.energyguide.com* (en inglés). Haga clic en "Analyze your use" y luego en "In-Depth Analysis".

- Home Energy Checkup, de Alliance to Save Energy, en *www.ase.org/resources/home-energy-audit* (en inglés).

Ahorre electricidad con las bombillas CFL

 Aumento en el ahorro este año: $50

Las bombillas fluorescentes compactas (CFL, en inglés) utilizan la cuarta parte de electricidad que las bombillas o focos tradicionales y duran hasta 10 veces más. Reemplace las cinco bombillas que usa con más frecuencia y ahorre $50 al año en costos de electricidad y de bombillas de repuesto. Eso es $375 durante la vida útil de estas bombillas. Las bombillas CFL incluso pueden reducir los costos de enfriamiento de la casa, ya que emiten 75 por ciento menos calor que las luces incandescentes.

Para las luces empotradas, compre las bombillas CFL reflectoras, no las espiraladas. Hay CFL especiales para los atenuadores de luz. Al igual que las bombillas tradicionales, los fluorescentes compactos están disponibles en distintas tonalidades de luz. Compre bombillas con una temperatura de color correlacionada (CCT, en inglés) de entre 2700K y 3000K para una luz blanca suave o de más para una luz "brillante" o "diurna". Al comprar estas bombillas, no se guíe por los vatios listados en el paquete, fíjese en los lúmenes o cantidad de luz que emiten.

Super**ahorro**

Más grande no siempre es mejor cuando se trata de las unidades de aire acondicionado (AC) para las ventanas. Solo es más caro. La capacidad de enfriamiento de estas unidades se mide en unidades térmicas británicas (BTU). Antes de comprar una unidad de AC de ventana, calcule cuántas BTU necesita:

- Multiplique el total de la superficie de la habitación en pies cuadrados por 20 BTU.

- Agregue 600 BTU por cada persona adicional que usa la habitación, sin contarse a sí mismo.

- Agregue el 10% para las habitaciones soleadas, reste el 10% para las habitaciones oscuras.

- Agregue 4,000 BTU más si es para la cocina.

Detenga el goteo de su cuenta bancaria

 Aumento en el ahorro este año: $50

¿Alguna vez ha tirado dinero por el inodoro? Si su inodoro no deja de correr, la respuesta es sí. Lo mismo puede decirse de los grifos y los cabezales de ducha que gotean. Una familia estadounidense típica pierde 11,000 galones de agua al año. Una de cada 10 pierde tres veces esa cantidad. Los expertos señalan que estas familias podrían ahorrar el 10 por ciento en sus facturas de agua y desagüe, o $50 al año, con solo unas cuantas reparaciones sencillas.

Hay fugas de agua que son fáciles de detectar, como las de un grifo o llave de agua que gotea o un inodoro que no deja de correr. Para las fugas de agua silenciosas, siga estos consejos:

- Apague la máquina de hielo y no use agua durante dos horas. Controle el medidor de agua al principio y al final de las dos horas. Si hay un cambio entonces es probable que tenga una fuga.

- Examine su factura de agua de enero o febrero. Una familia de cuatro debería consumir menos de 12,000 galones de agua al mes durante el invierno. Un consumo mayor podría indicar una fuga de agua.

- Vierta colorante para alimentos al tanque del inodoro y deje en reposo unos minutos. Si el colorante aparece en la taza hay una fuga. Tire la cadena antes de que manche la taza.

Frene el aumento incontrolado de las facturas de agua

 Aumento en el ahorro este año: $90

Deshágase de los inodoros antiguos que desperdician agua y ahorre en grande. Los inodoros que no dejan de correr son los responsables del mayor consumo de agua en la casa. Los modelos que se venden ahora necesitan apenas 1.3 galones por descarga, menos de la mitad del agua de los inodoros antiguos de las viviendas construidas antes de 1992.

Los ahorros pueden ser considerables. Cada inodoro de 3.5 galones que usted cambia, puede representar $90 al año en ahorros de agua y desagüe, esto es $2,000 durante la vida útil del inodoro. Reemplace tres y habrá ahorrado $270 al año en las facturas de agua.

La Agencia de Protección Ambiental (EPA, en inglés) otorga el sello *WaterSense* a los inodoros de bajo flujo que solo necesitan 1.3 galones por descarga. También es fácil encontrar modelos de 1.6 galones. Busque las ofertas de reembolso de su compañía de servicios públicos.

¿No puede invertir en un inodoro nuevo de bajo flujo? Entonces haga su propio inodoro de bajo consumo. Coloque una botella de soda de 2 litros limpia y vacía en el tanque de un inodoro de 3.5 o de 5 galones. Deje que la botella se llene de agua y vuelva a tapar el tanque. Ahora con cada descarga, usted ahorrará dos litros de agua. He aquí otros prácticos consejos para reducir su consumo de agua:

- Cámbiese al riego por goteo. Un tercio del agua consumida por un hogar típico se va al cuidado del jardín. El riego por goteo utiliza apenas la mitad del agua que el riego por aspersión, lo que representa un ahorro de $1,150 durante la vida útil del sistema.

- Compre un aireador para grifo por $5 y ahorre miles de galones de agua cada año.

- Instale un cabezal de ducha de bajo flujo y baje a la mitad su consumo de agua para la ducha. Los cabezales de bajo flujo utilizan 2.5 galones por minuto, mientras que los modelos tradicionales usan 5 galones.

Despídase del tanque y vea crecer sus ahorros

 Aumento en el ahorro este año: $115 o más

Una familia estadounidense típica gasta entre $400 y $600 al año solo en calentar agua para ducharse, lavar los platos y la ropa y otras tareas del hogar. Optar por un calentador de agua sin tanque puede reducir en $115 o más los costos de energía cada año. Estas unidades sin tanque calientan el agua solo cuando usted la necesita, en lugar de almacenarla y mantenerla constantemente caliente. Su instalación es algo más costosa que la de los calentadores de agua tradicionales, pero usted recuperará esta inversión rápidamente. Además duran hasta 20 años, casi el doble que los calentadores con tanque, y no hay peligro de que su casa se inunde por una fuga.

Hable para reducir sus cuentas de teléfono

 Aumento en el ahorro este año: $240 o más

Usted puede reducir a la mitad el dinero que destina al pago del teléfono sin sacrificar el servicio.

Cancele el servicio de larga distancia. Con todas las opciones que hoy existen, ¿por qué seguir con un servicio tradicional de larga distancia? En muchos casos, las tarjetas telefónicas, los servicios de llamadas sin cargo y los planes *"dial around"* ofrecen tarifas más bajas. Por ejemplo:

- TEL3Advantage, servicio de larga distancia *"dial around"*. Visítelos en línea al *www.3longdistance.com* (en inglés) o llame al 800-441-0295 (en inglés y español).

- GetPIN, servicio de larga distancia que utiliza números de identificación personal (PIN). Vaya a *www.getpin.com* o llame al 877-GET-PIN1.

- Time Dial, herramienta que compara tarifas y recomienda proveedores que ofrecen las tarjetas telefónicas de menor costo según su perfil típico de llamadas. Vaya a *www.timedial.net*.

Una vez que encuentre un servicio que se acomode a sus necesidades, limite su teléfono fijo al paquete básico de llamadas locales y vea cómo sus costos de teléfono se reducen a la mitad. Tenga en cuenta que las tarjetas telefónicas que se compran en las tiendas suelen tener fechas de vencimiento y cobrar una comisión por conexión. Y si usted pierde la tarjeta, también pierde los minutos. Esté atento a cargos ocultos en cualquier tarjeta o servicio de larga distancia antes de inscribirse.

Cámbiese a un celular. Si cancela su línea fija y opta por la telefonía móvil usted podría ahorrar una buena suma de dinero. Si usted elimina el teléfono fijo y ya tiene un teléfono celular, entonces podrá ahorrar entre $30 y $50 al mes, es decir entre $360 y $600 al año. Y si usted aún no tiene un celular, al menos no perderá dinero si adquiere uno.

Muchos proveedores nacionales de telefonía celular ofrecen llamadas de larga distancia gratuitas con un plan básico de llamadas. Nada mal mientras usted se limite a usar la cantidad de minutos permitidos por su plan. Sin embargo, si se excede acabará pagando un ojo de la cara.

Los teléfonos prepagos, como TracFone y Net10, no lo sorprenderán a la hora de facturar. Las llamadas de larga distancia tal vez no sean gratuitas, pero lo más probable es que sean más económicas que con un proveedor de telefonía fija. Lea la letra pequeña atentamente. El fondo que prepagó puede irse más rápido con las llamadas diurnas que con las realizadas durante la noche. Es posible que también le deduzcan ciertos cargos y tarifas de itinerancia (*roaming charges,* en inglés).

No todas las áreas rurales pueden responder al servicio de llamadas móviles al 911, por lo que usted debe considerar cuidadosamente la posibilidad de cancelar su línea fija si vive en estas áreas.

Agrúpelos. La adquisición de un paquete que incluye los servicios de telefonía, cable e Internet puede ahorrarle $20 al mes en estos servicios, por un total de $240 al año, además de los descuentos mediante reembolsos propios de este tipo de paquetes. Como con todo lo demás, lea la letra pequeña antes de inscribirse. Las bajas tarifas introductorias podrían dispararse después de un breve período inicial y es posible que tenga que firmar un contrato. Es más, la tarifa final podría ser más alta que la anunciada debido a impuestos y cargos ocultos.

Vuelva a lo básico. Pregúntese si usted realmente necesita un identificador de llamadas o la opción de llamadas en espera y si realmente tiene que navegar por Internet desde el celular. Llame a su proveedor para saber cuánto ahorraría si cancela todos estos extras innecesarios. Una línea fija básica suele costar alrededor de $22 al mes, pero fácilmente podría llegar al doble con estos extras.

Super**ahorro**

> Un celular mojado no es el fin del mundo. Trate de secarlo antes de reemplazarlo. Retire la pila y seque el agua con un paño. Sacuda el teléfono y después desatornille la tapa posterior. Con mucho cuidado limpie el interior con un hisopo de algodón empapado en alcohol isopropílico o con un limpiador en aerosol para componentes electrónicos. Deje que el teléfono se seque totalmente. Deje pasar otras 24 horas antes de volver a encenderlo.

Gane dinero con celulares viejos

 Aumento en el ahorro este año: $100

Usted podría ganar hasta $100 en efectivo o en una tarjeta de regalo a cambio de su viejo teléfono celular, gracias a una serie de nuevas compañías. Con Flipswap, por ejemplo, usted puede entregar su teléfono en una tienda física a cambio de crédito.

Vaya a *www.flipswap.com* (en inglés) e ingrese su código postal. Usted recibirá un listado de negocios en su área que aceptan celulares usados, incluidas las tiendas Best Buy. Lleve su teléfono y la tienda lo aceptará como parte de pago o le ofrecerá un crédito de tienda. Pero recuerde, no todos los teléfonos tienen valor. Si el suyo no lo tiene, sencillamente pida a la tienda que se lo cambie por un árbol. Flipswap reciclará el teléfono y CarbonFund.org plantará un árbol en su nombre. Esta empresa tiene competencia, así que compare precios antes de canjear su teléfono viejo. Compare las ofertas de Flipswap con las de *www.cellforcash.com* (en inglés), por ejemplo.

Estos teléfonos serán reacondicionados para ser vendidos alrededor del mundo o serán reciclados cuando no puedan ser reutilizados. Antes de canjear su teléfono asegúrese de borrar su lista de contactos y eliminar todos los mensajes, fotos e información personal.

Vivienda

Haga que su casa sea atractiva para los compradores

 Aumento en el ahorro este año: $13,700

Las pequeñas mejoras resultan ser las más rentables a la hora de vender una vivienda. Evite hacer mejoras a gran escala, como añadir un dormitorio o un baño, ya que este tipo de mejoras no suelen ser rentables. Son los cambios pequeños que cuestan poco o nada, como limpiar y despejar la casa, los que atraen el dinero.

HomeGain.com, un sitio web en inglés para los propietarios que buscan aumentar al máximo el valor de su vivienda, entrevistó a más de 2,000 agentes de bienes raíces en todo el país. Ellos encontraron que con las mejoras de bajo costo se obtiene el mayor beneficio.

Limpie y despeje. Usted puede aumentar el precio de venta de su casa en casi $2,000 con una limpieza profunda y deshaciéndose de todo aquello que sobra.

- Además de la limpieza habitual, se recomienda restregar las juntas de las baldosas y eliminar todas las manchas. Por lo menos la cocina y el baño tienen que quedar relucientes.

- Venda el exceso de muebles o llévelos a un almacén para hacer que las habitaciones se vean más grandes.

- Retire todos los electrodomésticos que están sobre la barra de la cocina, incluidos la tostadora y el horno microondas, para hacer que su cocina se vea espaciosa.

- No deje objetos debajo de la escalera o en el vestíbulo, ni cachivaches en la terraza o en los patios delanteros y traseros.

- Ordene los closets, la despensa, el tocador del baño y los muebles de la cocina: organice, done o tire todo lo necesario para que estas áreas se vean limpias y despejadas.

- Guarde todas las fotografías y objetos personales mientras su casa está a la venta.

Cree una sensación de luz. Gastar entre $200 y $300 podría significarle una ganancia de $1,500. Con la iluminación adecuada una habitación puede verse más amplia y cómoda. Aumente la luz natural abriendo las persianas y las cortinas y eliminando las cortinas pesadas y oscuras. Limpie las ventanas por dentro y por fuera, y recorte los árboles y arbustos que bloquean el paso de la luz. Asegúrese de que todas las luces exteriores funcionen y enciéndalas de noche.

Dele una mano de pintura. Invierta en un poco de pintura. Se trata de una mejora de bajo costo y de enorme impacto. HomeGain dice que pintar el interior de una vivienda por sí solo puede incrementar su valor en casi $2,200. Elija tonos claros y neutros que resulten atractivos para todos. Pinte encima de los paneles o revestimientos de madera oscuros o cúbralos con pintura de cal.

Acondicione la casa. El acondicionamiento de casas es el arte de remozar una vivienda para mostrarla bajo la mejor luz posible. Esto se logra despejando los espacios, reacomodando los muebles y agregando pequeños toques para hacer que los compradores potenciales puedan llegar a sentirse como en casa. Destinar apenas $400 o $500 al acondicionamiento puede resultar en una ganancia de hasta $2,400 al momento de vender la casa.

Puede que sea suficiente con solo mover los muebles, pero considere la posibilidad de alquilar mobiliario más moderno si el suyo está viejo o en mal estado. Invierta en detalles poco costosos, como ropa de cama de lujo y flores frescas. Usted puede contratar a un profesional especializado en acondicionar casas o lo puede hacer usted mismo.

Limpie la alfombra. Para un ahorro sustancioso limpie las alfombras, no las reemplace. Si no están descoloridas o visiblemente deterioradas, simplemente alquile una máquina limpiadora de alfombras o contrate a un profesional. Esto resultará en una ganancia de $2,000. Fije con tachuelas las secciones que no están adheridas al suelo, reemplace las partes desteñidas y asegúrese de eliminar los malos olores de las mascotas.

Repare los pisos. Eleve el precio de venta de su vivienda en hasta $2,000 lijando y renovando el acabado de sus pisos de madera, limpiando y encerando los pisos de vinilo o linóleo y asegurando con clavos de acabado los pisos chirriantes para silenciarlos.

Resuelva los problemas de electricidad y de plomería. Para los potenciales compradores no hay nada que pueda suponerles más problemas futuros que luces que no se encienden, timbres que no suenan o inodoros que no dejan de correr. Gaste unos cuantos cientos de dólares en arreglar estos problemas por adelantado. Usted se ahorrará las complicaciones de darles solución después de la inspección de la casa. Además, usted podrá vender su casa más rápido y hasta por $1,600 más.

EL SIGUIENTE PASO

La elección de colores, azulejos y otros materiales es lo más difícil en cualquier remodelación. Afortunadamente estos sitios web gratuitos le facilitan esta tarea:

- Obtenga ayuda a la hora de elegir colores, azulejos, encimeras, gabinetes y más en *www.move.com* (en inglés).

- Antes de comprar la pintura, vea cómo quedarían los colores en la pared en *www.behr.com* (en inglés) o *www.behrpaint.com.mx* (en español) y *http://oem.sherwin-williams.com/us/spa/home* (en español) o *www.sherwin-williams.com* (en inglés).

- En *www.hgtv.com* (en inglés) encontrará consejos prácticos y de decoración.

- Descubra guías para hacerlo usted mismo en *www.diynetwork.com* y *www.thisoldhouse.com* (en inglés).

Nueve maneras efectivas de agregar valor a su casa

 Aumento en el ahorro este año: $2,150

La impresión que causa su vivienda por fuera será decisiva para interesar a los compradores a que la vean por dentro. Cause una buena impresión e incremente el valor de su vivienda en hasta $2,150 con solo cuidar el jardín y limpiar las áreas exteriores. Lo mejor de todo es que no tiene por qué costarle una fortuna. Lo puede hacer usted mismo y gastar apenas unos cuantos cientos de dólares en plantas y reparaciones.

- Recorte los árboles y los arbustos que han crecido demasiado y que ocultan su casa.

- Corte el césped y mantenga los arbustos y los bordes del jardín recortados mientras que su casa está a la venta.

- Quite la mala hierba del jardín y arranque las flores muertas y moribundas.

- Rastrille las hojas y recoja la basura de los jardines y patios.

- Apile la leña con cuidado para darle un toque acogedor a la casa.

- Repare la cerca y retire todos los carteles de advertencia, como los de "Cuidado con el perro".

- Mantenga la vía peatonal y la entrada de autos limpias y sin maleza.

- Reemplace la alfombrilla de bienvenida.

- Coloque macetas con flores y plantas llamativas y coloridas alrededor de la puerta de entrada y del porche.

Si piensa vender su casa en unos años, usted tiene tiempo para realizar el atractivo exterior de su hogar. Contrate a un diseñador de paisaje para que le presente un plan de tres o cinco años para las áreas exteriores de su casa, y luego haga usted mismo el trabajo. Usted pagará unos cuantos cientos de dólares por la asesoría profesional, pero ahorrará miles en la mano de obra. El resultado: un jardín diseñado profesionalmente a una fracción del costo.

EL SIGUIENTE PASO

Encuentre las mejores tasas de interés para un nuevo préstamo hipotecario con el *Homebuyer's Mortgage Kit* (en inglés), una útil guía sobre hipotecas para propietarios de viviendas. Esta guía enumera los tipos de interés hipotecario y los costos por solicitud más recientes, y explica los distintos tipos de préstamo. Llame a HSH Associates, Financial Publishers al 800-UPDATES y solicite un *kit* por $20, más manejo y envío.

Secretos para vender su casa sin agente

 Aumento en el ahorro este año: $6,000 o más

Venda su casa usted mismo y ahorre entre $6,000 y $12,000 en una vivienda de $200,000, esto es, entre el 3 y el 6 por ciento de su valor. El ahorro se debe a que usted no tendrá que pagarle al agente vendedor, aunque es posible que aún deba pagar una comisión al agente de bienes raíces del comprador.

Las personas que deciden vender su casa por cuenta propia bajo la modalidad FSBO (*For Sale By Owner* o "en venta por el propietario"), logran conseguir tanto o más dinero por la casa que los agentes de bienes raíces, aunque por lo general les toma más tiempo venderla, dice un estudio de las Universidades Northwestern y de Wisconsin-Madison.

Hacer todo solo requiere mucho trabajo, tiempo y energía. Usted tendrá que fijar el precio de venta, anunciar la venta de la casa y estar disponible para mostrarla a cualquier hora del día. Además, usted tendrá que negociar con los compradores y contratar los servicios de un abogado de bienes raíces para el manejo de los documentos legales.

Antes que nada, empiece por decidir si vale la pena. Para calcular cuánto puede ahorrar con la modalidad FSBO, determine primero cuál es el valor de su casa. Luego multiplique ese valor por 0.03, ya que usted podría ahorrar únicamente el 3 por ciento de su valor.

Fije un precio realista. No establezca el precio según lo que quisiera recibir por su casa o según el dinero que necesite. El precio debe basarse en hechos objetivos, tales como el precio de venta reciente de casas similares en su zona. Estas son algunas maneras de hacerlo:

- Contrate un tasador. Por unos cientos de dólares, usted obtendrá pruebas sólidas de lo que vale su casa en el mercado actual.

- Averigüe los precios de venta más recientes en la oficina de registros del condado. Busque las viviendas que tengan aproximadamente la misma superficie y un número similar de baños, dormitorios y otros detalles.

- Obtenga una cifra aproximada en sitios web como *www.zillow.com* y *www.homegain.com*, pero no dependa únicamente de esas cifras. No son suficientemente precisas como para determinar el precio de venta de su casa.

Anuncie en MLS. Clavar un cartel en su jardín no venderá su casa. Muy poca gente lo verá. Si realmente quiere vender su casa, usted debe colocar un anuncio en MLS, el servicio de listados múltiples que utilizan los agentes de bienes raíces. Pague una suma fija a un agente de bienes raíces con licencia para que coloque en su nombre anuncios en sitios web, como *www.flatfeemlslisting.com* o *www.owners.com*. Los vendedores FSBO que anuncian la venta de sus casas a través de MLS podrían ahorrar más de $5,000 en comisiones en una casa de $222,000.

Proteja sus intereses. Antes de aceptar la oferta de un comprador, solicite un depósito de buena fe de por los menos $1,000, además de la carta de preaprobación del prestamista.

Contrate ayuda legal. Pague por los servicios de un abogado con experiencia en bienes raíces o de una compañía de títulos de propiedad para finalizar el acuerdo y redactar los documentos de cierre.

Si decide hacerlo usted mismo, en estos sitios web encontrará ayuda en inglés para anunciar, promocionar y vender su casa:

- www.forsalebyowner.com
- www.owners.com
- www.homesbyowner.com
- www.10realty.com
- www.salebyownerrealty.com

Obtenga asesoría gratis sobre ejecuciones hipotecarias

 Aumento en el ahorro este año: $2,528 o más

Usted ha visto los anuncios de las compañías consultoras en ejecuciones hipotecarias que prometen negociar con el prestamista para salvar su casa —por una comisión, claro está. No malgaste su dinero. El Departamento de Vivienda y Desarrollo Urbano (HUD, en inglés) brinda la misma asesoría, pero de manera gratuita.

Las compañías que piden comisiones por lo general cobran el valor de dos o tres meses de pagos hipotecarios. Si usted es dueño de una casa de $200,000 y el pago de su hipoteca es de $1,264 mensuales, usted ahorraría entre $2,528 y $3,792 si opta por la asesoría gratuita. Llame al 800-569-4287 para ponerse en contacto con los asesores en vivienda aprobados por HUD. Ellos le explicarán cuáles son sus opciones si usted incumplió con el pago de su préstamo, tiene problemas de crédito o enfrenta un posible embargo o ejecución hipotecaria. Además, le ayudarán a organizar sus finanzas y a negociar con su prestamista.

Pruebe estas tácticas si ya conversó con un asesor de vivienda y aún no logra llegar a un acuerdo con su prestamista:

- Para los préstamos hipotecarios convencionales, llame al 888-995-HOPE, la línea directa para propietarios de viviendas operada por Hope Now, una alianza de asesores de vivienda, compañías hipotecarias, inversionistas y otras instituciones que ofrecen ayuda gratuita para evitar la ejecución hipotecaria.

- Para los préstamos asegurados por la Administración Federal de Vivienda (FHA, en inglés), llame al Centro Nacional de Servicios de la FHA al 888-297-8685.

- Para los préstamos asegurados por el Departamento de Asuntos de los Veteranos (VA, en inglés) llame al 800-729-5772 y solicite hablar con un representante del servicio de préstamos.

Haga lo que haga, no ignore el problema. Conteste las llamadas telefónicas y las cartas de su prestamista. Cuanto más espera y cuánto más se retrasa en los pagos, más difícil le será llegar a un acuerdo.

Si lleva más de dos meses sin cumplir con el pago del préstamo es posible que un asesor de vivienda ya no pueda ayudarle y que necesite un abogado. Afortunadamente, una serie de programas ofrecen ayuda legal gratuita o de bajo costo.

- Llame a la Asociación de Abogados de su estado y pregunte acerca de la ayuda pro bono (o gratuita) para propietarios.

- Las Agencias del Área para Adultos Mayores (AAA) también ofrecen ayuda legal gratuita para personas mayores de 60 años. Para encontrar la AAA de su área, llame al 800-677-1116.

- La Corporación de Servicios Legales (LSC), corporación privada sin fines de lucro, contrata a abogados de planta para ayudar a quienes no pueden costearse un abogado. Busque en la guía telefónica la oficina de LSC que está cerca de usted.

¡ALERTA!

Las ejecuciones hipotecarias son angustiantes. Un estafador podría tomar ventaja de sus temores y, haciéndose pasar por un "asesor hipotecario", podría prometerle el cese inmediato de la ejecución hipotecaria con una sola firma suya. Por desgracia, con esa firma usted podría estar cediendo la escritura de su propiedad y perdería la posesión de su hogar al instante. Solicite consejo profesional de un abogado, un agente de bienes raíces o un asesor de vivienda aprobado por HUD antes de firmar cualquier documento.

Diez maneras de ahorrar en un seguro de vivienda

 Aumento en el ahorro este año: $76 o más

Usted debe preguntarle a su agente sobre estos diez descuentos en su seguro de vivienda. Estas deducciones podrían significar un ahorro mensual por el resto de su vida.

- Instale detectores de humo para deducir por lo menos un 5 por ciento —o $76 al año— de las primas de una póliza típica de seguro de vivienda. Dejar de fumar podría reducirlas aún más.

- Agrupe las pólizas —vivienda, auto y vida— con la misma aseguradora para conseguir un ahorro adicional de entre 5 y 15 por ciento (entre $76 y $228). Compare antes, para cerciorarse de conseguir un ahorro al cambiar de aseguradoras.

- Alerte a su aseguradora de cambios realizados en su vecindario que mejoran la seguridad de su casa, como una nueva toma de agua a menos de 100 metros de su casa o una nueva subestación del cuerpo de bomberos cerca de su casa.

- Instale un sistema de seguridad residencial y cerraduras de seguridad y ahorre al menos 5 por ciento, o $76 al año. Pregunte a su aseguradora cuáles son los sistemas de alarma que califican.

- Instale un sistema de rociadores, además de alarmas de alta calidad contra robos e incendios para un posible ahorro de entre 15 y 20 por ciento de su póliza, esto es, entre $228 y $304 anualmente. No todas las aseguradoras ofrecen este descuento por el sistema de rociadores; averigüe primero y compre el modelo que ellos recomiendan.

- Actualice los sistemas de calefacción, electricidad y plomería, sobre todo los que tiene más de diez años de antigüedad.

- Siga con la misma aseguradora si las condiciones son buenas. Los clientes a largo plazo pueden recibir un descuento en las primas del 5 por ciento después de tres o cinco años (un ahorro de $76) o del 10 por ciento después de seis años (un ahorro de $152).

- Hágale saber a su agente de seguros cuando se jubile. Los jubilados pasan más tiempo en casa y por lo tanto es menos probable que les roben la casa y pueden detectar un incendio más rápido. También tienen más tiempo para dar mantenimiento a su casa. Todo esto puede significar un ahorro de hasta 10 por ciento anuales ($152) para las personas mayores de 55 años.

- Mantenga una calificación de crédito alta. Una historia crediticia sólida puede contribuir a reducir sus costos de seguro. Pague sus cuentas a tiempo y mantenga bajos los saldos pendientes de pago.

- Haga su casa a prueba de desastres según su región. Para reducir los costos del seguro en una zona sísmica, por ejemplo, adecue su casa antigua para resistir terremotos, y en otras zonas, instale contraventanas para tormentas o vidrio resistente a huracanes.

Haga su casa a prueba de ladrones

 Aumento en el ahorro este año: $1,440

Los ladrones buscan la vía más fácil. Si tardan más de cuatro o cinco minutos en ingresar a una casa, se dan por vencidos y se marchan. Hágaselos difícil sin desembolsar $1,200 en comprar e instalar un sistema de alarma y $240 o más anuales en servicios de monitoreo.

- No confíe solamente en los picaportes en las ventanas tipo guillotina de dos hojas. Taladre un agujero en un ángulo donde se superponen los marcos de las dos hojas. El agujero debe atravesar por completo el marco superior de la primera hoja y solo parcialmente el marco inferior de la segunda hoja. Inserte un cáncamo o tornillo de ojo removible para asegurar la ventana.

- Instale cerraduras de seguridad, no picaportes con cadena, en sus puertas exteriores.

- Deslice un trozo de madera o un palo de escoba en el riel de las puertas corredizas de vidrio.

- Dele la llave de reserva a un vecino de confianza en lugar de esconderla afuera de la casa.

- Instale luces exteriores, como reflectores. Invierta en sensores de movimiento o deje las luces encendidas toda la noche.

- Mantenga los árboles y arbustos recortados y apartados de la casa para no dar cobertura a los ladrones.

- Ubique sus objetos de valor lejos de las ventanas, incluidos los televisores de pantalla plana, las computadoras y las antigüedades.

Salud

Grandes ofertas a la vista para los no asegurados

 Aumento en el ahorro este año: $200 o más

La mayoría de los planes de seguro médico y de Medicare no pagan mucho por el cuidado de los ojos. ¿Qué puede hacer usted, entonces?

Compre en línea. Adquiera lentes a una fracción del precio y ahorre fácilmente $200 o más, comprando en sitios web como estos:

- *www.zennioptical.com*. ¿Lentes de medida a solo 8 dólares? Así es. Y usted puede conseguirlos sin importar donde resida. Los bifocales se consiguen a partir de $25 y los progresivos desde $37. Elija las monturas y lentes que desea, ingrese los datos de su receta médica y haga su pedido. Deberá pagar $4.95 por manejo y envío en cada pedido y tal vez deba esperar unas cuantas semanas para la entrega. Pero es una gran oferta si la compara con los $200 a $400 que gastaría en una óptica.

- *www.39dollarglasses.com*. Si quiere lentes baratos, pero sin la espera, pruebe este sitio web. Recibirá las monturas y lentes el día siguiente, si así lo prefiere.

- *www.eyebuydirect.com*. Aquí también puede usted obtener lentes a bajo precio. Usted recibirá además una garantía de devolución de su dinero.

Elija entre tres opciones de servicio gratuito. Hágase un examen ocular y consiga lentes gratis o a precios muy reducidos.

- *Vision USA.* Este programa, de la Asociación Estadounidense de Optometría (AOA, en inglés), provee atención oftalmológica gratuita a los no asegurados y a los trabajadores de bajos ingresos y sus familiares. Para ponerse en contacto con Vision USA, llame al 800-766-4466 o vaya a *www.aoa.org* (en inglés).

- *Club de Leones.* El programa *"Give the Gift of Sight"* (dar el don de la vista) ayuda a encontrar servicios de atención ocular gratuitos o con descuentos. Llame al 800-747-4448 o vaya al *www.lionsclubs.org/SP* (en español), para obtener la información de contacto del Club de Leones de su área.

- *EyeCare America.* La Academia Estadounidense de Oftalmología auspicia un programa de atención ocular para las personas mayores. Para calificar, usted debe ser mayor de 65 años, no haber visto a un oftalmólogo en tres años y no tener seguro para la vista. Llame al 800-222-3937 para más información.

¡ALERTA!

> Está bien usar lentes para leer de venta libre durante breves períodos de tiempo, si perdió los suyos o se le rompieron. Los lentes no recetados pueden causar fatiga visual, pero no debieran causar daños permanentes. Sin embargo, para el uso a largo plazo, los expertos recomiendan que un profesional le recete los lentes.

Consiga medicamentos más baratos con cupones

 Aumento en el ahorro este año: $180 o más

Una encuesta reciente encontró que uno de cada siete estadounidenses dejó de tomar un medicamento que le fue recetado debido a su precio elevado. Los medicamentos genéricos son una opción más económica, pero, ¿qué sucede si el medicamento en cuestión no está disponible como genérico? En ese caso trate de usar cupones de descuento para los medicamentos de marca. Búsquelos en estos dos sitios web:

- *www.optimizerx.com*. El servicio es gratuito, pero usted debe inscribirse antes. Luego podrá acceder a distintas ofertas con descuentos para el medicamento que usted necesita.

- *www.internetdrugcoupons.com*. Aquí puede encontrar cupones de hasta 40 por ciento de descuento para los medicamentos de marca que usted busca.

¿Qué significa eso en dinero contante y sonante? Si usted es un hombre que toma Flomax cada día, un cupón de 40 por ciento de descuento podría ahorrarle alrededor de $33 al mes o $396 al año. Si usted toma Lipitor para el colesterol alto puede usar un cupón y ahorrar $180 al año.

Solo recuerde que usted no puede usar estos cupones para comprar medicamentos genéricos ni medicamentos que se pueden adquirir a través de un programa estatal o federal, incluido Medicare.

Super**ahorro**

Revise la póliza de su seguro médico para ver si le dan un descuento por pertenecer a un gimnasio. Este beneficio se ofrece a veces porque cuesta menos asegurar a las personas saludables.

Médicos en línea ahorran tiempo y dinero

Aumento en el ahorro este año: $510

¿Quisiera tener una consulta personal con un médico en la comodidad de su hogar y pagada nada menos que por su seguro? Por improbable que parezca, si usted tiene una computadora es totalmente posible.

Las consultas "virtuales" con un médico funcionan mejor para las dolencias leves, para averiguar si usted debe ir a una sala de emergencias o simplemente para programar una cita con su médico habitual. Para encontrarse con un médico en línea, tanto usted como el médico necesitan una cámara web, o cámara conectada a la computadora, para que puedan verse entre sí. El médico estudiará su historia médica antes de la consulta.

Algunas aseguradoras han empezado a ofrecer estas consultas médicas en línea. Si usted tiene Blue Cross/Blue Shield en Hawai, por ejemplo, la consulta con un médico en línea cuesta solo $10. Incluso las personas que no tienen seguro médico pueden ahorrar dinero si ven al médico en línea en lugar de buscar ayuda en la sala de emergencias. Aparte de evitar las largas esperas, usted podría ahorrar fácilmente $510 sin salir de su casa. Usted pagará una cuota de apenas unos $50, comparado con el costo promedio de $560 por la atención en la sala de emergencias.

Opción de bajo costo de atención médica

Los centros médicos de las farmacias son una opción económica si usted prefiere hablar con alguien cara a cara. En estos consultorios farmacéuticos usted puede encontrar ayuda rápida para muchas enfermedades comunes y recibir vacunas contra la gripe mientras le despachan su receta médica. Walgreens, CVS Pharmacy y Wal-Mart están ampliando estos centros médicos en sus tiendas. Usted puede utilizar su seguro médico o pagar menos de $60 por una visita típica.

Una opción aún más económica es el departamento de salud de su zona. Usted puede vacunarse o hacerse un examen, como el control de la presión arterial o un examen de la próstata, a muy bajo precio.

La manera fácil de ahorrar en costos hospitalarios

 Aumento en el ahorro este año: $1,200

Cuanto menos tiempo pase en un hospital, mejor. Eso es cierto tanto para su bolsillo como para su felicidad.

Si puede evitar ingresar al hospital durante el fin de semana o en un día festivo, usted podría ahorrar hasta $1,200 al día. Ese es el costo típico de un día en el hospital. Es probable que no reciba tratamiento durante el fin de semana. Así que a menos que sea una emergencia espere hasta el primer día útil. Si se trata de un examen o de una cirugía electiva, ingrese al hospital lo más próximo posible al procedimiento.

EL SIGUIENTE PASO

Algunos expertos sostienen que usted recibirá mejor atención en un hospital que trata a muchos pacientes con la enfermedad que usted tiene. Si cuenta con acceso a Internet, usted puede obtener esa información en español con facilidad. Vaya a *http://es.medicare.gov/hospitalcompare* e ingrese los datos sobre su enfermedad y la distancia que está dispuesto a recorrer. Usted obtendrá una lista de los hospitales especializados, así como información sobre el nivel de satisfacción de otros pacientes, la calidad de la atención y el tratamiento de Medicare.

Tiempo libre

La mejor manera de leer en forma gratuita

 Aumento en el ahorro este año: $306

Deshágase de los libros viejos y ahorre dinero en los nuevos. Obtenga todo el material de lectura que desea por casi nada intercambiando libros a través de PaperbackSwap.com.

Participe en el intercambio de libros. Inscríbase en el sitio web *www.paperbackswap.com* y presente una lista de por lo menos diez libros que usted estaría dispuesto a intercambiar. Usted ganará dos puntos con los que puede solicitar libros de otros miembros. Con más de tres millones de títulos disponibles en inglés y español, usted de seguro encontrará algo que le guste. Cuando usted solicita un libro, el dueño se lo envía gratis. A cambio, usted pagará por el envío cuando otro miembro solicite un libro suyo. Debido a que usted puede utilizar la tarifa económica Media Mail, el costo del envío suele ser de menos de $2.50.

Disfrute de los ahorros. Los libros no son baratos. Una familia típica de cuatro gasta alrededor de $136 al año en materiales de lectura. Un solo libro de tapa blanda puede costar $15. Si usted intercambia dos libros al mes en lugar de comprarlos, ahorrará más de $306 al año.

Aproveche los beneficios extra. No solo se ahorra dinero. Estos son los beneficios adicionales por unirse a PaperbackSwap.com:

- Menos desorden a medida que encuentra hogares para sus libros

- La opción de cambiar sus libros por versiones de letra grande

- Un buscador que le ayuda a encontrar otros títulos de su autor favorito y a descubrir nuevos autores de un género determinado

- Regalos de cumpleaños y de Navidad para familiares y amigos

- La oportunidad de intercambiar libros de tapa dura, audiolibros y libros de texto

EL SIGUIENTE PASO

Lea parte de un libro en inglés de forma gratuita antes de decidir si desea comprarlo. Inscríbase en *www.dearreader.com* y cada día usted recibirá por correo electrónico breves selecciones de un nuevo libro en inglés. Cinco minutos de lectura diaria, un nuevo libro cada semana. Usted puede elegir el género que le interese, como literatura clásica o libros de no ficción. Usted también puede acceder a la columna diaria de Suzanne Beecher, fundadora del club.

Evite los cargos ocultos y vea películas gratis

 Aumento en el ahorro este año: $200

¿Usted cree que está ahorrando porque alquila películas para ver en casa en lugar de ir al cine? Tal vez sea así, pero usted podría ahorrar aún más. Usted paga alrededor de $4 por alquilar una película cada viernes por la noche. Esos son unos $200 que se esfuman cada año.

Pero cuidado, el costo del alquiler podría ser apenas la punta del *iceberg*. Esté atento a estos otros cargos:

- Cargos por pago tardío. Incluso en aquellas franquicias de Blockbuster que anuncian que "no hay cargos por pago tardío", usted acaba pagando por su tardanza. Pasado cierto tiempo, usted automáticamente compra la película que no pagó. Adiós $40.

- Cargos por reposición de inventario. Eso es lo que le cobran en Blockbuster, en lugar de un cargo por pago tardío, cuando usted se demora demasiado en devolver una película. Usted probablemente pagará alrededor de $1.25 por película.

- Cargos por días adicionales. Alquilar un DVD de Redbox —máquinas expendedoras de películas en ciertos grandes almacenes— cuesta solo $1 al día. Pero si devuelve la película tarde, usted paga por cada día adicional.

- Úselo o piérdalo. Netflix le permite elegir un plan de alquiler de películas y usted podría pagar apenas $4.99 al mes por dos videos. Se trata de una gran oferta si la aprovecha. Pero si se salta un mes, usted habrá perdido los cinco dólares.

En lugar de alquilar películas, vaya a la biblioteca pública y ahorre $200 al año. La biblioteca probablemente tiene gran cantidad de películas en video y DVD que, al igual que los libros, usted puede llevar a casa sin costo alguno. Poco importa que tal vez no sean películas nuevas o de reciente estreno. Lo importante es que sean películas nuevas para usted. Solo recuerde devolverlas a tiempo para no terminar pagando multas por tardanza a la biblioteca pública.

Vea una película cuándo quiera, sin complicaciones y sin costo alguno. En estos sitios web usted puede ver largometrajes y programas de televisión de forma gratuita. En algunos usted debe inscribirse antes, otros incluyen comerciales. Para ver películas en la computadora es mejor tener una conexión a Internet de alta velocidad en lugar de una conexión por vía telefónica más lenta.

- www.hulu.com
- www.veoh.com
- www.snagfilms.com

Sea voluntario para espectáculos fabulosos

 Aumento en el ahorro este año: $1,200

Ir al teatro, a conciertos y a espectáculos cómicos es caro, pero es posible entrar gratis si usted está dispuesto a trabajar un poco.

Trabajar como acomodador de teatro es bastante fácil. Basta con llegar temprano para recibir los boletos y entregar los programas. También debe ayudar a los asistentes a ubicar sus asientos y, tal vez, limpiar la sala después del espectáculo. A cambio, usted verá la función sin pagar por ella, aunque tal vez deba sentarse en cualquier asiento disponible o incluso permanecer de pie. A veces el puesto de comida del teatro le ofrecerá una bebida o un refrigerio gratuito durante su turno de trabajo.

¿A cuánto asciende el ahorro? No es raro que una entrada para una obra fuera de los circuitos de Broadway o para un concierto de un artista de renombre esté a $100 o más. Como acomodador de teatro voluntario usted podría ver un espectáculo al mes de forma gratuita, lo que equivale a $1,200 anuales que se quedarán en su bolsillo.

Como acomodador de teatro usted podrá disfrutar en forma gratuita de presentaciones en muchas salas de todo el país, incluso de Nueva

York, pero no podrá ver una obra de Broadway de esta manera. La mayoría de teatros en Broadway contratan a acomodadores sindicalizados. Llame a la boletería de los teatros para informarse de lo que necesitan.

Super**ahorro**

Otra opción de entretenimiento de bajo costo es comprar en la taquilla entradas de último minuto a precio reducido, justo antes de que empiece la función. O trate de ir a los ensayos generales. Otra opción es asistir a las presentaciones gratuitas de una banda universitaria de jazz, un grupo de cámara o una orquesta. A menudo son muy buenas.

Economice cuando salga a cenar fuera

Aumento en el ahorro este año: $600

Una encuesta reciente de Zagat encontró que el comensal típico come fuera 3.3 veces a la semana y gasta $33.23 cada vez. Estas salidas pueden llegar a representar una suma cuantiosa.

Disfrute la comida de restaurante en casa. La próxima vez que le provoque un plato de pasta con salsa Alfredo de su restaurante italiano favorito, tome el teléfono. Si trae la comida a casa dejará de gastar en todos los extras que pueden inflar la factura, tales como:

- Las bebidas. El alcohol y los refrescos pueden aumentar la cuenta.

- La ensalada. Usted seguramente puede hacer una mejor en casa.

- La entrada y el postre. No le ayudarán a mantenerse en forma, así que, ¿para qué los necesita?

- La propina. Eso significa un ahorro del 15 por ciento y solo por llevar su propio plato a la mesa.

Las porciones de los platos principales de los restaurantes son por lo general más grandes de lo que usted necesita para una sola comida. Llévese un poco a casa o compártala con su compañero de cena.

¿Cuánto puede ahorrar? Digamos que usted invita a su esposo a un restaurante italiano, comparten una entrada y piden dos ensaladas, dos platos principales y dos copas de vino. Más la propina, usted fácilmente gastará unos $80. Ahora bien, si usted pide un solo plato principal para llevar y compartir, y prepara todo lo demás en casa, lo más probable es que solo gaste $25. Eso es un ahorro de $55 en prácticamente la misma cena. Hágalo una vez al mes y usted ahorrará más de $600 al año.

Salga con un plan. ¿Y si es precisamente la experiencia de comer en un restaurante lo que usted más disfruta? En ese caso, pruebe estos trucos para ahorrar cuando salga a cenar fuera de casa:

- Busque un restaurante que ofrezca descuentos para personas mayores o *"early-bird specials"*, con los que usted puede comer a precios rebajados fuera de las horas más concurridas.

- Salga a tomar desayuno o a almorzar, no a cenar.

- Encuentre una escuela culinaria que tenga un restaurante.

- Si sale con los nietos, busque un restaurante que tenga un menú para niños o una noche donde los niños comen gratis.

- Recorte cupones del periódico local o de Internet.

Super**ahorro**

¿Le encanta probar nuevos platos pero odia tener que pagar los altos precios de los restaurantes? ¿Por qué no organiza usted un club de cenas *gourmet*? Una vez al mes, los miembros se turnan para hacer una comida para el resto del grupo. O el *"chef"* de turno se encarga del plato principal y los demás traen las guarniciones. Es más divertido que ir a un restaurante y las comidas serán memorables.

Ocho salidas en pareja que no cuestan una fortuna

 Aumento en el ahorro este año: $540

Pruebe estas actividades gratuitas, o casi gratuitas, para hacer en pareja:

- Vayan de picnic a un parque. Pueden mirar las estrellas si es de noche o mirar la gente pasar si es de día.

- Sean turistas en su propia ciudad. Tomen prestado una guía de la biblioteca pública y salgan a descubrir nuevos lugares.

- Visiten una bodega que ofrezca giras y degustaciones de vino gratuitas.

- Hagan ejercicio y disfruten del aire libre saliendo a caminar o a pasear en bicicleta.

- Preparen una cena juntos y luego salgan para el café y el postre.

- Visiten un museo, un sitio histórico, el jardín botánico o el zoológico. Averigüen si hay un día en que el ingreso es gratis.

- Asistan a una lectura de poesía o a una conferencia.

- Vayan a un espectáculo ecuestre y diviértanse con las acrobacias de los jinetes y la exhibición de hermosos caballos.

Todas estas salidas son mejores que la típica cita de cena más película. Si los boletos de cine cuestan unos $7 y la cena para dos unos $80, con un poco de imaginación su ahorro será de $90. Disfrute de estas salidas "baratas" seis veces al año y ahorre $540 de su presupuesto anual.

Evite el alto costo de la limpieza en seco

 Aumento en el ahorro este año: $468

Usted evita comprar ropa que lleve la etiqueta de "*dry clean only*" o "limpieza en seco", pero a veces no puede resistir la tentación. Aun así podrá ahorrar si usted mismo lava esas prendas en casa.

Busque un *kit*. No todas las prendas que llevan la etiqueta de limpieza en seco necesitan siempre cuidado profesional. Usted podría ahorrar en gastos de tintorería utilizando *kits* caseros para lavar en seco, como Dryel, FreshCare o Dry Cleaners Secret. La mayoría incluye un quitamanchas, unas láminas de limpieza en seco y unas cuantas bolsas plásticas especiales para la secadora. Coloque una de las bolsas con una lámina y unas cuantas prendas en la secadora durante 10 a 30 minutos. Saque la ropa de inmediato y cuélguela para evitar que se arrugue.

Estos *kits* son muy buenos para quitar el mal olor y refrescar la ropa. Usted gasta alrededor de 60 centavos por cada pieza cuando usa el *kit* en comparación con los $5 por pieza que debe pagar en la tintorería. Si lleva dos camisas a la tintorería cada semana, usted ahorrará cerca de $9 si utiliza el *kit*. Eso es un enorme ahorro de $468 al año.

Cuide su ropa. A veces, sí es necesario leer la etiqueta. Según Steve Boorstein, experto en ropa y consejero en *www.clothingdoctor.com*, usted tiene que tener mucho cuidado si decide ignorar la recomendación de la etiqueta y opta por lavar en casa las prendas delicadas.

- Verifique el tipo de tejido. Algunas prendas de algodón, rayón, microfibra y poliéster pueden lavarse en casa.

- No toque las manchas. Las manchas de aceite son difíciles de sacar, así que déjelas para los profesionales.

- Vaya por lo seguro. Con el lavado la ropa se puede encoger o desteñir. "Si le tiene cariño a un vestido y no quiere correr riesgos, llévelo a la tintorería", aconseja Boorstein.

Ahorre en regalos sin llegar a ser un tacaño

 Aumento en el ahorro este año: $150

Usted quiere dar a sus amigos y parientes regalos que van a valorar y apreciar. Pero no quiere gastar demasiado, especialmente en estos tiempos económicos tan difíciles. Pruebe estos trucos para disminuir gastos a la vez que aumenta su generosidad:

Regale su tiempo. Ofrézcase a hacer algo que sabe hacer bien, como cuidar a los niños, limpiar la casa, trabajar en el jardín, preparar una comida, organizar una colección de fotos digitales o crear un álbum de recuerdos. Utilice su talento y regale algo que es más personal que cualquier cosa que usted pueda comprar. No le costará ni un centavo.

Domine el arte del "regifting". Usted puede ahorrar dinero volviendo a regalar algo que le regalaron, a alguien que sí lo va a apreciar. Siga las reglas del *"regifting"*, literalmente re-regalar, para no herir los sentimientos de alguien o dar la impresión de ser un tacaño:

- Vuelva a regalar únicamente objetos nuevos, no usados, y que estén en su empaque original. Algunas buenas opciones son los CD, los DVD y los libros.

- Si le da una tarjeta de regalo a alguien, asegúrese de que no haya sido usada, que no tenga cargos por descontar, que sea válida al menos por un año más y que la persona que la recibe pueda utilizarla en una tienda que le guste.

- No vuelva a regalar algo hecho a mano especialmente para usted.

- Tome note de quién le dio el regalo para que no se lo vuelva a dar a la misma persona por accidente.

No malgaste dinero en adornos. Dele un toque especial a sus regalos envolviéndolos con objetos que usted ya tiene en casa, como:

- Restos de tela

- Papel tapiz sobrante

- Láminas para la limpieza en seco

- El periódico de ayer. Agregue una cinta roja y rocíe laca para el cabello para un acabado brillante.

Supongamos que usted da seis regalos al año, de unos $25 cada uno. Si utiliza una de estas ideas alternativas, usted ahorrará $150 en un año.

Póngase en forma por menos

 Aumento en el ahorro este año: $1,022

La cuota mensual de un gimnasio le puede costar $95. Consiga el equipo que necesita para armar su propio gimnasio en casa y evite las multitudes de los gimnasios, así como este gran gasto.

Incluso si no tiene como meta parecerse a Mr. Universo, usted necesita hacer ejercicio para mantenerse en forma y evitar la pérdida de masa muscular a medida que envejece. Los estudios muestran que las mujeres mayores pueden aumentar su fuerza muscular con un poco de esfuerzo.

Reúna los siguientes objetos para armar un gimnasio en casa que le permita ejercitar el cuerpo entero:

- Esterilla o colchoneta de yoga: alrededor de $20. Además de ayudarle a mantener la estabilidad durante los ejercicios, le brinda amortiguación.

- Pesas de mano: $30 por dos juegos. Si eso es demasiado caro, busque en su despensa dos latas grandes de tomate.

- Videos de ejercicio: aproximadamente $15. Aprenda de los expertos las técnicas para entrenar con pesas o siga un curso de yoga. Una opción aún más barata: tome prestado los videos de la biblioteca pública.

- Pelota de equilibrio: alrededor de $23. La usará para su rutina de ejercicios o para ejercitar los músculos abdominales y de la espalda.

- Bandas elásticas: $30 el juego. El ejercicio con pesas depende del esfuerzo que se hace para trabajar los músculos en relación con la gravedad. Sin embargo, estos tubos o bandas elásticas le permiten trabajar los músculos en múltiples direcciones.

Usted puede reunir todo este equipo por aproximadamente $118 y luego puede volver a usarlo cuantas veces lo desee. Compare esta suma con los $1,140 que debe pagar por una inscripción anual a un gimnasio. Usted acaba de ahorrar $1,022.

Tintes y cortes a una fracción del costo

 Aumento en el ahorro este año: $850

Ir a la peluquería para teñirse y cortarse el cabello puede ser una ganga, pero para el peluquero. Usted fácilmente puede llegar a pagar $120 por el tratamiento completo cada vez que va al salón. Por suerte hay otra manera de cuidar su cabello y verse sensacional.

Primero, sea valiente y tíñase el cabello en casa. Las mujeres han venido haciéndolo desde hace muchos años. Y el precio es inmejorable: alrededor de $13 por el frasco de tinte en el supermercado. Es más fácil, incluso, si usted convence a una amiga para que le ayude.

A continuación, vaya a la escuela de belleza de su comunidad para un corte de cabello. A un estudiante de cosmetología puede tomarle más tiempo cortarle el cabello, ya que recién está aprendiendo a hacerlo, pero vale la pena. Y lo más seguro es que haga un excelente trabajo debido a que su instructor estará supervisándolo. ¿Y lo mejor de todo? El precio, que es de aproximadamente $12 por corte.

En resumidas cuentas, usted ahorra $95 cada seis semanas que actualiza su peinado. Eso fácilmente puede llegar a $850, cantidad que usted conservaría en su bolsillo cada año.

Super**ahorro**

No desperdicie un buen maquillaje. Pruebe estos trucos para aprovecharlo hasta el final:

- Agregue unas cuantas gotas de agua a la base que está por acabarse. Sacuda el frasco para lograr una cobertura uniforme. Use gotas de loción para las fórmulas a base de aceite.

- Utilice un pincel para labios o un hisopo de algodón para aplicar lo último del lápiz labial.

- Vacíe lo que queda de los polvos compactos en una taza, deshaga los terrones y agregue talco para bebés. Mezcle bien.

Relájese en su propio salón de belleza

 Aumento en el ahorro este año: $300

Los masajes, los faciales y otros tratamientos de belleza hacen que usted se sienta y se vea bien. Pero cuesta demasiado ir a un salón de belleza. Y los equipos y materiales que se necesitan para tener un *spa* en casa tampoco son baratos. Pruebe estos sustitutos:

Consienta sus pies. Un masajeador eléctrico para pies cuesta $80 en promedio, mientras que un masajeador manual está a $40. Pero es fácil reducir los costos:

- Extienda una pequeña toalla en el fondo de una bandeja para hornear y cubra la toalla con canicas.

- Por las noches, cuando quiera relajarse, apoye y deslice los pies desnudos sobre las canicas. Sentirá un gran alivio.

Para un masaje de piernas, busque un viejo rodillo, masajee las pantorrillas con él y olvídese de todas las tensiones. El ahorro total es de alrededor de $120.

Prepare su propia fórmula de belleza. Una mascarilla facial de farmacia cuesta alrededor de $3.25. Prepare su propia fórmula:

- Mezcle una banana madura con una taza de avena y un chorrito de leche.

- Aplique la pasta sobre la cara y deje actuar durante 15 minutos.

- Enjuague y disfrute de un cutis hidratado.

Esta mascarilla casera cuesta un poco más de 50 centavos, de modo que usted ahorra cerca de $2.75 a la semana, o $140 al año.

Hidrate la piel. Ahorre los $40 que costaría un dispositivo para tratamientos faciales a vapor. Esta es una mejor opción y es gratuita:

- Hierva agua y viértala en un recipiente poco profundo. Incorpore algunas hierbas, como romero triturado, o unas cuantas gotas de extracto de menta.

- Inclínese sobre el tazón con la cara a unas 8 pulgadas de la superficie. Coloque una toalla sobre la cabeza para evitar que se escape el vapor.

- Disfrute del tratamiento durante 10 minutos para abrir los poros e hidratar la piel.

Compras

Reclame su descuento para mayores

 Aumento en el ahorro este año: $920

Usted se los ha ganado. Nos referimos a los descuentos para personas mayores. Aun si usted se siente demasiado joven para este tipo de descuentos, en muchas tiendas se los darán a la edad de 60, de 55 e, incluso, a partir de los 50 años. Esté atento a las siguientes ofertas:

Las ofertas para adultos mayores no siempre son anunciadas. Puede que usted tenga que solicitar el descuento y no esperar a que se lo den de manera automática. Algunas tiendas solo ofrecen estos descuentos en ciertos días de la semana, por lo general los días lentos, como el martes o el miércoles. Usted puede unirse a un club para obtener el descuento.

Vaya más allá. No se contente con las ofertas "típicas" para adultos mayores y busque descuentos ahí donde usted suele gastar dinero:

- Restaurantes de comida rápida. Un descuento del 10 por ciento en Arby's, Burger King o Wendy's no equivale al mismo ahorro en dólares que usted obtendría en lugares más caros, pero llévese lo que le dan. También podrá recibir un café gratis —normalmente a $1.35— en muchos McDonald's durante las horas de desayuno. Si se reúne con los amigos para un cafecito por las mañanas al final del año habrá ahorrado $350.

- Supermercados y grandes almacenes. Los minoristas como Belk, Banana Republic, Kohls e incluso Goodwill le permiten ahorrar dinero con sus canas. Y para ahorrar 10 por ciento en alimentos vaya a Kroger, A&P Supermarket o Whole Foods. Si usted normalmente suele gastar $100 a la semana, este año podrá quedarse con $520 adicionales en el bolsillo.

- Entretenimiento. Las salas de teatro, como AMC y Regal Cinema, y las tiendas de video, como Hollywood Video, quieren tenerlo como cliente. Si le dan un descuento del 30 por ciento en boletos de cine, usted acaba pagando aproximadamente $4.90. Si lleva a su esposa al cine una vez al mes, usted ahorra $50 al año.

- Servicios de auto y cortes de cabello. Jiffy Lube tiene ofertas especiales para adultos mayores, mientras que SuperCuts les ofrece un descuento de $2 por corte de pelo.

Benefíciese de la crisis. En tiempos económicos difíciles, incluso los negocios que no suelen ofrecer descuentos para adultos mayores podrían probar esta táctica para atraerlo como cliente. Por ejemplo, solicite un descuento para adulto mayor a su plomero, a su reparador de techos o a su contador. Vale la pena intentarlo.

No se deje engañar por un precio alto. Un estudio que analizó dos analgésicos encontró que las personas decían que el más caro funcionaba mejor. En realidad, los dos eran placebos o pastillas de azúcar. A veces con solo saber que algo cuesta más nos parece que funciona mejor. Un producto más barato —ya sea una pastilla para el dolor o un detergente— puede ser tan bueno como la marca más cara.

Negocie la mejor oferta

 Aumento en el ahorro este año: $72

El regateo de precios no solo funciona en los mercados y mercadillos. En los grandes almacenes también se puede negociar y conseguir un mejor precio. He aquí cómo hacerlo:

Haga su tarea. Busque en Internet y en los volantes de las tiendas los distintos precios del artículo que usted desea. Algunas tiendas estarán dispuestas a igualar o mejorar el precio de la competencia.

Elija el momento adecuado. No se moleste en negociar un mejor precio para el juego electrónico de moda que se está vendiendo como pan caliente. Concéntrese en artículos con menos demanda. Si usted sabe que muy pronto saldrá una nueva versión del juego o si encuentra una bonita camisa a la que le falta un botón, ese es el momento para regatear el precio. Espere a que la tienda esté vacía para que los vendedores tengan más tiempo para usted. Si ve un modelo de piso que le gusta, un sofá en una tienda de muebles o una cámara en una tienda de aparatos electrónicos podría intentar conseguir un mejor precio.

Hable con la persona con el poder de decisión. No pierda su tiempo hablando con alguien que no pueda negociar precios. Los jefes de piso, en cambio, suelen tener el poder para otorgar descuentos de hasta el 15 por ciento.

Coseche los frutos de su esfuerzo. Digamos que usted logra negociar un descuento del 15 por ciento por esa camisa con el botón faltante. Si su precio normal es de $40, usted ahorró $6 solo por regatear.

Usted puede llegar a ahorrar $72 al año si una vez al mes negocia el precio de un artículo con un precio similar.

Economice con productos "como nuevos"

 Aumento en el ahorro este año: $360

¿Le interesa comprar un electrodoméstico, una computadora o un componente de un equipo de sonido que sean de primera línea? Compre un producto reacondicionado directamente del fabricante y obtendrá exactamente lo que quiere sin pagar un precio elevado.

Descripciones como "reacondicionado", "repotenciado", "*refurbished*" y "*open box*" por lo general significan que alguien compró el artículo y lo devolvió a la tienda, y que el fabricante lo inspeccionó y lo reacondicionó para dejarlo "como nuevo". No significa que el artículo fuera defectuoso. Tal vez no era del color deseado o el cliente cambió de parecer. Usted probablemente no verá diferencia alguna entre un producto nuevo y uno reacondicionado y la garantía debería ser la misma para los dos.

Amplíe sus opciones. Usted encontrará computadoras, televisores y equipos de sonido reacondicionados a muy buen precio. Apple, Dell y otros fabricantes venden este tipo de productos y verá más ofertas en tiendas de descuentos, como *www.tigerdirect.com* y *www.newegg.com*. Pero usted también puede encontrar aspiradoras, lavadoras, batidoras y otros electrodomésticos a precio de ganga. ¿Le interesa una máquina de coser de brazo largo u otro artículo de precio elevado? Pregunte al fabricante si tiene alguna oferta especial para modelos casi nuevos.

Descubra más descuentos. Algunos dicen que se puede ahorrar 30 por ciento o más comprando productos reacondicionados, otros sostienen que estos se consiguen a la mitad del precio original. Si lo que busca es una computadora portátil, una máquina de coser o un sistema de navegación, este es un ejemplo de lo que usted puede encontrar:

- Una computadora portátil HP Pavilion, normalmente a $699.99, se vende a $579.99 en la sección de computadoras recertificadas de *www.newegg.com*. Eso es un ahorro de $120.

- Una máquina de coser Janome está a menos de la mitad en la sección de artículos reacondicionados de *www.overstock.com*. Con el precio original de $249.99 reducido a $99.99, usted ahorra $150.

- Ahorre $90 en un navegador de automóvil Magellan GPS si compra uno recertificado en *www.tigerdirect.com*. Pague $59.99 por el recertificado en vez de $149.99 por el nuevo.

Proceda con cautela. Tome estas precauciones cuando compre un artículo reacondicionado:

- Averigüe cómo define exactamente el término "reacondicionado" la tienda donde va a comprar.

- Compare el precio con el de un producto nuevo y uno en oferta para determinar si se trata realmente de una ganga.

- El mejor precio suele obtenerse directamente del fabricante.

- Verifique la política de devolución. Usted debería poder devolver cualquier artículo dentro de los 15 días posteriores a la venta.

- De ser posible, vaya a una tienda física para poder ver y probar el producto antes de comprarlo.

Super**ahorro**

Los refrigeradores y las cocinas de acero inoxidable se ven elegantes y modernos. Ahórrese problemas y déjelos en la tienda. En su lugar, elija modelos más tradicionales en negro, blanco o beige. Es probable que cuesten mucho menos y que se vean como nuevos durante más tiempo. Los exteriores de acero inoxidable deben limpiarse constantemente con un paño, no sostienen imanes y se abollan con facilidad.

Reclame el reembolso que le corresponde

 Aumento en el ahorro este año: $60

Siga estas reglas para aprovechar los descuentos mediante reembolsos:

- Guarde todos los papeles y el empaque que vienen con el producto hasta después de enviar el formulario de reembolso. Es posible que usted tenga que adjuntar parte del embalaje o de los contenidos para cumplir con los requisitos del reembolso.

- Lea cuidadosamente las instrucciones y la letra pequeña, para asegurarse de que efectivamente califica para el reembolso. De ser posible, haga esto antes de comprar el producto.

- Haga copias del recibo de compra, el código de barras del producto, los formularios, el envoltorio del producto, los números de serie y hasta del sobre de envío. Envíe por correo los originales junto con el formulario de reembolso.

- No se salte ningún paso ni pregunta del formulario de reembolso, incluso si no son aplicables a usted. Por ejemplo, si el formulario pide una dirección de correo electrónico y usted no tiene una, escriba *"no email"* en el espacio.

- No utilice un apartado postal como su dirección en el formulario de reembolso.

- Reúna todos los requisitos descritos en el formulario de reembolso y engrápelos juntos antes de enviarlos.

- Envíe todo de inmediato. Puede que tan solo tenga un plazo de siete días para hacerlo. Hágalo por correo certificado y solicite un recibo.

- Marque su calendario para saber cuándo llamar y empezar a hacer preguntas si el cheque de reembolso no llega a tiempo.

Parece mucho trabajo, pero bien vale la pena si usted puede ahorrar $30 en una batidora KitchenAid. Haga el esfuerzo tan solo dos veces al año y verá cómo $60 regresan a su bolsillo.

Obtenga ayuda para comparar precios y elegir bien. En *www.consumersearch.com* se reúnen los comentarios de algunos de los principales sitios web de información sobre productos, entre ellos *www.epinions.com* y *Consumer Reports.* Busque la categoría del producto que va a comprar, seleccione el artículo que desea y revise la lista resumida de comentarios. También verá los precios típicos en ciertas tiendas en línea, de modo que usted puede aprovechar las ofertas directamente.

Vaya a las alturas para bajar el precio de los muebles

 Aumento en el ahorro este año: $3,600

Más de la mitad de los muebles que se venden en Estados Unidos son hechos cerca de Hickory and High Point, en Carolina del Norte. Si usted está decorando su nueva casa de retiro o solo desea cambiar el juego de sala, considere la posibilidad de viajar a esta hermosa zona montañosa, el lugar ideal para encontrar gangas en muebles.

Ahorre en el lugar de origen. Debido a la gran producción local de muebles, usted puede conseguir entre 40 y 50 por ciento de descuento cuando compra en Carolina del Norte. Y no crea que se trata únicamente de muebles de madera maciza. Usted también encontrará precios bajos en sofás y otros muebles tapizados y todo tipo de accesorios. Es más, si llega en octubre o abril, justo después de las ferias semestrales del mueble para decoradores de interiores y otros profesionales, usted podrá ahorrar hasta un 70 por ciento en los muebles en exhibición.

No se pierda los comercios de buena reputación como Furnitureland South, Boyles Furniture y Hickory Park Furniture Galleries. Usted puede encontrar más detalles sobre estas tiendas antes de su viaje visitando sitios web como *www.highpointfurniture.com*.

No se asuste por el envío. Créalo o no, el costo del envío de Carolina del Norte será probablemente menor a lo que usted pagaría localmente. Usted puede consolidar los artículos comprados en distintas tiendas en un solo envío. Espere pagar aproximadamente un dólar por libra para el envío. O bien, usted puede llevar su propio camión o alquilar un tráiler para llevar a casa sus muebles.

Ahorre en grande. Por lo general, usted obtiene un descuento de entre 40 y 50 por ciento. Si piensa comprar un sofá de $1,000, por ejemplo, usted fácilmente ahorrará $400 si lo compra en Carolina del Norte. Un cliente de Nueva York, que quería una silla que costaba cerca de $1,300, pagó $800 en High Point por la misma silla. Eso es un ahorro de $500. ¿Y si compra un armario de lujo que normalmente está a $3,600 por solo $900? Eso sería un ahorro de $2,700. Si no desea viajar a Carolina del Norte, usted puede comprar en línea y obtener ciertos descuentos de estas mismas tiendas.

Super**ahorro**

Encuentre muebles de lujo a precios de ganga en las viviendas modelo. Los constructores contratan a decoradores para que adquieran muebles de calidad y le den un estilo especial a las viviendas modelo. Pero una vez que estas casas se venden, ellos tienen que deshacerse de los muebles y usted puede conseguirlos por hasta una décima parte de su costo.

El secreto para vestirse bien por menos dinero

 Aumento en el ahorro este año: $937

Un afiche patriótico de la Segunda Guerra Mundial dice: "¡Úsela! ¡Desgástela! ¡Hágala durar!". Si los estadounidenses siguieran hoy ese consejo de usar y reutilizar la ropa, podrían ahorrar mucho dinero. Una manera de hacerlo es comprando ropa a precios de ganga en las tiendas de reventa o de venta a consignación.

Vístase con calidad. Todo el mundo conoce las tiendas de segunda mano, como *Goodwill Industries* y otras tiendas de caridad. Las tiendas de venta a consignación son distintas. Estas limitan lo que aceptan y venden y ofrecen únicamente artículos de alta calidad, incluso de marca, y en perfecto estado. Los vendedores obtienen su dinero a través de estas tiendas solo si sus artículos se llegan a vender.

Hay tiendas de venta a consignación que tienen ropa, calzado y accesorios para toda la familia. También hay tiendas especializadas, como la tienda de novias *White Chicago*. La cadena *Once Upon a Child* vende ropa para niños, mientras que los adolescentes pueden encontrar los últimos estilos en *Plato's Closet*. Con más de 20,000 tiendas de reventa en todo el país, es muy probable que haya una cerca de usted.

Usted puede encontrar una tienda de venta a consignación a través de la Asociación Nacional de Tiendas de Reventa y de Segunda Mano (NARTS, en inglés) en *www.narts.org*. Vaya a los mejores barrios de la ciudad si busca vestidos de la más alta calidad. Además, piense en las razones que la gente podría tener para deshacerse de su ropa. Por ejemplo, usted encontrará fabulosas prendas de invierno en las tiendas de Florida. Muchos se mudan ahí sin darse cuenta de que ya no necesitan abrigos ni ropa para clima frío.

Reduzca sus gastos. Es fácil ahorrar un 50 por ciento comprando cuidadosamente en las tiendas de venta a consignación. Estadísticas gubernamentales indican que una familia típica gasta alrededor de $1,874 anuales en ropa. Eso significa que usted puede ahorrar hasta $937 al año, verse bien y disfrutar haciéndolo.

Compre con cautela. Estos son algunos consejos de NARTS para comprar ropa de segunda mano:

- Investigue y compare precios para saber el precio de venta al público de lo que busca y así reconocer las buenas ofertas.

- Revise bien que las prendas no tengan roturas ni manchas.

- Pruébese todo. No compre un vestido si no le queda bien o no se puede alterar. Algunas alteraciones son sencillas y poco costosas, como arreglar el dobladillo de una falda. Pero otras, como abrir las costuras de un traje demasiado ajustado, son casi imposibles.

- Sepa cuáles son las marcas de calidad, y revise los materiales y acabados de cada pieza. Comprar ropa de alta calidad vale la pena si le va a durar más tiempo.

- Explore varias tiendas de venta a consignación en su área: son todas distintas y puede que haya una que realmente le guste.

EL SIGUIENTE PASO

Si usted tiene acceso a Internet, compre en línea en sitios dedicados a la reventa de ropa de buena calidad, como estos dos:

- *www.eBay.com* — Participe en las subastas en línea de prendas de vestir y accesorios de diseñadores. Busque estilos y tallas específicos, o bien ropa NWT (*"new with tags"*, es decir, nueva con etiquetas), para encontrar las mejores gangas.

- *www.shopgoodwill.com* — Este sitio web tiene subastas similares a las de eBay. Usted podrá encontrar vestidos y accesorios de diseñadores, que están de moda y en buen estado.

Maneras inteligentes de ahorrar en el envío

 Aumento en el ahorro este año: $60

Comprar ropa por Internet es muy cómodo y es una excelente manera de encontrar buenas ofertas. Sin embargo, los cargos por envío son a menudo ridículamente altos. Lo peor es cuando usted tiene que pagar dos veces por el envío porque se ve obligado a devolver una prenda que no le quedó bien. Pruebe las siguientes tácticas para rebajar los gastos de envío:

Vaya de compras localmente, pero compre globalmente.
Pruébese la ropa en una tienda cerca de usted y luego cómprela en línea a un precio mejor. Esta táctica funciona si usted vive cerca de una tienda que también vende ropa en línea, como Sears, J.C. Penney o Ann Taylor. Usted puede esperar a las ofertas de fin de temporada y pedir la prenda que desea, a sabiendas que le quedará bien. Además, si usted desea devolver algo podrá hacerlo directamente a la tienda local.

Contrate a un modelo virtual. Herramientas como My Virtual Model en *www.mvm.com* (en inglés) le permiten ingresar sus medidas, el color de su cabello y sus rasgos faciales para crear un modelo virtual de su propio cuerpo. Luego lleve a su modelo a comprar en las tiendas en línea, como Lands' End, Sears y H&M Clothing. Su modelo virtual se probará la ropa y así usted podrá ver qué es lo que le queda y cómo le queda. Sea honesto a la hora de ingresar sus medidas para que el sistema funcione.

Evite los cargos por completo. Elija una tienda que no cobre por el envío y no tendrá que preocuparse por costos adicionales. Compre calzado para toda la familia en *www.zappos.com* o en *www.piperlime.com*. Si los zapatos no le quedan bien, usted podrá devolverlos sin cargo alguno.

Únase a un club. Si le encanta una tienda determinada, analice los beneficios de obtener una tarjeta de cliente preferencial.

- El Passport Club, de Chico's, le garantiza envíos gratuitos, así como 5 por ciento de descuento en todas sus compras y descuentos especiales por su cumpleaños.

- El programa OneCreek, de Coldwater Creek, ofrece envíos por devolución gratuitos para todas las compras por correo, un comprador personal, descuentos y una sorpresa por su cumpleaños.

Si usted puede evitar pagar por el envío, es probable que llegue a ahorrar alrededor de $6 por prenda de vestir que compre. Si su familia adquiere 10 artículos en un año, eso significaría un ahorro de $60.

Super**ahorro**

Obtenga ayuda de Medicare si usted necesita zapatos especiales por razones médicas, incluidos los problemas del pie diabético, como la neuropatía periférica, la amputación del pie o la mala circulación. Si usted califica, Medicare pagará el 80 por ciento del costo del calzado terapéutico y tres juegos de plantillas cada año. Pregunte a su médico sobre este programa, que exige una receta médica para ese tipo de calzado.

Impuestos

Manera fácil de obtener un aumento de sueldo

 Aumento en el ahorro este año: $2,500

Los estadounidenses de todos los niveles económicos voluntariamente hacen préstamos mensuales que promedian los $200 y lo hacen con cero por ciento de interés. Usted podría ser uno de ellos. Si recibe un reembolso de impuestos cada año, usted esencialmente está prestando dinero al Tío Sam de cada sueldo sin que nadie le pague intereses a cambio. Si el reembolso de impuestos medio es alrededor de $2,500, eso significa que cada mes usted le está entregando al gobierno más de $208 del dinero que ha ganado con tanto esfuerzo. Mire todo lo que usted podría hacer con ese dinero si se pudiera quedar con él:

- Si cada mes utiliza los $208 para pagar una deuda de $2,300 de una tarjeta de crédito al 14 por ciento, usted podría cancelarla en un año y ahorrar $995 en intereses.

- Si pone ese dinero en un fondo de emergencia no tendría que usar su tarjeta de crédito ni tocar sus fondos de jubilación cuando se presenta un gasto médico inesperado.

- Usted podría invertir la mitad en un certificado de depósito (CD) de 6 meses y luego disponer de ese dinero, más los intereses, durante la época de los reembolsos de impuestos.

- Aunque su cuenta corriente ofrezca solo 1 por ciento de interés, si usted deposita $208.33 cada mes ganará $11.49 en un año.

Entonces, ¿cómo puede usted recuperar este dinero del gobierno? Si su ingreso anual no varía mucho y si no está planeando grandes cambios en su vida este año, considere la posibilidad de reducir la retención sobre su sueldo o salario. Es como obtener un aumento sin tener que solicitarlo a su jefe. Para ello usted necesita una nueva copia del formulario W-4. Estos documentos también son una gran ayuda:

- Una copia de la declaración de impuestos del año pasado.

- Las publicaciones del IRS número 505 y 919. Consígalas gratis en *www.irs.gov* o llamando sin cargo al 800-829-3676.

El formulario W-4 tiene hojas de trabajo para calcular la cantidad de exenciones de retención a reclamar. Siga las instrucciones del formulario o consulte a un asesor fiscal. Usted también puede utilizar la calculadora de retenciones o Withholding Calculator en *www.irs.gov* (en inglés). Tenga cuidado de que no le retengan demasiado dinero ni demasiado poco: si se le retiene demasiado usted seguirá recibiendo un reembolso de impuestos, pero si se le retiene muy poco el IRS podría aplicarle una multa. Haga dos copias del W-4 y entregue una a su empleador. Guarde la otra copia para sus archivos.

Super**ahorro**

Los estadounidenses pierden hasta $400 en ahorros debido a deducciones, créditos tributarios y exclusiones de ingresos que no reclaman. Asegúrese de revisar la declaración de impuestos del año anterior para ver cuáles son las deducciones y los créditos tributarios que usted normalmente declara, o bien utilice un programa de preparación de impuestos, como TurboTax o TaxCut, para encontrar nuevas deducciones.

Obtenga el máximo valor de sus donaciones caritativas

 Aumento en el ahorro este año: $900

Usted puede ahorrar mucho en impuestos simplemente donando ropa y artículos domésticos a instituciones benéficas, dice William R. Lewis, contador público y autor del manual *Money for Your Used Clothing*. La clave es calcular con precisión el valor de cada artículo.

Aprenda a estimar. "A través de encuestas comprobamos que la gente suele estimar sus donativos de ropa en $300 o $400, debido a que para cantidades por encima de $500 deben llenar el formulario 8283 del IRS", dice Lewis. "Sin embargo, las deducciones de los contribuyentes que leyeron nuestro manual promediaban entre $2,000 y $3,000 debido a que contaban con un método adecuado para hacerlas".

Lewis observa que alguien que pertenece a una categoría impositiva federal del 25 por ciento y que además paga un 5 por ciento en sus impuestos estatales sobre la renta, podría ver un enorme ahorro de impuestos si utiliza esta guía. "Treinta por ciento de $3,000 significaría un ahorro real de $900 en dinero contante y sonante", señala Lewis.

Siga las reglas. Para conseguir estas deducciones, usted debe superar una serie de barreras establecidas por el IRS, como por ejemplo:

- Sus donaciones son deducibles solamente si los artículos están en buen estado de uso o mejor. Es decir, usted puede deducir donaciones de ropa "poco usada" o que está "como nueva", pero no *jeans* viejos y rasgados.

- Usted debe donar a instituciones benéficas calificadas y sus deducciones no deben exceder el límite permitido. Para más detalles, vea *Haga más donaciones y pague menos impuestos* en la página 264 del capítulo *Gánele la partida al IRS*.

- El IRS requiere que usted obtenga un recibo de la institución benéfica que esté firmado y fechado, a menos que haya optado por simplemente depositar los artículos en el área de recepción.

- Usted debe detallar las deducciones en su declaración de impuestos en lugar de optar por la deducción estándar.

- Usted debe mantener los registros especificados por el IRS para calificar para una deducción por contribución benéfica. Los requisitos del IRS para estos registros varían dependiendo de factores como la cantidad de la donación y de si usted recibió algo a cambio. Vea la publicación 526 del IRS para más detalles.

Evite las multas del IRS. El IRS espera que usted calcule el valor justo o razonable de mercado para cada artículo que dona. En lugar del precio que pagó por el artículo, usted debe utilizar el precio que pagaría si lo tuviera que comprar en una tienda de segunda mano. Para evitar las multas por valoración excesiva, el libro de Lewis ofrece dos listados exhaustivos de valores justos de mercado para prendas de vestir y artículos para el hogar específicos: un listado para los artículos con poco uso (*"gently used"*, en inglés) y otro para los artículos que están como nuevos (*"like new"*, en inglés).

"Nosotros ofrecemos descripciones detalladas y el valor justo de mercado que el IRS requiere para que usted pueda llenar el formulario 8283", explica Lewis. Estimaciones del valor justo de mercado también están disponibles en *www.goodwill.org/espanol* o en *www.salvationarmyusa.org* (en inglés).

Recuerde, si el valor de su donación excede los $500, usted debe llenar y enviar el formulario 8283 junto con su declaración de impuestos. Para ello, necesita saber cómo llegó a poseer los artículos a donar, cuánto pagó por ellos, cuándo los adquirió y los detalles de contacto de las instituciones benéficas a las que hizo la donación. Para más información, vea el formulario 8283 del IRS.

Para obtener más información sobre las normas de las deducciones tributarias para las donaciones caritativas, consulte las publicaciones del IRS 526 y 561, disponibles de manera gratuita en *www.irs.gov* (en inglés) o *www.irs.gov/Spanish* (en español) o llamando al número gratuito 800-829-3676.

Transporte

Pague menos en la estación de servicio

 Aumento en el ahorro este año: $636

Reduzca los costos de combustible en hasta $1.06 el galón con solo seguir estas reglas inteligentes en la carretera. Si usted recorre 15,000 millas este año y promedia 25 millas por galón, usted ahorrará $636.

Evite conducir con agresividad. Acelerar y frenar bruscamente y conducir con exceso de velocidad reducen el rendimiento de la gasolina en un tercio en las autopistas y en 5 por ciento en las calles de la ciudad. Si, por ejemplo, la gasolina estuviera a $1.84 el galón, usted ahorraría hasta 61 centavos por galón evitando estos malos hábitos.

Desacelere. Por lo general, cada cinco millas que usted recorre por encima de las 60 millas por hora añaden otros 24 centavos a cada galón de gasolina de su auto. Usted mejorará el rendimiento del combustible de su auto entre 7 y 23 por ciento si evita exceder los límites de velocidad. Eso significará un ahorro de hasta 42 centavos por galón, o más si también se evita una multa de tráfico.

Aligere la carga. Deshágase de los cachivaches que tiene en la maletera. Cada 100 libras de peso adicional reducen el rendimiento del combustible en hasta 2 por ciento o 4 centavos el galón. Los autos pequeños pierden más millaje que los grandes.

Apague el motor. Un auto parado con el motor en marcha durante más de 60 segundos desperdicia más gasolina que si apaga el motor y lo vuelve a encender. Cuanto más grande el motor, mayor la pérdida. Es más, la marcha en vacío en exceso daña el motor y contamina el aceite.

Utilice el regulador de velocidad. En la carretera le ayuda a mantener la velocidad constante y ahorrar combustible. En las zonas montañosas, el regulador de velocidad tiende a desperdiciar gasolina.

Tome la ruta más larga. Para un camino ligeramente más largo, pero con menos paradas, se necesita menos combustible que para una ruta más corta con muchos semáforos y señales de alto. Para viajes largos, el consumo de gasolina por lo general es más eficiente en las autopistas de cuatro carriles que en las carreteras de dos carriles.

Consolide las salidas. Hacer un recorrido o diligencia breve malgasta combustible porque el motor no tiene tiempo para calentarse y los motores tragan más gasolina cuando están fríos. Combine varias salidas cortas en una sola tarde dedicada a todas sus diligencias, para así mantener el motor caliente durante paradas, especialmente durante el invierno.

Invierta en un calefactor de motor si se registran temperaturas bajo cero en la región donde usted vive. Este dispositivo calienta el motor y los fluidos durante el invierno, mejorando la eficiencia del combustible en un 10 por ciento. Un temporizador automático le permite encender el calefactor dos horas antes de salir.

EL SIGUIENTE PASO

Encuentre el combustible más económico dondequiera que esté con la ayuda de estos tres sitios web (en inglés):

- *www.gasbuddy.com*
- *autos.msn.com/everyday/gasstations.aspx*
- *www.gaspricewatch.com*

Llegue más lejos con menos combustible

 Aumento en el ahorro este año: $473

Si usted cambia un auto con un rendimiento modesto de 20 millas por galón por uno de solo 30 millas por galón, ahorrará $473 al año en combustible. Eso es más de $2,300 en solo cinco años. ¿No puede darse el lujo de comprar un auto nuevo? Cuide el que tiene ahora:

Arregle los grandes problemas. Lleve su coche al mecánico tan pronto como se encienda la luz *Check Engine*. Arreglar un problema serio, como el de un sensor de oxígeno defectuoso, puede mejorar el rendimiento de la gasolina hasta en 40 por ciento, eso es un ahorro de 74 centavos en cada galón.

Respire más fácilmente. Los filtros de aire obstruidos hacen que su motor trabaje más para producir la misma cantidad de energía. Sustituir un filtro de aire sucio es fácil y barato, y reduce el costo de combustible en hasta un 10 por ciento, es decir, en unos 18 centavos por galón.

Manténgalo afinado. Afinar un coche que no pasó la prueba de emisiones reduce su consumo de combustible en 4 por ciento, un ahorro de 7 centavos por galón.

Infle los neumáticos. Mantener las llantas infladas en la presión indicada reduce el costo de combustible en 3 por ciento, es decir, 6 centavos por cada galón.

Compre el aceite indicado. Utilice el tipo de aceite de motor que se recomienda en el manual del conductor. El aceite equivocado puede reducir el millaje en 2 por ciento, hasta 4 centavos por galón.

Super**ahorro**

Considere la posibilidad de comprar un auto con caja de cambios o transmisión manual. Cuestan hasta $1,200 menos que los automáticos y por lo general son más eficientes en el consumo de combustible.

Tome el autobús para ahorrar aún más

 Aumento en el ahorro este año: $8,481

Renuncie a su coche y tome el tren o el autobús, y usted podría ahorrar $8,481 al año en combustible y estacionamiento, según la Asociación de Transporte Público de Estados Unidos (APTA). Eso es suficiente para cubrir sus gastos de alimentación durante un año y quedarse con $2,000 en el bolsillo. Vaya a *www.apta.com/services* (en inglés) y haga clic en *Transit Calculator*, para calcular exactamente cuánto puede usted ahorrar.

La mayoría de las agencias de tránsito ofrecen descuentos y pases para jubilados. En algunas ciudades, las personas mayores viajan gratis. Póngase en contacto con la agencia de tránsito local o el departamento de transporte de su estado y pregunte cómo obtener un descuento.

En algunos casos, el gobierno permite a las empresas pagar a sus empleados hasta $115 al mes libres de impuestos, ya sea en efectivo, vales o pases, a cambio de que dejen sus autos en casa y se movilicen en transporte público o hagan uso colectivo de un auto para ir al trabajo.

Compre el coche de sus sueños por mucho menos

 Aumento en el ahorro este año: $16,575

Usted puede comprar el coche de sus sueños por miles de dólares menos y evitar pagar altas cuotas. Para encontrar el mejor auto al mejor precio, simplemente decida qué tipo de vehículo quiere y luego compre uno que tenga tres años de antigüedad en lugar de uno nuevo.

Un auto de tres años de antigüedad, en buen estado y con pocas millas recorridas puede venderse por la mitad del precio de uno nuevo. Por ejemplo, en el año 2009 un Toyota Camry LE nuevo costaba $27,870. Un Toyota Camry LE del año 2006 con 40,000 millas se vendía a tan solo $11,295. Eso es una diferencia de $16,575.

En promedio, los autos pierden cerca de un tercio de su valor en los primeros dos años, de ahí la regla de los tres años. Sígala y usted podrá darse el lujo de tener los autos que jamás creyó posible. Si le da temor comprar un auto usado, considere las siguientes soluciones:

Vaya a lo seguro con los certificados. Los vehículos certificados de segunda mano o *certified preowned vehicles*, en inglés, cuestan algo más que los autos usados comunes, pero le darán más tranquilidad.

Además, es posible que consiga un mejor financiamiento y menores tasas de interés. La certificación generalmente garantiza que el vehículo:

- No tiene un historial de daños mayores.

- Ha pasado por estrictas inspecciones mecánicas y cosméticas.

- Viene con una garantía adicional, además de la garantía original de fábrica.

Compre uno de demostración. Los autos de demostración son autos de último modelo y casi nuevos utilizados por los concesionarios para las pruebas de manejo o demostraciones. Siguen cubiertos por la garantía de fábrica y no han acumulado más de 10,000 millas. De lo contrario, se les considera usados. Aunque no son tan baratos como los usados, los autos de demostración cuestan menos que uno nuevo.

Recurra a la flota. Un departamento de flota es el brazo de compras al por mayor de un concesionario de automóviles. Por lo general tratan con empresas, pero también pueden venderle a usted un auto nuevo. Simplemente siga los siguientes pasos:

- Decida la marca, el modelo y el color que desea antes de acercarse al departamento de flota.

- Vaya a los concesionarios habituales para probar el auto, ya que no lo podrá hacer a través del departamento de flota.

- Compare precios en línea en *www.kbb.com*, *www.edmunds.com* o *www.cars.com*.

- Llame al concesionario y pregunte por el gerente de flota o *Fleet Manager*. Asegúrese de que realmente se trate del gerente de flota y no simplemente de un gerente de ventas.

- Pregunte al gerente de flota cuál es el precio de factura del coche que desea y negocie el precio.

Si usted tiene pensado financiar la compra de su auto, verifique su calificación crediticia antes de ir al concesionario.

Un solo pago en efectivo es mejor que tener que pagar cuotas por su auto. Empiece a ahorrar antes de comprar. Calcule cuánto sería el pago mensual si usted financiara la compra y separe esa cantidad cada mes en una cuenta de ahorros destinada a la compra del auto. Si sigue la regla de tres años y adquiere un auto de segunda mano, no tardará mucho en ahorrar suficiente dinero para comprarlo con un solo pago en efectivo.

Super**ahorro**

Asegure su propio financiamiento antes de dirigirse al concesionario. Usted puede utilizar el arreglo financiero que ya tiene en mano como una carta de negociación y estar tranquilo sabiendo que de antemano ya tiene garantizado un buen precio.

Reduzca los pagos del auto en 10 minutos

Aumento en el ahorro este año: $1,155

Usted puede quitarse de encima el enorme peso de los pagos del auto en tan solo 10 minutos, refinanciando el préstamo de alto interés que obtuvo para comprarlo. Es mucho más fácil que refinanciar un préstamo hipotecario, en parte porque no requiere una tasación. El monto del nuevo préstamo se basa únicamente en el saldo de su préstamo actual.

Digamos que usted tiene un préstamo para auto de $20,000 financiado originalmente a 5 años con un interés del 12 por ciento. Sus pagos ascenderían a $445 cada mes y usted acabaría pagando cerca de $6,700 en intereses en el curso de esos cinco años. Eso es mucho dinero.

Ahora considere lo siguiente: si usted refinancia ese préstamo después del primer año a uno con cuatro años más a un interés del 6 por ciento, no solo tendría que pagar $48 menos cada mes —lo que significa un ahorro anual de $576—, sino que también pagaría $579 menos cada año en intereses, sumando un ahorro total de $1,155. Cuanto antes refinancie, mayor será el ahorro.

La mayoría de los prestamistas no refinancian sus propios préstamos para la compra de un auto, pero hay muchos que sí están dispuestos a ayudarle. Es fácil comparar las condiciones de refinanciación por Internet. Empiece con *www.bankrate.com* (en inglés) para comparar las tarifas de muchos prestamistas en un solo sitio. O visite directamente a los prestamistas en *www.up2drive.com* (en inglés) o *www.capitalone.com/autoloans/refinance* (en inglés). Esté atento a cualquier punto que estos busquen agregar a su préstamo.

Después de refinanciar, reduzca aún más el pago del interés. A pesar de que su pago mensual es menor, siga pagando la cantidad original. El dinero extra irá al principal, por lo que usted cancelará su préstamo más rápido y ahorrará más dinero.

Recorra 200,000 millas o más con su auto

 Aumento en el ahorro este año: $20,000

Sáquele otros seis años a su auto, incluso si ya tiene 100,000 millas recorridas. Con unos cuantos mantenimientos de bajo costo, usted podría evitar tener que comprar un auto nuevo y podría ahorrar entre $20,000 y $30,000. Los autos modernos pueden durar 250,000 millas con pocas reparaciones mayores. El secreto sencillo para que la mayoría de los autos puedan recorrer 200,000 millas o más es seguir el programa de mantenimiento del fabricante.

Revise el manual del propietario y decida si debe optar por un programa de mantenimiento habitual o uno riguroso. Si usted conduce en pistas pavimentadas con poco polvo, entonces continúe con el mantenimiento de rutina. Sin embargo, siga el programa riguroso si usted:

- Detiene el auto con el motor en marcha durante largos períodos.
- Suele hacer recorridos cortos (de menos de 10 minutos).
- Conduce por la ciudad con paradas frecuentes.
- Maneja en climas extremadamente fríos o en zonas polvorientas.
- Arrastra un remolque.

Estas cuatro tareas de mantenimiento son especialmente importantes. Recuerde hacerlas con regularidad y prolongará la vida de su auto:

Cambie el aceite. La mejor solución es a veces la más fácil. Cambiar el aceite es la mejor manera de hacer que su coche dure más. Siga el programa de mantenimiento de su auto o vaya a lo seguro y cambie el aceite cada 3,000 millas o cada tres meses, lo último que ocurra.

Rote las llantas. Las llantas delanteras se desgastan en lugares distintos y a velocidades distintas comparadas con las llantas traseras. Rotar las cuatro llantas ayuda a que se desgasten de manera uniforme y a que duren más. El manual del propietario de su auto recomendará la frecuencia con la que se deben rotar los neumáticos. Procure que este servicio sea gratis y ahorrará $20 o $30 cada vez que haga la rotación.

- Compre su próximo juego de llantas en un lugar que ofrezca gratis y de por vida el servicio de rotación, balanceo y alineación.

- Haga que su mecánico habitual rote las llantas si las tiene que retirar para brindarle otro servicio, como la reparación de los frenos. Es probable que no cobre extra.

Revise la presión. Las llantas infladas por debajo o por encima del nivel indicado se desgastan más rápidamente que las que tienen la presión de aire adecuada. También son menos seguras. Revise la presión de aire con frecuencia, de preferencia cuando las llantas están "frías" antes de salir con el auto. No se olvide de revisar la llanta de repuesto.

No utilice los populares medidores de bolsillo tipo lapicero para medir la presión. Son manifiestamente imprecisos. Tampoco se confíe en los medidores de las gasolineras. En su lugar, invierta en un buen medidor, ya sea digital o uno de tipo convencional, para medir la presión de aire.

Cambie los líquidos. El aceite de motor es importante, pero no es el único líquido que su auto necesita. Revise el manual del propietario y sigas las recomendaciones para cambiar el líquido refrigerante, el de la transmisión y el del diferencial. Cambie el líquido de frenos y el líquido de la dirección asistida cada tres años o cada 75,000 millas, o con mayor frecuencia si así lo indica el manual.

Hay autos que no vale la pena reparar.
Compre un auto nuevo si el suyo:

- Necesita reparaciones que cuestan más de lo que vale el auto.

- Pasa más tiempo en el taller del mecánico que en la carretera.

- Ha estado en una inundación o en un accidente serio.

Asegure su auto por menos

 Aumento en el ahorro este año: $1,125 o más

Reduzca los costos de su seguro de auto en hasta un 50 por ciento. Usted puede ahorrar entre $675 y $1,275 al año en una prima de seguro de $1,500.

Pida un descuento por edad. Las personas entre 55 y 70 años de edad por lo general califican para un descuento del 10 o 20 por ciento en las primas, solo por ser adultos mayores. Pregunte a su agente de seguros si usted reúne los requisitos. Usted podría ahorrar entre $150 y $300 al año en una póliza de $1,500.

Póngalo al día. Deje saber a su agente si usted empieza a conducir menos, por ejemplo, si usted se jubila, si decide compartir un auto o si comienza a trabajar desde casa. Usted podría reducir sus primas entre 5 y 15 por ciento, esto es entre $75 y $225, cada año.

Incremente el deducible. Subirlo de $200 a $500 reducirá las primas entre 15 y 30 por ciento, o entre $225 y $450. Incrementar el deducible a $1,000 reduce las primas hasta en 40 por ciento para un ahorro de $600.

Dígale no a la colisión. Renunciar a la cobertura por colisión para un auto destartalado puede ayudar a contener los costos del seguro.

Revise su póliza para saber cuánto paga por la cobertura por colisión. Multiplique dicho costo por 10. Si el resultado es mayor que el valor de su coche, renuncie a la cobertura. Conserve únicamente las coberturas amplias por responsabilidad civil y daños corporales.

Adquiera un paquete. Asegure su vivienda y todos sus autos con la misma compañía y ahorre entre 15 y 20 por ciento en su seguro de auto, esto es entre $225 y $300 al año. Eso no es todo. Reduzca sus costos aún más con unas cuantas medidas inteligentes, como estas:

- Dígale a su agente si su coche tiene dispositivos especiales de seguridad, como *airbags,* frenos antibloqueo y sistema antirrobo.

- Edúquese como conductor. Usted puede recibir un descuento si toma un curso de actualización para conductores mayores, como el *55Alive,* de AARP.

- Mantenga un crédito excelente. Las personas con buen puntaje crediticio y un historial de crédito estable tienden a tener menos accidentes y, por ello, consiguen las tarifas más bajas.

- Compare tarifas entre distintas compañías antes de elegir una.

- Comuníquele a su agente si usted ha trabajado para el mismo empleador durante muchos años. Podría llevarse otro descuento.

- Pregunte sobre los descuentos de seguros colectivos a través de las asociaciones profesionales, empresariales o de alumnos.

- Estacione su auto en el garaje de su casa o en un estacionamiento cerrado para reducir sus primas.

¡ALERTA!

Los autos pequeños pueden ahorrar combustible pero costarle mucho en seguros. Suelen tener tarifas por robo más altas y estar involucrados en más accidentes con reclamos mayores por lesiones personales, lo que puede hacer que sean más caros de asegurar. Consulte con su seguro antes de comprar su próximo coche.

Viaje en un auto alquilado a precio de ganga

 Aumento en el ahorro este año: $200

Compre de manera inteligente para descubrir las ofertas y ahorrar hasta $33 o más al día en un coche de alquiler. Si usted alquila un auto por dos fines de semana largos este año, eso es un ahorro de cerca de $200.

Reserve con tiempo. Asegure una tarifa baja reservando con anticipación, pero no pague por adelantado. Siga buscando una mejor oferta, aún después de reservar, sobre todo cuando se acerca la fecha de su viaje. Si encuentra un precio más bajo, llame a la agencia local de alquiler —no al número telefónico nacional— y solicite una tarifa menor. O simplemente cancele la primera reserva y váyase con la mejor tarifa.

Alquile por Internet. Los principales sitios web de viajes, como *www.expedia.com, www.travelocity.com* y *www.orbitz.com,* suelen negociar paquetes especiales con las compañías nacionales de alquiler de autos. Compare precios en cada uno de esos sitios o vaya a *www.kayak.com* para ver las tarifas de muchos sitios a la vez. Hay sitios que ofrecen tarifas súper bajas, como *www.hotwire.com* y *www.priceline.com.* Otros sitios, como *www.breezenet.com, www.carrentalexpress.com* y *www.carrentals.com,* se centran exclusivamente en el alquiler de autos.

Consiga los códigos de descuento. A través de su membresía de AAA, de su tarjeta de crédito o de su empleador, usted puede obtener códigos promocionales para recibir descuentos al alquilar un auto. O bien vaya al sitio web *www.rentalcodes.com.*

Evite los aeropuertos. Usted pagará más si alquila un auto cerca del aeropuerto que si lo hace en las ciudades o suburbios circundantes, tal vez hasta $8 o más al día. Eso se debe a que los gobiernos locales y estatales agregan cargos y un impuesto de "turismo" a los alquileres cerca de los aeropuertos. Es mejor que usted tome un taxi, el tren o un *shuttle* hasta la agencia de alquiler de autos dentro de la ciudad.

Conozca las reglas de combustible. Si la agencia le cobra por adelantado el tanque lleno, entonces devuelva el auto con el tanque vacío. Pero si usted debe llenar el tanque antes de entregar el auto, asegúrese de hacerlo usted mismo en una estación de servicio. Usted pagará más por el combustible si lo compra a la agencia de alquiler.

Sáltese el seguro adicional. Renunciar a la cobertura adicional de la agencia de alquiler podría significarle un ahorro de hasta $25 al día. Es probable que no la necesite si usted ya tiene un seguro de vivienda y de auto. Pregunte a su agente de seguros si su póliza cubre daños, reemplazo y pérdida de uso de un auto alquilado.

Viajes y esparcimiento

Paquetes y descuentos a la hora de viajar

 Aumento en el ahorro este año: $475 o más

¿Quién dice que se necesita un agente de viajes para programar unas vacaciones de ensueño? Con un poco de planificación y algo de paciencia, usted puede disfrutar de sus vacaciones sin gastar una fortuna.

Busque ofertas en línea. Con la ayuda de los buscadores de viajes usted puede comparar precios de aerolíneas y hoteles, y gozar de unas vacaciones de primera a precios reducidos sin tener que pagar a un agente de viajes. Pruebe estos populares sitios de viajes:

- Travelocity.com

- Expedia.com

- TripAdvisor.com

- Kayak.com busca múltiples sitios web de aerolíneas y de otros sitios de viajes, como Expedia.com y Hotwire.com.

- BudgetTravel.com. Haga clic en *"Real Deals"* y busque las últimas ofertas en viajes, vuelos y hoteles. Tendrá que ser flexible, ya que muchas son especiales de último minuto.

- El observador de tarifas de Travelocity, llamado *Farewatcher*, le alerta sobre ofertas para su destino específico.

Y no se olvide de eBay. Ahí también se pueden encontrar ofertas de viajes como, por ejemplo, paquetes con todo incluido rematados por agentes de viajes. Estos paquetes incluyen pasaje aéreo, alojamiento, comidas y bebidas, actividades y más, todo en un solo precio.

Por ejemplo, por una estadía de cinco noches para cuatro personas en el centro de vacaciones Bonaventure Resort, de Fort Lauderdale, Florida, usted normalmente pagaría $121.25 la noche o $606.25 por las cinco noches. Sin embargo, usted podría conseguir un paquete en eBay por $129.99 —el precio de "compra inmediata"— si acepta asistir a una presentación de venta de 90 minutos y cumple con ciertos requisitos. Eso es un ahorro de $476.26.

Viva como en su casa. Decida que no va a gastar cada segundo de sus vacaciones para vivir como un rey. Por ejemplo, una vez al día disfrute de una buena comida en un restaurante. Para el resto del día vaya al supermercado y compre sándwiches o comida lista para llevar.

Ahorre en grande viajando fuera de temporada. Viaje durante la "temporada intermedia", las dos semanas justo antes y después de la temporada alta. Por ejemplo, usted podría ahorrar 12 por ciento o más en habitaciones de hotel si viaja justo antes de la temporada de esquí o inmediatamente después. Pruebe estas otras opciones:

- La semana antes del Día de Acción de Gracias para vuelos más baratos

- En diciembre antes de la Navidad para esquiar

- Europa a finales de otoño o a comienzos de invierno

- Las Vegas durante la semana entre la Navidad y el Año Nuevo

Planifique con anticipación. Visite *www.uptake.com* para buscar hoteles, atracciones y actividades a precios cómodos. Usted también puede ir a la biblioteca pública y consultar una guía de viajes para enterarse de todo lo que ofrece la ciudad que está por visitar.

Revise bien la factura del hotel cuando deje la habitación. Usted puede descubrir cobros inesperados. Por ejemplo, un cargo por uso de la piscina y el gimnasio de entre $5 y $30 al día (*"resort fee"*) o un cargo por limpiar una habitación de no fumadores (*"smoke odor fee"*). Solicite que deduzcan esos cargos, sobre todo si usted no fuma o si dichos cargos no fueron mencionados al momento de hacer la reserva.

No pague precio completo por una habitación de hotel

 Aumento en el ahorro este año: $57 o más

Las habitaciones de hotel son negociables. Los viajeros experimentados saben como conseguir la misma habitación que los demás, pero rebajada al 50 por ciento. Pruebe estos trucos del viajero conocedor:

Llame dos veces por la tarifa. Primero llame al hotel donde quiere alojarse y luego llame al número 800 de esa compañía. Puede que uno de ellos le de un precio más barato. También vaya a los sitios de viajes que ofrecen descuentos, como Travelocity, Orbitz y Hotels.com. Ingrese su destino, las fechas de viaje, el número de niños y adultos y el número de habitaciones.

Solicite un mejor precio. No acepte la primera tarifa que le den. Pregunte si tienen descuentos especiales. Muchos hoteles ofrecen descuentos especiales para los adultos mayores, los trabajadores gubernamentales, los militares y los socios de AARP y AAA. Por ejemplo, el descuento para personas mayores del Hyatt Hotels and Resorts puede llegar a ser de hasta el 50 por ciento. En el Hyatt de Rosemont, Illinois, las tarifas normalmente son de $114 la noche, así que un descuento del 50 por ciento sería un ahorro de $57 por noche.

Pero tenga cuidado. Algunas cadenas de hotel le piden que se una a un club y hasta que pague una cuota de membresía para obtener los beneficios. Por ejemplo, el Hilton ofrece descuentos a los miembros de su programa *Senior HHonors,* pero usted tiene que pagar $55 para inscribirse en ese programa y $40 por la renovación anual. Para que valga la pena usted tendría que alojarse en el Hilton con regularidad.

Aproveche los beneficios adicionales. Estos extras deben tomarse en consideración al momento de elegir un lugar donde quedarse:

- Desayuno gratis. No pagar por el desayuno es como conseguir una habitación por esa cantidad menos.

- Tarjeta de combustible gratis.

- Descuentos para diversiones locales.

Y si necesita más de una habitación, usted podría ahorrar dinero tomando, en su lugar, una *suite* con dos habitaciones, sala de estar y tal vez hasta una pequeña cocina.

Super**ahorro**

Los hostales ya no son únicamente para los jóvenes. Personas de todas las edades pueden alojarse en un hostal, que es un hotel económico con habitaciones individuales o tipo dormitorio. Suelen ser alojamientos sin pretensiones, pero a un precio justo. Es más, usted se relacionará con una comunidad de viajeros como usted. Ubique un hostal en la ciudad que desea visitar. Busque en la biblioteca pública, en *www.airgorilla.com* o en *www.hihostels.com.*

Descubra la manera de volar por menos

 Aumento en el ahorro este año: $160

Usted puede darse el lujo de volar si conoce las reglas de oro para la compra de pasajes. Vale la pena el esfuerzo ya que a veces ir por tierra toma demasiado tiempo. Si a eso usted le añade el precio en aumento del combustible, volar resulta ser una opción realmente atractiva.

Encuentre vuelos más baratos. Utilice metabuscadores para comprar sus pasajes en línea. Vaya a Kayak.com, por ejemplo, para comparar rápidamente los precios de los vuelos de más de 140 aerolíneas, pero vaya a Southwest por separado, ya que Kayak no la incluye.

Programe sus compras. Si va a viajar durante un fin de semana, busque un vuelo en línea el jueves por la noche, justo después de la medianoche hora del este. Ese es el momento en que se publican las ofertas para el fin de semana. O bien reserve en línea alrededor de la medianoche cualquier día de la semana cuando es más probable que consiga un descuento. Compare precios visitando *www.farecast.com* y vea tanto la historia como las proyecciones futuras de precios para el vuelo que usted desea. También puede comparar los vuelos hacia y desde las ciudades que están cerca de los aeropuertos de salida y de llegada. Luego de encontrar el vuelo más barato utilizando las herramientas de búsqueda en línea, reserve directamente con la aerolínea para evitar un cargo adicional por derecho de reserva.

Sea flexible. Vuele los martes o miércoles para ahorrar aún más.

Pase por alto los vuelos directos. Conseguirá mejores precios si está dispuesto a tomar vuelos de conexión. Pero calcule por lo menos dos horas entre vuelos para asegurarse de no perder la conexión.

Evite los cargos adicionales. La mayoría de las aerolíneas cobran $15 por la primera pieza de equipaje y $25 por la segunda. Si usted y su cónyuge llevan cada uno dos maletas, estará pagando $80 adicionales ida y vuelta ($160 en total). Las aerolíneas no cobran por el equipaje de mano y algunos expertos sostienen que usted puede llevar todo lo que necesita para una semana en una sola maleta. He aquí cómo:

- Lleve prendas de vestir que puedan combinarse o que sean de un mismo color.

- Use zapatillas deportivas para las excursiones y lleve un par de zapatos de vestir.

- Lleve ropa resistente a las arrugas y enróllela bien.

- Si necesita un abrigo, llévelo puesto.

- Lleve artículos de aseo personal tamaño viaje.

He aquí otra ingeniosa idea: ponga sus cosas en una caja en lugar de una maleta y envíe la caja a su lugar de destino unos días antes de partir.

¡ALERTA!

La suerte le dio la espalda si usted compra un pasaje aéreo y la aerolínea se declara en quiebra antes de su vuelo. Las regulaciones del gobierno ya no exigen que las demás aerolíneas honren los pasajes de una aerolínea que se fue a pique. Así que antes de comprar un pasaje, vaya a *www.travelexinsurance.com* (en inglés) y haga clic en "*Supplier Notices*" para verificar la situación de su aerolínea. Si usted no puede comprar un seguro de viajes para su aerolínea, entonces comprar un pasaje no es buena idea.

Navegue hacia unas vacaciones económicas

 Aumento en el ahorro este año: $1,000

Los cruceros solían ser solo para los ricos. Ya no. Con estos consejos usted puede disfrutar de unas vacaciones a bajo costo en alta mar.

Asesórese con los profesionales. Consulte a un agente de viajes para planificar su primer crucero. Un agente especializado en cruceros puede encontrarle uno a un precio cómodo, que se adecue a su estilo de vida y a sus necesidades. También puede conseguirle extras, como ascenso de clase de cabina y créditos para beneficios adicionales a bordo. Busque a un agente afiliado a una organización, como la Sociedad de Agentes de Viaje de Estados Unidos o la Asociación Internacional de Cruceros. Si ya tiene experiencia, usted puede encontrar ofertas directamente en sitios web en inglés, como *www.cruisecritic.com* o *www.cruisemates.com*.

Busque ofertas de último minuto. Las líneas de cruceros dependen de una buena *Wave Season*, que son los tres meses, de enero a marzo, en los que muchos cruceros registran la mayor cantidad de reservas para todo el año. Ese es el mejor momento para consultar precios.

Saque provecho de la crisis económica. Aunque los vecinos se ajusten el cinturón y se queden en casa, usted puede dar con una gran oferta. Algunos viajeros experimentados dicen que nunca hacen una reserva a menos que el crucero esté a $100 o menos al día por persona. Si llega a ver un precio de $80 —o de hasta $40—, no deje pasar esa oportunidad. En una época de dificultades económicas usted puede llegar a ahorrar $1,000 en el precio de un crucero a Europa y conseguir un pasaje aéreo gratuito al reservar un crucero.

Reserve con anticipación y sin miedo. Si usted hace una reserva con anticipación y el precio baja antes de que usted tome el crucero, muchas líneas le devolverán la diferencia de precio, siempre y cuando usted la solicite. Averigüe cuál es la política de la compañía de cruceros antes de hacer la reserva.

No hunda sus ahorros. No importa qué tan bajo sea el precio del crucero, sobrecargos costosos pueden hacer desaparecer el descuento. Los cruceros le alientan a gastar, gastar y gastar en excursiones, fotos profesionales, *souvenirs,* juegos de azar a bordo y bebidas. No lo haga.

Un mar de opciones para pasar el tiempo

Considere la posibilidad de tomar unas vacaciones en crucero, aun cuando no se vea a sí mismo como una persona de crucero. Usted puede encontrar una serie de cruceros especializados: para personas a las que les apasiona el *quilting* (técnica del acolchado) o el tejido, para entusiastas de Elvis, para amantes de las motocicletas, para quienes gustan de la cocina *gourmet* o de la música. Disfrute de un pasatiempo mientras descansa en el crucero. Pero fíjese en los precios. Los cruceros con instructores expertos pueden costar más.

Conozca el mundo con un presupuesto mínimo

 Aumento en el ahorro este año: $235 o más

El número de adultos mayores está aumentando a medida que los *baby boomer* de la generación de posguerra se unen a las filas de la población de más de 65 años de edad. Ahora es posible viajar con un presupuesto reducido aprovechando las ofertas para viajeros mayores.

Póngase a volar. Algunas aerolíneas dejaron de ofrecer descuentos para personas mayores, pero otras aún lo hacen. Southwest Airlines ofrece descuentos entre 20 y 70 por ciento del precio habitual para los pasajeros mayores de 65 años de edad. Los pasajes de ida para personas mayores están a $139 o menos. ¿Quiere visitar el norte de California, pero vive en Alabama? El precio completo de un pasaje típico sería de unos $513, pero una persona mayor no pagará más de $278 ida y vuelta. Eso significa que ahorrará $235 si reclama su descuento. Otras aerolíneas, incluidas American Airlines y United Airlines podrían darle un descuento de adulto mayor. Solicítelo al hacer su reserva.

Tome el tren. A quienes les atrae el romanticismo de viajar en tren les encantará hacerlo por Amtrak. Si usted tiene más de 62 años de edad podrá ahorrar 15 por ciento en la mayoría de los billetes de tren.

Recorra la ciudad. Viajar en autobús, metro, ferry o tren suburbano es por lo general una manera barata de movilizarse. Las personas mayores tienen además un descuento de 50 por ciento. La edad para tener derecho a este descuento varía según el lugar, puede ser de tan solo 50 años o bien de 65 años. Y en algunas ciudades, el transporte es gratuito a partir de determinada edad.

Superahorros en los parques nacionales

 Aumento en el ahorro este año: $100 o más

Los parques naturales no son solo para excursionistas y campistas, también incluyen docenas de sitios históricos y edificios dentro de ciudades. ¿Sabía usted que tanto la Estatua de la Libertad como la Isla de Alcatraz son parques nacionales?

Descubra las promociones "de adentro". Usted puede pensar que un hotel fuera del parque nacional es siempre más barato, pero pregunte antes por las tarifas. A veces alojarse en uno dentro del parque resulta mucho más económico.

Duerma bajo las estrellas. Si es aventurero y realmente quiere ahorrar, considere la posibilidad de acampar. Se puede disfrutar de la belleza de la naturaleza por menos de $20 la noche y, si lo desea, seguir yendo a los restaurantes del parque para todas sus comidas. Comparada con los alojamientos dentro del parque, esta opción podría llegar a ser hasta $100 más barata por noche.

Reclame su descuento por ser adulto mayor. Tan pronto como cumpla los 62 años de edad, usted puede adquirir un *Senior Pass* en cualquier parque nacional por solo $10. Con este pase, que antes se llamaba *Golden Age Passport* y que es válido de por vida, los adultos mayores tienen el derecho al ingreso libre a todos los parques nacionales y a tarifas reducidas para acampar. El ingreso a los parques puede ser de hasta $25 por auto, así que este pase es una excelente forma de ahorrar desde la primera vez que lo usa.

Edúquese mientras viaja con Elderhostel

 Aumento en el ahorro este año: $800

Para las personas mayores de 50 años que quieren estudiar y a la vez recorrer el mundo, Elderhostel les ofrece una combinación de viajes con programas de educación informal. Por ejemplo, usted puede aprender acerca de la historia de Escocia mientras se aloja en un castillo en Edimburgo o puede recorrer Francia en bicicleta. Pero no necesita ir muy lejos, usted también puede conocer el monumento histórico nacional Mount Rushmore o aprender sobre arte en la ciudad de Nueva York. Usted encontrará este tipo de programas de recreación y educación durante todo el año en los 50 estados y en más de 90 países.

Los precios típicos comienzan alrededor de los $400, incluido el alojamiento y las comidas, pero pueden llegar a miles de dólares. Por supuesto, usted puede ahorrar dinero tomando una clase en su ciudad. Entonces podría quedarse en casa y ahorrar en el alojamiento.

Si usted prefiere viajar mientras estudia, puede solicitar una beca y llegar a pagar tan solo $100. Elderhostel otorga 600 becas cada año a personas con necesidades financieras. Estas becas cubren hasta $800 y pueden ser utilizadas para financiar cualquier programa en Estados Unidos y Canadá cuyo costo sea de $1,000 o menos. Para solicitar una beca, vaya a *www.elderhostel.com* (en inglés) o llame gratis al 877-426-8056.

EL SIGUIENTE PASO

Disfrute de una visita guiada gratuita cuando vaya a una nueva ciudad. En Chicago, Nueva York, Houston y otras ciudades usted puede ponerse en contacto con anfitriones voluntarios de la ciudad, que le ofrecerán una caminata guiada y personalizada por los distintos vecindarios de su ciudad. Vaya a la página web de la ciudad que piensa visitar y busque el enlace de *Global Greeters*.

Ahorre miles de dólares con las becas para mayores

 Aumento en el ahorro este año: $402 o más

Volver a la escuela es maravilloso, sobre todo si usted no tiene que pagar por sus estudios. Gracias a sus canas usted ahora puede tomar cursos universitarios pagando poco o nada.

Conozca sus opciones. Algunas becas son únicamente para personas mayores de 25 años. Otras solo están disponibles para quienes trabajan o han trabajado en determinado campo. Usted incluso puede convalidar "créditos por experiencia" por el tiempo trabajado como profesional, lo que significa que usted recibe créditos sin haber llevado el curso.

Cuando llega el 15 de abril, usted también podría conseguir una exención de impuestos gracias a los créditos tributarios por gastos educativos *Hope* o *Lifetime Learning*. Usted puede tener derecho a un crédito tributario *Hope* de hasta $1,650 o a un crédito tributario *Lifetime Learning* de hasta $2,000. Vea la publicación 970 del IRS, disponible en *www.irs.gov*, para averiguar si usted reúne los requisitos para reclamar dichos créditos.

Pague $0 de matrícula. Algunas universidades y centros de estudios superiores permiten que personas mayores de 65 años lleven cursos sin pagar matrícula. Usted siempre tendrá que comprar los libros y los materiales, y es posible que deba pagar algunas cuotas, sobre todo si quiere recibir créditos por esos cursos. Sin embargo, usted podría ahorrar entre $402 y $490 únicamente por una clase de una hora de tres semestres.

De otro lado, usted puede asistir a clases como alumno oyente sin cargo alguno, siempre y cuando haya espacio disponible. Es muy sencillo: basta con conseguir el permiso del instructor o del jefe de departamento. Póngase en contacto con la universidad de su área para determinar lo que pueden hacer por usted.

Acceda a beneficios para veteranos de guerra. Si usted es veterano militar estadounidense, averigüe si aun puede aprovechar los beneficios educacionales para veteranos. Es posible que después de cierto período algunos de estos beneficios ya no tengan vigencia o que los beneficios varíen dependiendo de la época en que sirvió como militar. Póngase en contacto con el Departamento para Asuntos de Veteranos (VA, en inglés) de Estados Unidos para averiguar qué recursos hay disponibles para usted. Los beneficios federales pueden haberse agotado, pero su estado podría otorgarle una exención completa de matrícula.

Planifique su jubilación:

¿está ahorrando lo suficiente?

Tres secretos para evaluar sus ahorros

Un planificador de jubilación probablemente pueda identificar cientos de factores que determinarán cuánto necesita ahorrar para su jubilación. Estos son tres que usted definitivamente debe tener en cuenta:

- ¿Cuándo piensa usted jubilarse? En otras palabras, ¿para cuántos años de jubilación debe usted planificar?

- ¿Qué estilo de vida espera tener en su jubilación? ¿Espera tener un estilo de vida acomodado o uno más sencillo y de bajo costo?

- ¿Dónde quisiera vivir después de jubilarse? Algunos lugares cuestan más que otros.

Sus respuestas determinarán en gran parte cuánto debe usted ahorrar para su jubilación. Podrá parecerle "frívolo", pero pensar en estos temas no es una pérdida de tiempo. Decida lo que quiere y asúmalo como un componente decisivo de la planificación de su jubilación. De ese modo se asegurará de que sus ahorros duren tanto como usted.

Jubílese más tarde para acumular un fondo mayor

La cantidad de dinero que necesita ahorrar para su jubilación depende de cuándo quiera usted jubilarse. He aquí por qué:

Una persona que se jubila a los 70 años probablemente debe planificar para 25 años de jubilación, mientras que una persona que se jubila a los 62 años debe prepararse para al menos 33 años. Eso asumiendo que solo vivirán hasta los 95 años. Algunos expertos dicen que se debe planificar como si se fuera a vivir 100 años, para no sobrevivir a los ahorros.

Supongamos, por ejemplo, que usted empieza a ahorrar a los 25 años y espera recibir un ingreso anual durante su jubilación de $40,000, después de impuestos y de los ajustes por inflación. Usted necesitaría ahorrar $15,250 al año para jubilarse a los 62 años, $12,625 al año para jubilarse a los 66 años y $10,375 al año si se jubila a los 70. Este cálculo asume que su dinero ganará un seis por ciento anual y que usted no recibirá beneficios del Seguro Social ni otros ingresos, de modo que las cantidades exactas pueden variar. Pero aun así, acumular un fondo para su retiro es mucho más fácil si usted no tiene que jubilarse anticipadamente.

Las edades críticas a recordar

Según la Administración de Seguridad de Beneficios del Empleado (EBSA, en inglés), estas son seis de las edades más importantes en la cronología para una jubilación feliz:

- A los 50 años: usted puede empezar a hacer aportes adicionales a su plan 401k y a sus otras cuentas de jubilación.

- A los 59 años: la edad mínima para evitar las sanciones tributarias por hacer retiros de las cuentas de jubilación.

- A los 62 años: la edad mínima para recibir beneficios del Seguro Social.

- A los 65 años: la edad para recibir Medicare.

- A los 66 años: las personas nacidas entre 1943 y 1954 adquieren el derecho a todos los beneficios del Seguro Social.

- A los 70 años: usted debe empezar a hacer retiros mínimos de la mayoría de sus cuentas de jubilación para evitar sanciones tributarias.

Cómo no sobrevivir a sus ahorros para la jubilación

Usted no quiere quedarse sin dinero en la vejez, pero ¿es acaso posible determinar por adelantado los gastos que tendrá durante su jubilación? Para tener idea de los gastos debe empezar por definir el estilo de vida que desea llevar como jubilado. Como si "soñara despierto" piense en todos los detalles, incluso dónde va a vivir y cómo piensa pasar los días. ¿Por qué? Porque la mayoría de calculadoras de jubilación le pedirán que indique los ingresos anuales que usted necesitará más adelante y esa cantidad depende en gran medida del estilo de vida que usted elija.

Para estimar de forma aproximada los ingresos que usted necesitará para su jubilación, pregúntese si para vivir como le gustaría hacerlo precisará más ingresos de los que tiene actualmente o menos. A pesar de que los impuestos, la inflación, los costos médicos y los rendimientos de sus inversiones también afectan el presupuesto de jubilación, calcular cuánto le costará el estilo de vida que desea tener sigue siendo un buen punto de partida. Este ejercicio le puede ayudar a determinar si va por mal camino o si ya está en camino hacia la jubilación que siempre ha soñado.

Elija el lugar ideal para pasar sus años dorados

Decidir dónde va a pasar los próximos 30 años de vida como jubilado es una enorme decisión. Estos consejos le ayudarán a elegir ese lugar:

Reduzca el número de opciones. Haga una lista enumerando las ventajas de cambiar su lugar de residencia y lo que le daría pena perder. Incluya los cambios financieros y aspectos intangibles, como las amistades o las organizaciones a las que pertenece. Vaya a *www.bestplaces.net* y *www.retirementliving.com* (en inglés) para obtener información sobre ciudades y pueblos que le puedan interesar. Una vez que tenga varios lugares en mente, siga los siguientes pasos:

- Lea los periódicos locales, en línea o en la biblioteca pública.

- Visite los sitios oficiales de esos lugares, como los sitios web de las oficinas de gobierno, de las empresas de servicios públicos y de las agencias de bienes raíces.

- Estudie las páginas amarillas del directorio telefónico para saber qué tiendas, restaurantes y servicios hay en esos lugares.

- Póngase en contacto con la Cámara de Comercio y las oficinas tributarias locales y estatales.

- Solicite ayuda al bibliotecario para obtener más detalles sobre esos lugares, como el costo de vida, los precios de las viviendas e información sobre impuestos.

Obtenga respuestas. Mientras explora posibles lugares de residencia, obtenga respuestas a los siguientes interrogantes:

- ¿Podría usted hacer nuevos amigos rápidamente en ese lugar? ¿Queda cerca de donde usted ya tiene amigos y familia?

- ¿Mudarse a ese lugar ayudará a estirar sus ahorros para la jubilación o evitará que usted se quede sin dinero en la vejez? Examine el costo de vida, los costos de vivienda y de atención médica y los impuestos, entre otros. Vea *Encuentre un estado favorable a los contribuyentes* en la página 262 del capítulo *Gánele la partida al IRS,* para obtener más información tributaria.

- ¿Le agrada el clima? ¿Es el clima propicio para su estilo de vida? ¿Es el lugar propenso a desastres naturales y qué tan bien podría usted hacerles frente a medida que envejece?

- Si elige una zona rural o un pueblo pequeño, ¿hay una ciudad de tamaño mediano cerca?

- ¿Sería fácil y económico para usted continuar disfrutando de sus aficiones y pasatiempos favoritos en ese lugar? ¿Ofrece el lugar oportunidades de estudio, eventos culturales y opciones recreativas que sean asequibles para personas mayores?

- ¿Podría usted encontrar una vivienda que se ajuste a su presupuesto y a su estilo de vida? ¿Podría esta adaptarse a sus necesidades en caso de alguna enfermedad o discapacidad?

- ¿Qué tanto se adecuan las condiciones y el estilo de vida típico de ese lugar a sus preferencias?

- ¿Son los índices de criminalidad bajos?

- ¿Puede usted encontrar médicos dispuestos a tomarlo como paciente? ¿Hay buenos hospitales? ¿Su seguro médico será aceptado? ¿Puede usted obtener cuidados a largo plazo asequibles en caso de ser necesario?

- ¿Encuentra usted bancos, bibliotecas y otras instituciones "esenciales" que responden a sus necesidades?

- Los costos y servicios de Medicare, ¿se verán afectados por la mudanza? Vaya a *www.medicare.gov* para averiguar cuánto cuestan las primas de Medicare en ese nuevo lugar.

- ¿Hay un aeropuerto o una estación de trenes cerca? Si con el tiempo usted dejara de conducir, ¿qué tipo de transporte público habría disponible para usted?

Elija el lugar que más le convenga. Una vez haya reducido su lista de opciones a dos o tres lugares, visite cada uno y compárelos con el lugar donde reside actualmente. Visite esos lugares más de una vez y en distintas épocas del año. Considere la posibilidad de alquilar una vivienda durante tres meses antes de tomar la decisión final. Incluso puede tratar de vivir con el presupuesto proyectado para su jubilación.

Múdese para reducir costos

Si se muda de la ciudad de Nueva York a Little Rock, Arkansas su costo de vida podría disminuir hasta en 51 por ciento, según BestPlaces.net, de Sperling's. Eso significa que algunos jubilados pueden aprovechar mejor sus ahorros simplemente cambiando su lugar de residencia.

Si usted vive donde los impuestos, el costo de la vivienda y los gastos a nivel local y estatal son altos, considere la posibilidad de mudarse a un lugar donde estos costos sean bajos. Eso no significa que usted deba ignorar otros factores cuando decide si cambia su lugar de residencia, pero asegúrese de tener estos costos en cuenta al tomar la decisión.

Una razón práctica para quedarse en casa

Aproximadamente el 90 por ciento de las personas mayores de 60 años no se mudan cuando se jubilan. Si usted se queda en la casa donde vivió durante años, es más probable que termine de pagar la hipoteca antes de su jubilación. Sin embargo, si se muda y no puede pagar en efectivo la compra de su nueva casa, usted estaría agregando el costo de una nueva hipoteca a 30 años a su presupuesto de jubilación.

Reubicarse y hacerse de una nueva hipoteca solo valdría la pena:

- Si el ahorro en el costo de vida, en impuestos, en los gastos de mantenimiento de la casa y en las facturas de servicios públicos cubre el costo de la hipoteca.

- Si con los años, el mantenimiento de la casa y las actividades diarias de vivir en ella serían demasiado costosos o difíciles.

¡ALERTA!

No acepte un cheque de su cuenta 401k cuando cambia de empleo antes de jubilarse. Usted acabará pagando mucho en impuestos, incluso si deposita el dinero en una cuenta IRA. En su lugar, haga una transferencia directa de "administrador fiduciario a administrador fiduciario" para pasar su 401K a una cuenta IRA y hacer que su dinero siga creciendo.

Nueve errores de jubilación que usted debe corregir

¿Está usted cometiendo estos errores comunes que de seguro arruinarán su jubilación? Descúbralo ahora mismo con estos importantes consejos:

Error número 1: Comprar una vivienda cuyo valor o cuyos gastos de mantenimiento están por encima de lo que usted puede pagar. Antes de comprar la casa de sus sueños, haga números para ver si se adecuará a su presupuesto de jubilación. Incluya los pagos de hipoteca, los gastos de mantenimiento, los impuestos sobre la propiedad y los costos del seguro.

Error número 2: Creer que lo que recibirá del Seguro Social es suficiente. Seguramente habrá oído hablar de los problemas que tiene el Seguro Social, así que no dependa únicamente de él. Más bien, procure acumular ahorros adicionales para su jubilación en cuentas libres de impuestos o de impuestos diferidos, como las IRA y los planes 401k.

Error número 3: Suponer que le darán toda la pensión que espera recibir. Hay compañías que cancelan sus planes de pensiones o realizan cambios que limitan la cantidad de dinero que usted recibe. Incluso el gobierno puede acabar no pagándole todo lo que usted espera recibir. Así que abra cuentas de ahorro adicionales para su jubilación y asegúrese de poder retirarse cuándo lo decida y con los fondos necesarios.

Error número 4: Asumir que tiene ingresos suficientes para jubilarse. Verifique las fuentes para sus ingresos de jubilación y determine a cuánto ascienden los pagos mensuales de cada una. Súmelos para calcular si sus ingresos mensuales de jubilación serán realmente suficientes.

Error número 5: Asumir que el dinero le alcanzará para toda la vida. Las estadísticas sugieren que por lo menos un miembro de una pareja de jubilados llegará a los 90 años, si no ambos. Asegúrese de tener suficiente dinero para que nunca les falte nada.

Error número 6: Creer que sus gastos médicos no van a subir. Medicare puede que no cubra todos los gastos médicos, especialmente si llegara a necesitar atención en un hogar de ancianos. Usted también debería planificar lo que haría en caso de necesitar cuidados a largo plazo, de discapacidad o de enfermedad grave.

Error número 7: Olvidar los impuestos y el alza de precios a la hora de planificar su jubilación. Al calcular el monto de sus ingresos anuales en su jubilación, asegúrese de cubrir los impuestos sobre la propiedad y sobre los ingresos, entre otros. Además, compare los precios de la gasolina o de una película cuando usted era un adolescente con los precios de ahora. Planee su jubilación teniendo en cuenta que el precio de todo seguirá subiendo con los años.

Error número 8: Disponer de su 401k antes de su jubilación. No retire dinero ni tome prestado de su plan 401k a menos que sea una emergencia.

Error número 9: Asumir que usted podrá seguir trabajando. El empeoramiento de la situación económica, los problemas de salud o una discapacidad pueden impedirle seguir trabajando. Así que elabore un plan financiero que tome en cuenta lo que usted haría si tuviera que dejar de trabajar antes de lo previsto.

Secretos para calcular con precisión

Las hojas de cálculo en papel y las calculadoras en línea hacen que parezca sencillo estimar la cantidad de dinero que usted necesita para su jubilación. Pero si no hace el trabajo preliminar, las cantidades que usted ingrese serán simples suposiciones y el resultado no tendrá mucho valor. Siga estos consejos para tener una estimación precisa de cuánto necesita para su jubilación, para que el dinero le alcance toda la vida.

Calcule primero los gastos. Algunas calculadoras le piden que indique el porcentaje de sus ingresos actuales que espera tener al jubilarse. En otras hay que indicar la cantidad mensual o anual. Algunos expertos sugieren que los gastos de jubilación serán tan bajos que usted puede vivir con apenas el 70 por ciento de los ingresos que tuvo mientras trabajaba. Pero otros advierten que el pronóstico desalentador para el futuro del Seguro Social y los costos crecientes de la atención médica, los impuestos y la inflación hacen que esta cifra sea excesivamente baja. Tal vez un enfoque más prudente es calcular los gastos de jubilación antes de estimar los ingresos que va a necesitar.

Haga su propio "informe de gastos". Para calcular los gastos anuales, calcule primero los gastos mensuales de jubilación y multiplique el resultado por 12. Vea la lista en el cuadro que sigue para asegurarse de incluir todos los gastos posibles. También tenga en cuenta que algunos gastos podrían ser mayores durante la jubilación.

Por ejemplo, el seguro médico puede costar más o cubrir menos en el futuro. Además, los gastos médicos tienden a subir más rápido que otros precios. Así que al planificar su futuro, considere la posibilidad de que los gastos médicos que usted hará de su propio bolsillo serán mayores. Algunos expertos incluso sugieren que usted podría llegar a necesitar hasta el 120 por ciento de sus ingresos actuales para cubrir la atención a largo plazo y otros gastos relacionados con la salud.

Tenga esto en cuenta para determinar con mayor precisión cuáles serán sus costos y sus ingresos.

Ingrese las cantidades correctas. Algunas calculadoras le piden un estimado para cada fuente de ingreso que tendrá durante su jubilación. No adivine. Tenga a mano las cantidades correctas.

- Para la cantidad que recibirá del Seguro Social, verifique la correspondencia que recibe de la administración del Seguro Social alrededor de la fecha de su cumpleaños, o vaya a *www.socialsecurity.gov/espanol* y haga clic en "Calcule sus beneficios por jubilación". Los expertos indican que tal vez no llegue a recibir los beneficios completos, así que planifique como si fuera a recibir solo una porción del beneficio previsto.

- Consulte con sus empleadores anteriores y actuales para determinar si recibirá una pensión de ellos y cuál sería el monto. Tenga presente que algunas calculadoras podrían no incluir las pensiones como una fuente de ingresos.

- Para saber a cuánto ascienden sus ahorros en sus cuentas IRA y cuánto aporta cada año, revise sus estados de cuenta o llame al banco o al agente que le ayudó a abrir la cuenta IRA.

- Consulte los documentos y el sitio web de su plan 401k y hable con el administrador de beneficios o la oficina de recursos humanos para saber cuánto tiene en su 401k y cuánto aporta mensual o anualmente.

- No olvide las fuentes adicionales de ingresos, como sueldos y salarios, propinas, ingresos por inversiones, alquileres, pensiones por alimentos y herencias.

También tendrá que indicar el índice de inflación. Los expertos recomiendan el tres por ciento. Y si debe indicar la tasa de rendimiento de las inversiones de su jubilación, asuma entre el seis y el ocho por ciento, o pruebe hacer el cálculo con tasas de rendimiento variables. Para más información, vea *Haga que su dinero le dure toda la vida* en la página 217 del capítulo *Ahorros a prueba de estafas*.

Gastos a largo plazo que debe tener en cuenta

Utilice este cuadro como un "ayuda memoria" para incluir gastos que fácilmente podrían ser pasados por alto.

Servicios públicos	electricidad, gas natural, combustible para la calefacción, agua, desagüe, recolección de basura, cable, Internet, teléfono celular
Vivienda	hipoteca, seguro, mantenimiento, impuestos sobre la propiedad, reparaciones
Alimentos	comer fuera, gastos de supermercado
Auto	seguro, combustible, impuestos relacionados con el auto, cuotas del auto, mantenimiento
Ropa	prendas de vestir, lavado en seco
Gastos personales	cortes de cabello, otros cuidados personales
Atención médica	seguro médico y dental, cuidados a largo plazo
Viajes	hoteles, pasajes aéreos, gastos varios de viaje
Caridad	donaciones, gastos por voluntariado
Eventos y diversión	entretenimiento y gastos para pasatiempos
Compromisos anuales	costos de suscripciones, cuotas, membresías
Acontecimientos de la vida	cumpleaños, matrimonios, aniversarios, graduaciones, nacimientos
Reposiciones menores	electrodomésticos pequeños de la cocina, como el procesador de alimentos, la batidora, la cafetera

Reposiciones medianas	equipos electrónicos, como la computadora, los televisores, los reproductores de DVD
Reposiciones mayores	electrodomésticos, "sistemas" como el aire acondicionado, la caldera, el techo, las alfombras, los pisos, el calentador de agua, la cortadora de césped, los coches
Reservas	fondo para emergencias
Gastos diarios del hogar	artículos de tocador, productos de limpieza, medicamentos de venta sin receta, bombillas, pilas, otros artículos pequeños
Gastos relacionados con festividades	regalos de Navidad, flores para el día de San Valentín, envío por correo de regalos, alimentos típicos de las fiestas, entretenimiento para las fiestas, decoraciones, papel de regalo
Inversiones	comisiones y otros costos
Deudas mensuales	tarjetas de crédito, pago de préstamos
Seguros	de vida, de vivienda, otros seguros

Haga cálculos para asegurarse un futuro cómodo

Solo el 42 por ciento de los estadounidenses han calculado cuánto dinero necesitarán para su jubilación, según el Departamento de Trabajo de Estados Unidos. Si usted no es uno de ellos, utilice las hojas de trabajo en papel o las calculadoras en línea para ponerse al día.

Calcule a la antigua. Si usted no tiene una computadora, no se preocupe. La Administración de Seguridad de Beneficios del Empleado (EBSA, en inglés) tiene un folleto gratuito llamado *Cómo resolver el misterio de la planificación de su jubilación*. Esta guía contiene hojas de cálculo para personas que están a unos 10 años de jubilarse. Para obtenerlo llame al número gratuito 866-444-3272 o haga que alguien lo descargue para usted de *www.dol.gov/ebsa*.

El Consejo de Educación para el Ahorro (ASEC, en inglés) también ofrece una herramienta para elaborar un estimado financiero para la jubilación llamada *Ballpark E$timate*. Para solicitar un ejemplar gratuito envíe un sobre con su dirección y sello postal a: EBRI Publications, 1100 13th Street, NW Suite 878, Washington, D.C. 20005.

Hágalo en línea. Para planificar su jubilación utilizando calculadoras y hojas de trabajo en línea, pruebe estos sitios:

- *www.aarp.org/espanol*. Haga clic en "Dinero" y luego en "Prepare una jubilación tranquila".

- *www.smartmoney.com* (en inglés). Haga clic en "Retirement".

- *www.schwab.com* (en inglés). Vaya a "Retirement & Planning".

- *www.choosetosave.org/asec* y vaya a "Ballpark En Español".

Pruebe más de una. No existe una calculadora de jubilación que sea perfecta. Cualquiera de ellas podría cometer uno de estos errores:

- Asumir determinada tasa de rendimiento sobre sus inversiones o determinada categoría impositiva. Si lo que asumen no es aplicable a su caso, el resultado puede no ser tan preciso.

- No tener en cuenta que los costos médicos aumentan más rápido que otros precios, o dejar la atención médica a largo plazo fuera de la ecuación.

- Subestimar el efecto de los impuestos sobre el fondo destinado para su jubilación.

- Subestimar cuánto años va usted a vivir, es decir, cuánto tiempo va a durar su jubilación.

- No incluir las pensiones como una fuente de ingresos.

Por último, tenga cuidado con las calculadoras en línea que sugieran que usted debe comprar algo que se vende en ese mismo sitio web.

Lo principal es probar distintas calculadoras y comparar resultados. Así por lo menos usted obtendrá un estimado aproximado de cuánto es lo que necesita ahorrar. Pero no se quede ahí. Profundizar en el proceso de planificación puede rendirle grandes beneficios.

Nunca es tarde para empezar a ahorrar

Si usted está próximo a cumplir la edad para jubilarse y ya sea que no ahorró para su retiro o no ahorró lo suficiente, no pierda las esperanzas. Gracias al "poder de la capitalización compuesta" casi nunca es tarde para empezar a ahorrar.

Supongamos que usted está a 15 años de jubilarse y decide ahorrar más para su jubilación reduciendo las veces que sale a comer fuera. Digamos que así puede ahorrar $19 o $20 extra cada semana. Al final de un año, usted habrá ahorrado cerca de $1,000. Si esos $1,000 generan una ganancia promedio de seis por ciento anuales, al final del año 15 usted tendrá $2,261. Eso sucede porque el capital original genera dinero en intereses el primer año y, cada año que sigue, ese nuevo capital genera a su vez más dinero en nuevos intereses. He aquí cómo funciona:

Año	Intereses devengados	Total al final del año
1	$0	$1,000
2	$60	$1,060
3	$63.60	$1,123.60
4	$67.42	$1,191.02
5	$71.46	$1,262.48
6	$75.75	$1,338.23
7	$80.29	$1,418.52
8	$85.11	$1,503.63
9	$90.22	$1,593.85
10	$95.63	$1,689.48
11	$101.37	$1,790.85
12	$107.45	$1,898.30
13	$113.90	$2,012.20
14	$120.73	$2,132.93
15	$127.98	$2,260.91

Mejor aún, si usted ahorra $1,000 cada año en los siguientes 15 años, no solo habrá incrementado los ahorros para su jubilación en $15,000. Asumiendo un rendimiento del seis por ciento, usted tendrá $24,537.

Si decide trabajar unos cuantos años más, usted podría ahorrar aún más. Pero incluso si no lo hace, no es demasiado tarde para empezar a ahorrar miles de dólares antes de que llegue el día de jubilarse.

Cinco pasos sencillos para ponerse al día con éxito

Jubílese bien aun si empezó a ahorrar tarde para su jubilación:

- Aprenda a evitar los gastos de inversión ocultos que drenan los ahorros para su jubilación. Vea *Para ahorrar dinero elimine las comisiones* en la página 185 del capítulo *Fondos mutuos: instrumentos de inversión de bajo riesgo* para conocer más detalles.

- Ahorre unas cuantas monedas de 25 centavos o unos cuantos dólares cada día.

- Procure cancelar las deudas que le están robando su dinero.

- Ponga más dinero ahí donde puede rebajar sus impuestos, reducir sus gastos o aumentar sus ahorros para la jubilación.

- Encuentra dinero extra para la jubilación en su casa, en su patio y en su presupuesto.

Para descubrir cómo aprovechar mejor estos consejos, siga leyendo.

Descubra ahorros invisibles

Usted tiene más dinero que podría ahorrar para su jubilación de lo que cree. Solo tiene que saber dónde buscar.

Empiece a hacer un seguimiento serio de los gastos que realiza. Anote cada centavo que gasta durante una semana o un mes. Si solo registra los gastos diarios de una semana, también deberá anotar los gastos que usted hace una vez al mes para todo el mes. Luego haga lo siguiente:

- Determine cuáles son sus gastos "insignificantes", aquellos que ni siquiera notaría si desaparecieran. Se sorprenderá al ver lo rápido que se acumulan. Y ahora determine cuánto ahorraría si los elimina. Si solo ahorra 50 centavos al día tendrá $180 extra en un año. Si logra ahorrar $5 al día, tendrá $1,825 en un año.

- Determine cuáles son sus gastos "ostentosos", como cenar fuera, consumir productos especiales o derrochar. Determine cuáles puede usted reducir, cuáles reemplazar con algo más barato e, incluso, cuáles puede eliminar. Si este ejercicio logra aumentar sus ahorros en $10 al día, usted habrá incrementado sus ahorros en $3,650 en un año. Y ese dinero podrá generarle aún más dinero si lo invierte o lo deposita en su cuenta bancaria.

Otros ahorros "invisibles" aún podrían seguir ocultos en su sueldo, en su casa y hasta en su patio. Es así como usted puede aprovecharlos:

- Recorra su casa y busque en el ático, el garaje, los closets, el cobertizo del patio trasero y cualquier otro lugar donde guarda objetos que nunca usa. Venda todos estos objetos a través de un mercadillo casero o "venta de garaje" o a través de eBay.

- Utilice el depósito directo para desviar parte de su sueldo a una cuenta de ahorros o una cuenta de jubilación. Usted no puede gastar el dinero que no ve. Este sencillo truco puede ayudarle a ahorrar dinero cada mes para el resto de su vida.

Ahorre más para el futuro reduciendo los impuestos

Imagine poder reducir sus impuestos, ahorrar más para su jubilación y no dejarse llevar por la tentación de gastar en exceso. He aquí cómo.

Las aportaciones que usted hace al plan 401k pueden ser deducidas automáticamente de modo que usted no se verá tentado a gastar ese dinero. Es más, tanto las aportaciones hechas a una cuenta 401k como las hechas a una cuenta IRA tradicional reducen la base imponible por ingresos, lo que significa que usted pagará menos en impuestos.

El dinero que usted tenga en sus cuentas IRA y 401k puede aumentar sus ahorros ya que crece con impuestos diferidos. Es decir, su "fondo de retiro" crece más rápido porque los impuestos no tocan las ganancias que va acumulando cada año. Así que averigüe cuál es la cantidad máxima que usted puede aportar a sus cuentas IRA y 401k. Si tiene más de 50 años de edad, averigüe sobre las aportaciones adicionales que usted puede hacer para ponerse al día. Luego solicite deducciones automáticas de su sueldo o haga otros arreglos para contribuir lo más que pueda a sus cuentas de jubilación.

Borre las deudas para incrementar los ahorros

Aunque no lo crea, las deudas de las tarjetas de crédito afectan los ahorros para la jubilación. Supongamos que usted adeuda $5,000 en una tarjeta de crédito con una tasa de interés del 13 por ciento y un pago mensual de cerca de $150. Usted gastará $1,237 en cargos por intereses antes de terminar de pagar su deuda en tres años y medio. Eso es más de $1,000 que usted podría haber ahorrado para su jubilación.

Así que no se limite a pagar el mínimo. Pague lo que más pueda cada mes para poder cancelar antes los saldos de sus tarjetas de crédito. O haga pagos quincenales para reducir el saldo aún más rápido. Vea *Salga de las deudas de las tarjetas de crédito* en la página 7 del capítulo *Cree su propio "fondo de retiro"*, para una explicación de cómo hacerlo. Es igualmente importante que evite acumular cualquier nueva deuda en una tarjeta de crédito que no pueda saldar ese mismo mes.

Cuatro tácticas para afrontar el endeudamiento

Ensaye las siguientes tácticas para librarse de las deudas que le impiden ahorrar para su jubilación.

Deje de cavar para salir del hoyo. Es decir, deje de endeudarse. Evite nuevos préstamos, nuevas tarjetas de crédito y nuevas compras que requieran hacer pagos de préstamos o de tarjetas de crédito.

Encuentre dinero que no sabía que tenía. Para ello vea *Descubra ahorros invisibles* en la página 121 de este capítulo. Si esto no es suficiente, puede trabajar horas extra o tomar un segundo empleo por un tiempo. Utilice ese dinero para pagar sus deudas.

Pruebe este secreto para acabar con las deudas. Haga una lista de todas sus deudas, de las deudas con las tasas de interés más altas a las más bajas. Pague el mínimo en todas excepto en la que tiene el interés más alto. Utilice todo el dinero extra que tiene para pagar esa única deuda con el interés más alto. Y cuando finalmente salde esa deuda, actúe como si no lo hubiera hecho. Vea por qué.

Supongamos que paga $150 al mes por la Deuda N.°1 y que usted logra cancelar esa deuda en el mes de marzo. La siguiente deuda con el interés más alto le exige un pago mínimo de $25. Así que en abril, usted no solo pagará esos $25 hacia la Deuda N.°2, sino que le sumará a ese pago los $150 que usted venía pagando por la Deuda N.°1. Eso significa que usted pagará $175 cada mes hacia la Deuda N.°2. Cuando termine de pagar esa deuda, simplemente transfiera esos $175 mensuales hacia el pago de la Deuda N.°3. Como una pelota rodando cuesta abajo, la reducción de su deuda irá tomando velocidad hasta que no quede nada por pagar.

Supere las deudas de esta otra manera. Haga lo siguiente si se desanima o si ve que le será difícil seguir el plan anterior. Haga una lista de todas sus deudas, de la menor a la mayor. Pague el mínimo requerido en todas salvo en la deuda más pequeña. Utilice todo el dinero extra que tenga para pagar esa deuda más pequeña lo más rápido posible. Una vez que haya cancelado la Deuda N.°1, sume ese pago al pago mínimo de la siguiente deuda de la lista. Y cuando termine de pagar la segunda deuda, transfiera la cantidad de ese pago a la siguiente deuda de la lista y continúe así hasta quedar libre de deudas.

EL SIGUIENTE PASO

Por fin. Usted terminó de pagar la deuda de su última tarjeta de crédito. No salga ya mismo a gastar ese dinero. Úselo más bien para seguir haciendo pagos mensuales, solo que hágalos ahora a una cuenta de ahorros para su jubilación. Si con eso excede los límites legales de cuentas como la IRA o el plan 401k, entonces ponga el dinero en una cuenta destinada a su jubilación.

Acabe más rápido con las deudas de las tarjetas

Pague menos intereses y evite seguir acumulando deudas debido a comisiones adicionales o factores como el desánimo y la tentación. Siga todos estos consejos y usted tardará menos tiempo en cancelar la deuda de sus tarjetas de crédito.

- Averigüe a cuánto asciende su deuda total con las tarjetas de crédito. Calcule cuánto tiempo le tomará pagar esa deuda, incluidos los cargos por intereses.

- Pague a tiempo. Evite la presión adicional de los cargos por pago tardío.

- Pague en efectivo. Si no tiene dinero en efectivo, no compre.

- Llame a la compañía de su tarjeta de crédito y pregunte si le pueden dar una tasa de interés más baja. Algunas compañías dirán sí únicamente para mantenerlo como cliente. Otras pueden decir no, pero usted no pierde nada con preguntar.

- Si determinada tarjeta de crédito le cobra una tasa más alta que las demás tarjetas, pruebe esto. Transfiera el saldo de la tarjeta que tiene la tasa más alta a la tarjeta con la tasa más baja. Pero primero pregunte acerca de los cargos por transferencia de saldos. Pueden llegar a ser de hasta el 3 por ciento de la cantidad transferida.

Para conocer otras recomendaciones de lucha contra las deudas, vea la sección *Control de deudas,* del capítulo *Cree su propio "fondo de retiro".*

Super**ahorro**

Ponga sus tarjetas de crédito en agua y llévelas al congelador, de modo que cada una se congele en su propio bloque de hielo. Para poder usar la tarjeta, usted tendrá que esperar a que se derrita. Para entonces es posible que usted haya dejado de sentir la tentación de comprar.

Invierta en su salud y ahorre en gastos médicos

¿Qué es lo primero que usted debe hacer para asegurarse de que podrá conservar su independencia toda la vida? Mantenerse saludable. Es también una excelente manera de ahorrar para su jubilación.

Quédese con su dinero. Según una encuesta realizada recientemente por AARP, casi la mitad de las personas preguntaron a su médico qué cambios podían hacer en su dieta y en su estilo de vida para reducir el número de medicamentos que tomaban. Esa es la idea. Los estudios indican que una buena manera de conservar su independencia —y su dinero— es cuidándose mejor para prevenir la discapacidad y las enfermedades costosas. Tome como ejemplo la diabetes:

- Los costos promedios anuales de atención médica de las personas con diabetes tipo 2 son tres veces más altos que los costos médicos de un estadounidense típico.

- Las complicaciones de la diabetes pueden llegar a costar hasta $10,000 al año, de los cuales $1,600 salen directamente de su bolsillo.

- El tratamiento de la diabetes simple cuesta al sistema de salud en Estados Unidos $37 mil millones al año. Pero tratar la diabetes, más las complicaciones que resultan de no seguir el plan de tratamiento, cuesta más de $57 mil millones anuales.

- Las investigaciones indican que seguir una dieta mediterránea, llena de verduras, frutas, legumbres, cereales integrales, frutos secos y pescado, podría ayudar a evitar la diabetes y sus costos.

Mantenga su independencia. Usted puede perder su capacidad de vivir de manera independiente debido a la discapacidad y a enfermedades como el Alzheimer. Sin embargo, las investigaciones demuestran que simples hábitos saludables pueden ayudar a prevenir estos problemas.

- Los adultos pueden reducir sus probabilidades de sufrir una discapacidad con solo participar en un programa de caminatas, observa un estudio de la Universidad de Georgia.

- Las personas que hacen caminatas vigorosas con mayor frecuencia son menos propensas a desarrollar demencia, observa un estudio realizado en Italia. Las tareas domésticas y el trabajo en el jardín también ayudan.

- Las personas mayores con sobrepeso que hacen ejercicio con regularidad presentan menos discapacidad que las inactivas y que las personas mayores con peso normal, según un estudio de la revista médica *American Journal of Public Health*.

- Los accidentes cerebrovasculares también son causa de discapacidad, pero un estudio de la Universidad de Carolina del Sur encontró que se puede reducir el riesgo de sufrir derrames cerebrales y enfermedades del corazón adquiriendo tan solo cuatro hábitos saludables: hacer ejercicio, controlar el peso, comer por lo menos cinco frutas y verduras al día y no fumar.

De modo que si usted quiere reservar más dinero para su jubilación, empiece por cuidar mejor de su salud. Usted podría ahorrar una fortuna en costos de atención médica. Además, estaría asegurándose una vida independiente y placentera y la jubilación con la que soñó.

Tome la decisión hipotecaria correcta

Usted está ansioso por cancelar su deuda hipotecaria antes de jubilarse, pero ha oído que tal vez sea mejor no hacerlo. Antes de tomar una decisión, tome en cuenta los pros y los contras de saldar su hipoteca:

Pros:

- Cancelar su deuda hipotecaria alivia la enorme carga financiera que pesa sobre sus hombros.

- Si decide vender su casa, usted obtendrá un mayor margen de ganancias.

- Usted puede ahorrar miles de dólares en cargos por intereses. Por ejemplo, si le falta pagar $150,000 en una hipoteca a 30 años y al seis por ciento y tiene 20 años de pagos por hacer, usted podría ahorrar más de $9,000 en intereses simplemente pagando $50 adicionales cada mes. Si usted puede pagar $100 adicionales al mes, usted ahorrará más de $24,500. Si su hipoteca no establece sanciones por pagos anticipados, usted habrá reducido el número de años que tardaría en pagarla y podrá jubilarse libre de hipoteca.

Contras:

- Usted ya no gozará del beneficio de poder deducir los intereses hipotecarios en su declaración de impuestos.

- Si salda toda su deuda hipotecaria de una sola vez, usted podría reducir la cantidad de dinero en efectivo que tiene a su disposición en caso de emergencia, como sería un problema de salud o el cambio de una caldera.

Algunos expertos dicen que usted debe conservar su hipoteca si la tasa de rendimiento de sus inversiones es más alta que la tasa de interés de su hipoteca. En otras palabras, si sus inversiones le pagan el 10 por ciento, pero su tasa hipotecaria es únicamente del seis por ciento, sería mejor que usted no tocara el dinero de sus inversiones. Sus inversiones probablemente están generando más dinero del que usted está perdiendo por los intereses hipotecarios.

Pero si el mercado de acciones y el mercado de bonos han tenido un mal año, es posible que usted tenga que vender una inversión a pérdida a fin de seguir pagando su hipoteca. Usted también podría verse obligado a retirar dinero de su cuenta IRA o del plan 401k para cumplir con estos pagos. Lamentablemente, el dinero retirado de estas cuentas incrementa su base imponible y podría aumentar sus ingresos lo suficiente como para que usted acabe pagando fuertes impuestos sobre sus beneficios del Seguro Social.

Para algunas personas, la decisión de saldar la deuda hipotecaria será una decisión compleja. En ese caso, es mejor consultar a un asesor financiero para que le ayude a tomar la decisión más adecuada para su situación.

Conozca los principios básicos de la refinanciación

La refinanciación puede ayudarle a ahorrar una reserva adicional para su jubilación, pero no beneficia a todos. Antes de llamar a un agente de préstamos, haga sus propias investigaciones a fin de determinar si la refinanciación es la solución más apropiada para usted.

Haga usted los cálculos. Algunos expertos dicen que es buen momento para refinanciar cuando la tasa del nuevo préstamo está un punto porcentual por debajo de la tasa actual, como sería el caso con una caída del seis por ciento al cinco por ciento. Sin embargo, esa tasa más baja puede no ser la tasa que usted obtenga. Si no tiene mucho capital acumulado en su propiedad (*home equity,* en inglés) o si su calificación crediticia no es alta, es mejor que primero se asegure de obtener un estimado de la tasa para la que usted sí califica.

Otra manera de determinar la conveniencia de refinanciar es dividir el total de los costos de cierre previstos por el ahorro mensual previsto. Por ejemplo, si los costos de cierre son de alrededor de $4,000 y usted espera ahorrar $125 cada mes, le tomará aproximadamente dos años y ocho meses de pagos reducidos para recuperar los costos de la refinanciación. Usted tendrá que quedarse con la vivienda durante al menos ese tiempo para que la refinanciación valga la pena.

Tenga en cuenta que usted también estará reiniciando el cómputo de los plazos de su hipoteca. Si usted pagó 10 años de una hipoteca a 30 años y ha tenido que refinanciar con otra hipoteca a 30 años para conseguir que sus pagos se reduzcan, haga cálculos para determinar cómo 30 años más de pagos hipotecarios afectarán su presupuesto actual y su presupuesto para el futuro.

Evite los obstáculos. Los prestamistas de vivienda se han vuelto mucho más cautos últimamente, de modo que usted bien podría encontrar nuevos obstáculos para la refinanciación, como estos:

- Usted puede necesitar una calificación de crédito más alta para conseguir una buena tasa.

- Usted puede necesitar hasta el 20 por ciento del valor líquido de la vivienda para seguir adelante con la refinanciación. El que usted cumpla con ese porcentaje estará determinado por el valor de la vivienda, lo que significa que usted tendrá que pagar por una tasación de su vivienda aun si acaba no calificando para el préstamo. Antes de ponerse en contacto con un agente de préstamos, obtenga un estimado aproximado del valor de su vivienda llamando a un agente de bienes raíces o visitando un sitio web dedicado a bienes raíces, como *www.zillow.com*.

- Si usted debe más de lo que vale su vivienda o si el valor de su vivienda se ha reducido drásticamente, usted puede no calificar para un préstamo de refinanciación.

- Si el valor de su vivienda ha descendido pero no tan drásticamente, entonces podría calificar, pero tendrá que pagar costos adicionales.

- Si usted tiene más de una hipoteca sobre su vivienda, el prestamista de la segunda hipoteca debe aceptar el hecho de que la segunda hipoteca estará subordinada al nuevo préstamo, es decir, que la segunda hipoteca permanecerá siendo el préstamo a liquidarse en segundo lugar. Algunos prestamistas se rehúsan a hacerlo.

Pensiones y planes 401k:

dinero en efectivo para su futuro

Elija con cuidado la forma como recibe su pensión

Muchos asesores financieros le recomendarán recibir la pensión de su empresa como una distribución de suma total, es decir en la forma de un solo pago, en vez de recibirla en pagos mensuales. La idea es que usted debe luego invertir ese dinero a través de ellos, así ellos se aseguran una comisión. Es claro que esto es bueno para los asesores financieros, pero no lo es necesariamente para muchos jubilados. Tanto el pago único como los pagos mensuales tienen inconvenientes. Estudie cuál es la modalidad de retiro de su pensión que más le conviene a usted.

Ponga a prueba su tolerancia al riesgo. Si no le gustan las apuestas, es probable que a usted no le agrade el riesgo inherente al pago único. Obtener todo ese dinero a la vez suena bien, hasta que se da cuenta de que ahora es usted quien tiene que invertirlo y que lo tiene que hacer de tal manera que le dure el resto de la vida. Si sus acciones o bonos no rinden lo esperado, usted podría vivir más tiempo que el dinero de su jubilación. Con los pagos mensuales de por vida usted no corre ese riesgo. En primer lugar, la responsabilidad de manejar el dinero e invertirlo recae en el proveedor de la pensión, no en usted. En segundo lugar, las pensiones tradicionales garantizan un ingreso mensual de por vida, sin importar lo que ocurra en el mercado bursátil.

Tenga en cuenta la esperanza de vida. Dado que hoy en día las personas viven más tiempo, los pagos mensuales tienen sentido ya que así usted se asegura de no vivir más allá de lo que dura su pensión. Sin embargo, si usted no tiene esperanza de vivir mucho tiempo debido a un problema serio de salud o a antecedentes familiares de ciertas enfermedades, entonces el pago único puede ser una mejor opción.

Siga la salud de su empleador. La salud financiera de su empresa es otro factor clave a la hora de tomar una decisión. Usted tal vez deba "tomar su dinero y salir corriendo" si ve que su empleador tiene dificultades para financiar las pensiones o a duras penas logra mantenerse a flote financieramente.

Asesórese. Se trata de una decisión muy importante como para tomarla a la ligera. Primero hable con el gerente de Recursos Humanos de su lugar de trabajo. Pregunte a cuánto ascendería el pago único. Puede que descubra que es menos de lo que pensaba. Pregunte además si el pago único podría afectar los beneficios de jubilación, como el seguro médico.

También es posible que usted no tenga estas opciones. Si su pensión es de $5,000 o menos, su empleador no necesita su consentimiento para automáticamente proceder a darle la suma total en un solo pago.

Proteja a su pareja con beneficios de sobrevivencia

Si decide retirar su pensión como pagos mensuales de por vida en lugar de un pago único, entonces usted debe decidir si prefiere que sus pagos de jubilación sean en la forma de una anualidad individual o de una anualidad mancomunada y de sobreviviente.

Es tentador elegir la anualidad individual. Usted recibirá más dinero todos los meses hasta su muerte. Después de su muerte, sin embargo, los pagos se interrumpen dejando a su cónyuge con nada. Con la opción de anualidad mancomunada y de sobreviviente, por otro lado, usted recibe una pensión mensual más baja, pero se asegura que su cónyuge continuará recibiendo beneficios si usted muere primero.

Muchos jubilados prefieren asegurar una mensualidad mayor y dejar las preocupaciones sobre el futuro para después. Pero usted podría estar condenando a su "media naranja" a la pobreza. Los esfuerzos para garantizar un ingreso para su cónyuge por otras vías podrían fracasar.

- Las pólizas de los seguros de vida a término parecen ofrecer buena protección. Sin embargo, si usted sobrevive el término establecido por la póliza, su cónyuge no recibe ningún beneficio cuando usted muera.

- El seguro de maximización de pensiones es básicamente un seguro de vida y las pólizas no son baratas. Si bien usted recibe un pago mayor con la pensión individual, este seguro se llevaría una porción de sus ingresos si lo adquiere como "respaldo". Además, si la compañía de seguros pierde dinero en sus inversiones, la indemnización que le correspondería se puede reducir, y si usted se atrasa en los pagos de la póliza, perderá la cobertura.

A pesar de estas desventajas, la pensión individual puede ser una buena opción si su cónyuge tiene una enfermedad terminal, es probable que muera antes que usted o tiene su propia fuente de ingresos. Antes de jubilarse, hable con el gerente de Recursos Humanos donde trabaja para determinar el tipo de pensión que tiene y cambiarla, de ser necesario.

Super**ahorro**

"No ponga todos los huevos en una sola canasta". El viejo refrán también debe aplicarse a los planes de jubilación. No cuente únicamente con la pensión de una empresa para su jubilación. Su empleador puede cambiar los términos o el fondo puede agotarse.

Diversifique sus ahorros, en su lugar. Abra otras cuentas de jubilación, como una IRA tradicional o una Roth IRA. Si algo sucede con su pensión, usted estará a salvo.

Pida información sobre la pensión de los veteranos

Los veteranos y sus familiares que cumplen ciertos requisitos de edad, ingresos y servicio militar pueden inscribirse en el programa "Pensión mejorada para veteranos", del Departamento de Asuntos de Veteranos. Para más información, vaya a *www.va.gov* (en inglés).

Maneras inteligentes de recuperar dinero perdido

Empleadores antiguos pueden estar reteniendo dinero para su jubilación que es legítimamente suyo. Aquí algunos consejos para que usted pueda ubicar esas pensiones y cuentas de jubilación y recuperar todo lo que le deben.

Tome la iniciativa. Antes de jubilarse, diríjase al departamento de Recursos Humanos de su empresa y averigüe cuáles son los beneficios y a cuánto asciende el dinero que usted tiene derecho a recibir. Haga lo mismo con sus anteriores empleadores. Haga una lista de todas las empresas donde trabajó durante más de un año. Llame al departamento de Recursos Humanos de cada una y pregunte si usted tiene derecho a algún beneficio de jubilación. De ser así, asegúrese de que tengan actualizados sus datos personales, como la dirección, el estado civil y la información sobre el beneficiario.

Localice las pensiones faltantes. No todas las empresas mantienen buenos registros. Si usted sabe que tiene derecho a una pensión, pero el empleador no encuentra referencia alguna en sus registros, PensionHelp America le puede ayudar a resolver ese misterio. Vaya a *www.pensionhelp.org* (en inglés) y haga clic en "PensionHelp" para obtener ayuda de un asesor especializado en pensiones cerca de usted. O bien localice el plan de pensión faltante usted mismo haciendo clic en "PensionSearch". ¿No tiene computadora? No hay problema. Llame a la Administración de Seguridad de Beneficios del Empleado (EBSA, en inglés) al teléfono gratuito 866-444-3272 y solicite ayuda para resolver cualquier problema relacionado con sus pensiones.

Ubique planes archivados. Usted puede obtener su dinero aun cuando la empresa en la que trabajó cerró y su plan de pensión fue cancelado. La Corporación de Garantía de Beneficios de Pensiones (PBGC, en inglés) le ayudará a ubicar el plan en problemas. Llámelos al 800-400-7242 o vaya a su sitio web en *www.pbgc.gov*.

Desentierre del olvido a los planes 401k. Determinar qué empleador o empresa está a cargo de un antiguo plan 401k no siempre es fácil. Indague sobre su paradero en el sitio web del Registro Nacional de Beneficios de Jubilación No Reclamados (NRURB, en inglés), en *www.unclaimedretirementbenefits.com* (en inglés).

Cobre su pensión mientras trabaja

Usted puede empezar a cobrar su pensión mientras trabaja si tiene más de 65 años o si tiene 62 años y su plan de pensión lo permite. A cambio, usted pasará de trabajar a tiempo completo a trabajar a tiempo parcial, cobrando un salario reducido y cubriendo la diferencia con su pensión. Pregunte a Recursos Humanos si su empleador ofrece una jubilación progresiva y si esta afectará sus beneficios médicos actuales o los beneficios futuros que recibirá con la jubilación plena.

Haga crecer sus ahorros y reduzca sus impuestos

Deje de guardar su dinero bajo el colchón. Póngalo en un plan 401k para que sus ahorros crezcan más rápido y para reducir sus impuestos. A diferencia de los planes de pensiones, este tipo de cuenta de jubilación permite que tanto su empleador como usted puedan poner de lado, libre de impuestos, dinero en efectivo para su jubilación.

Obtenga mejores rendimientos que en un banco. Es como una cuenta de ahorros con ventajas tributarias. Abra una cuenta a través de su empleador y decida cuánto dinero depositará en ella cada año. El dinero sale directamente de su sueldo antes de pagar los impuestos. Algunos empleadores le ayudan a ahorrar haciendo contribuciones paralelas.

Con algo de suerte, el dinero en una cuenta 401k se acumula más rápido que en una cuenta de ahorros. Eso se debe a que usted puede invertir los ahorros de una 401k en acciones, fondos mutuos, bonos y otras inversiones que, por lo general, generan más intereses que una cuenta de ahorros. Una empresa externa administra los fondos 401k. Usted les indica cómo invertir su dinero y ellos le enviarán estados de cuenta explicando cuánto dinero generan sus inversiones cada año.

Disfrute de ahorros libres de impuestos. Lo mejor de todo, usted no paga impuestos sobre el dinero que aporta ni sobre los intereses que este genera hasta que usted se jubile y empiece a retirar dinero. Eso no es poca cosa. Con una cuenta de ahorros tradicional, usted paga impuestos cada año sobre el interés ganado. Con una 401k, no. Eso le permite acumular más ahorros más rápido para su jubilación.

Eso no es todo. Poner parte de su sueldo en una cuenta 401k reduce los ingresos sobre los que usted sí tiene que pagar impuestos. Si gana $40,000 y pone $7,000 en su 401k, usted solo paga impuestos sobre la renta de $33,000, lo que reduce lo que debe pagar por impuestos. Estas cuentas de jubilación tienen todas las ventajas. Averigüe si su empleador ofrece una cuenta 401k. De ser así, empiece a hacer sus contribuciones. El IRS limita la cantidad de dinero que usted puede depositar anualmente en estas cuentas, aunque el límite aumenta cada año.

HAGA QUE EL DINERO TRABAJE PARA USTED

Supongamos que usted tiene $20,000 en una cuenta de ahorros que paga dos por ciento de interés. Supongamos, además, que usted se encuentra en la categoría impositiva federal del 25 por ciento y su tasa estatal es del ocho por ciento. Si usted no toca sus ahorros durante 20 años, al final tendrá $26,100. No está mal. Supongamos, ahora, que usted no tiene que pagar impuestos sobre los intereses anuales. Ese mismo dinero se convertirá en $29,719 al final de los 20 años, esto es, $3,619 más.

Eso es básicamente lo que sucede con una cuenta 401k, solo que a una escala mucho mayor, ya que las cuentas 401k suelen pagar más intereses que una cuenta de ahorros. Imagínese que usted pone los mismos $20,000 en una cuenta 401k que paga siete por ciento de interés y que usted no vuelve a tocar esa cuenta en 20 años. Al final acabará con $77,394, todo gracias al crecimiento con impuestos diferidos y con una tasa de interés saludable.

Reciba dinero gratis para su jubilación

¿Qué haría usted si su jefe le ofrece $1,500 adicionales al año, cada año, sin compromiso alguno? Si usted participa en un plan 401k en el trabajo, eso es exactamente lo que puede ocurrir. Algunas empresas "igualan" las contribuciones de sus empleados al plan 401k, por lo general hasta determinado porcentaje de su ingreso. La contribución paralela del empleador puede ser dólar por dólar, es decir, igual a la cantidad aportada por el empleado, o bien solo una porción, por ejemplo, 50 centavos por cada dólar aportado por el empleado.

Es dinero gratis. Usted lo recibe solo por participar en el programa y sería una locura no aceptarlo. Todo ese dinero adicional en su 401k hará que sus reservas para la jubilación aumenten dos veces más rápido que si solamente usted aporta a la cuenta. Pregunte al departamento de Recursos Humanos sobre el programa 401k de la empresa y averigüe cuál es el límite de las "igualaciones" del empleador. Asegúrese de aportar a su 401k por lo menos hasta ese límite, para aprovechar al máximo las contribuciones paralelas de su empleador. De lo contrario, usted estará perdiendo la oportunidad de recibir dinero gratis.

HAGA QUE EL DINERO TRABAJE PARA USTED

Supongamos que usted gana $40,000 al año y que su empleador "igualará" sus aportaciones al 401k, y lo hará dólar por dólar hasta el 5 por ciento de su ingreso. Para aprovechar al máximo las contribuciones paralelas de su empleador, usted decide aportar a su 401k el cinco por ciento de su sueldo, es decir $2,000 cada año.

Si sus inversiones generan como promedio un rendimiento modesto del siete por ciento, usted habrá ahorrado la impresionante suma de $57,341 para su jubilación en apenas 10 años. Y usted solo tuvo que aportar $2,000 de su propio dinero cada año. Sin la contribución paralela de su empleador, usted habría ahorrado solamente la mitad, es decir, unos $28,670.50.

Ahorre miles en impuestos para la jubilación

Su empleador ha anunciado que la empresa ofrecerá una 401k Roth además de la cuenta 401k estándar, y usted se pregunta a cuál debe aportar. En realidad usted puede hacerlo a las dos. Es más, si aporta a una cuenta 401k Roth pagará menos impuestos y ahorrará más para su jubilación.

Compare los planes. Cuando usted hace una contribución a una cuenta 401k estándar, lo hace antes de pagar impuestos, en otras palabras, usted no paga impuestos ahora sobre ese dinero. En cambio, cuando usted retira ese dinero una vez que se ha jubilado, usted pagará impuestos tanto sobre las contribuciones que hizo, como sobre el dinero que estas generaron. Con una cuenta 401K Roth, usted paga impuestos ahora, pero ya no lo hará al retirar el dinero cuando se jubile y tampoco pagará impuestos sobre las ganancias generadas por las contribuciones que hizo.

El tipo de cuenta 401k que usted debe elegir depende de si usted cree que al jubilarse estará en una categoría impositiva más alta o más baja que la actual. Esto es algo difícil de predecir, por lo que algunos expertos sugieren que usted contribuya parte de su dinero a una cuenta 401k estándar y otra parte a una cuenta 401k Roth.

Calcule las ventajas tributarias. Si usted pone la cantidad de $15,500 en una cuenta 401k tradicional a 15 años y con una tasa de rendimiento del seis por ciento, usted acabará con $382,424. Usted logrará acumular el mismo fondo de reserva para su jubilación si coloca $7,750 en una cuenta 401k Roth y los $7,750 restantes en una cuenta 401k estándar a 15 años y con una tasa de rendimiento del seis por ciento. Pero usted pagará la mitad en impuestos cuando retire ese dinero porque solo deberá impuestos sobre lo que tiene en la cuenta 401k tradicional. Si usted sigue estando en la categoría impositiva del 25 por ciento, eso equivaldría a un ahorro de $47,803.

Tome en cuenta una ventaja adicional. Otro punto a favor es que los ingresos por concepto de la Roth no cuentan al momento de determinar si sus beneficios del Seguro Social están sujetos a impuestos.

Para determinar si la 401k Roth es la opción más apropiada para usted, consulte a un profesional financiero o fiscal, o bien calcule usted mismo cómo afectará sus impuestos actuales, sus impuestos futuros y el tamaño potencial de su fondo de reserva para la jubilación. Usted encontrará calculadoras financieras muy útiles en *www.dinkytown.net* (en inglés).

¡ALERTA!

> Si su empleador hace contribuciones paralelas a su cuenta 401k Roth, las contribuciones de la empresa estarán sujetas a impuestos cuando usted se jubile, tal como sucede con una cuenta 401k tradicional. Tenga eso en cuenta al planificar su futuro.

Evite que las comisiones erosionen sus ahorros

Los propios corredores y administradores de fondos mutuos que están encargados de hacer crecer las reservas para su jubilación, podrían ser la razón de que estas desaparezcan progresivamente. Esto se debe a que todo aquel que participa de alguna manera en la administración de su 401k cobra una comisión por sus servicios. Y, con el tiempo, esas comisiones pueden llevarse una buena porción de sus ahorros.

Por suerte usted puede tener control de cuánto le paga a esas personas. Las comisiones varían de lugar a lugar. Si usted decide que una de las inversiones de su 401k es demasiado costosa, sencillamente cámbiese a otra.

Antes que nada, sin embargo, usted debe calcular qué es lo que está pagando. Llame a cada una de las compañías de fondos mutuos de su cuenta 401k y solicite un ejemplar del prospecto o folleto donde se describe el coeficiente de gastos del fondo. Sume los coeficientes de todos los fondos que mantiene en su cuenta 401k. El total debe ser inferior al uno por ciento. De lo contrario, busque maneras de recortar los gastos.

Cambie de fondos. Para su 401k elija fondos mutuos con un bajo coeficiente de gastos, como los fondos indexados de bajo costo, los fondos institucionales y los fondos sin comisión. En *www.fundgrades.com* (en inglés) busque los fondos calificados con una "A" en gastos y, de ser necesario, pida a su empleador más opciones de bajo costo.

Evite los fondos de "gestión activa". Los fondos administrados de manera activa pagan a un asesor de inversiones para que constantemente investigue y gestione sus carteras de inversiones, como con las acciones. Estos fondos de gestión activa suelen cobrar comisiones más altas que los de gestión pasiva, como son los fondos indexados, aunque su rendimiento no es necesariamente mejor.

Tenga cuidado con las temidas 12b-1. Los fondos cobran comisiones 12b-1 para cubrir sus gastos de publicidad y otros servicios. Lamentablemente, estas pueden erosionar sus ahorros. Las comisiones 12b-1 suelen oscilar entre el 0.25 y el 1.0 por ciento del total del dinero en el plan cada año. Nunca pague más. Los expertos sugieren buscar fondos que no cobren comisiones 12b-1. Estas comisiones aparecen en el prospecto o folleto explicativo como "gastos anuales de operación del fondo" (*Annual Fund Operating Expenses,* en inglés).

Tenga una conversación franca con su jefe. Hable con su empleador si usted nota que hay comisiones altas en su plan 401k. La empresa podría cambiarse a una firma de gestión de 401k con comisiones más bajas o bien ofrecer fondos de menor costo.

No se deje atrapar con acciones de la empresa

Usted trabajó 33 años para la empresa y su lealtad fue premiada con una montaña de acciones de la empresa en su cuenta de jubilación. Lo que parecía ser un gran regalo podría volverse contra usted.

Vincular una porción muy alta de las reservas para su jubilación a las acciones de una sola compañía es peligroso. Estas presentan un riesgo mayor que los fondos mutuos, que poseen una gran variedad de acciones, y usted necesita estabilidad en sus reservas para cuando llegue a la jubilación. Las inversiones como los planes 401k cargados con acciones de un solo tipo son vulnerables a las fluctuaciones bruscas propias del mercado bursátil.

Evite comprometer más de 5 a 10 por ciento de sus ahorros de 401k en acciones de un solo tipo, incluso si se trata de acciones de su propia empresa. ¿Demasiado tarde? Lentamente venda las acciones de su compañía y ponga el dinero en otras opciones de 401k. Pregunte al departamento de beneficios del lugar donde trabaja si existe alguna restricción para vender las acciones de la compañía.

Algunos empleadores igualan sus contribuciones al 401k con acciones de la compañía y no con dinero en efectivo. Si ese es su caso, al menos evite emplear sus propias contribuciones para comprar más. Invierta su parte del dinero en fondos mutuos u otras opciones diversificadas, pero tenga cuidado de no invertir en fondos mutuos que tengan demasiadas acciones de su compañía. Evalúe los fondos en *www.morningstar.com* (en inglés) o lea el prospecto de cada uno antes de adquirirlo.

Cuatro activos a salvo de la bancarrota

Descanse tranquilo. Los ahorros para su jubilación están seguros. Los acreedores en una quiebra no pueden tocar:

- Los planes de jubilación calificados de las empresas, como las pensiones y los planes 401k.

- Los planes de jubilación calificados para trabajadores independientes, como las cuentas IRA SEP e IRA SIMPLE.

- Los activos de una cuenta IRA transferidos de cualquiera de esos planes calificados.

- Hasta $1 millón en contribuciones directas a una cuenta IRA, en lugar de transferencias.

Duplique sus ahorros en un santiamén

Empezar un pequeño negocio en casa puede potenciar los ahorros para su jubilación. Aproveche las ventajas que ofrecen las cuentas de jubilación para los trabajadores independientes y usted podría ahorrar hasta $49,000 para su jubilación y pagar menos impuestos.

Las cuentas SEP tienen sentido. Si usted tiene dos empleos, opte por una cuenta IRA SEP (pensión simplificada para empleados). Usted puede abrir una si ya tiene una cuenta de jubilación con otro empleador, como una cuenta 401k en su trabajo de día. Una cuenta SEP le permite guardar anualmente alrededor del 20 por ciento de los ingresos netos de su negocio, hasta un límite fijado cada año.

No hay contribuciones mínimas, de manera que en años de escasez usted no tiene que aportar. Además, son fáciles de abrir y requieren menos trámites que otros planes de jubilación.

Un plan de ahorros simple. Una cuenta IRA SIMPLE (plan de incentivo de ahorro para empleados mediante contribuciones paralelas) es una buena opción para las personas que trabajan por su propia cuenta o a tiempo parcial. De hecho, si su empresa solo genera en un año el equivalente de la cantidad límite a contribuir, usted puede depositar toda esa cantidad en un plan SIMPLE.

Una 401k solo para usted. Los propietarios de empresas que ganan poco dinero y que no tienen empleados salvo a su cónyuge, deberían considerar la posibilidad de aportar a una 401k individual. Los límites de las contribuciones son más altos.

Para saber cuál es el plan adecuado para usted, consulte a un contador público certificado. Muchas firmas conocidas de servicios financieros, tales como Fidelity, Vanguard y T. Rowe Price, pueden administrar esos planes para usted, evitándole los trámites y los dolores de cabeza. Compare precios para encontrar una que le cobre comisiones bajas, ya que estas pueden mermar las ganancias de sus inversiones.

Determine si es oportuno o no hacer un "rollover"

Usted se enfrenta a una decisión importante sobre lo que debe hacer con su cuenta 401k cuando se jubile: dejarla donde está o transferir los fondos a una cuenta IRA, esto es, hacer un *"rollover"*. La mayoría de los planes le permiten dejar el dinero, aun si se jubila o cambia de empleo. Esa es una buena opción en los siguientes casos:

- Si se trata de un plan 401k generoso con opciones de inversión que a usted le gustan.

- Si cree que es posible que más adelante usted vuelva a trabajar para su antiguo empleador.

- Si el antiguo empleador le pagará los gastos de las inversiones de su 401k.

- Si las inversiones en su 401k cobran comisiones más bajas que las de una cuenta IRA.

- Si usted planea jubilarse anticipadamente, antes de cumplir los 59 años y medio. Los planes 401k le permiten empezar a retirar dinero, sin sanciones, a la edad de 55 años.

De otro lado, transferir sus ahorros a una cuenta IRA tiene sentido si:

- Usted cambió de trabajo y los cargos de la cuenta IRA son más bajos que los de su antiguo plan 401k o de su nuevo plan.

- A usted no le agradan las opciones de inversión que ofrece el plan 401k.

Si usted decide transferir los fondos de su plan 401k hágalo mediante una transferencia directa entre planes de jubilación o "*direct rollover*". De lo contrario, podría tener que pagar sanciones tributarias severas. Primero abra la nueva cuenta IRA con la firma de inversiones que haya elegido. Luego haga que transfieran los fondos directamente de su plan 401k a su cuenta IRA.

¡ALERTA!

No transfiera las acciones del empleador a su cuenta IRA. Si es posible, déjelas en el antiguo plan 401k. Usted tendrá que pagar impuestos más altos cuando retire ese dinero en el futuro si lo pasa a una cuenta IRA.

El Seguro Social simplificado

Ponga en marcha su jubilación

Ernest Ackerman, maquinista de Cleveland, no esperó mucho para reclamar sus beneficios del Seguro Social. El señor Ackerman se jubiló apenas un día después de que el programa entrara en vigencia. Le retuvieron cinco centavos de su sueldo por el último día de trabajo y le dieron un pago total único de 17 centavos. En aquel entonces, con 17 centavos se podía hacer mucho, pero está claro que con esa suma él no pudo haber financiado su jubilación.

Ida May Fuller obtuvo algo más del Seguro Social. La señorita Fuller trabajó como secretaria legal, se retiró en 1939, y en 1940 a la edad de 65 años se convirtió en la primera persona en recibir un cheque mensual de jubilación. Su primer cheque fue de $22.54. Ella vivió 100 años y llegó a recibir $22,888.92 en beneficios del Seguro Social.

Puede que usted no viva 100 años, pero aun así el Seguro Social será un factor importante en sus planes de jubilación. De hecho, el jubilado típico recibe el equivalente a unos $250,000 en ahorros para la jubilación. Eso es mucho más de 17 centavos. A continuación, un breve repaso de la historia del Seguro Social.

Por qué se creó. Como su nombre lo indica, el Seguro Social, o *Social Security* en inglés, fue creado para proporcionar cierta seguridad económica a las personas mayores. En tiempos pasados, la familia extendida asumía el cuidado de los familiares de edad avanzada que ya no podían trabajar. Pero a partir de principios del siglo XX, varios factores transformaron la dinámica familiar.

La Revolución Industrial convirtió a muchos trabajadores agrícolas independientes en asalariados de grandes compañías y muchos se trasladaron del campo a las ciudades en busca de trabajo. En lugar de varias generaciones viviendo bajo un mismo techo, las familias se redujeron a padres e hijos. Gracias a los avances en la atención médica y en los servicios de saneamiento, la gente empezó a vivir más años. A eso se sumaron el colapso de la bolsa de 1929 y la Gran Depresión.

Cómo funciona. Como parte de la respuesta a la Gran Depresión, Franklin D. Roosevelt promulgó la Ley del Seguro Social en 1935.

Ha habido varios cambios desde entonces. Por ejemplo, en 1939 se añadieron los beneficios para los cónyuges de los trabajadores, los hijos menores de edad y los sobrevivientes. En 1950, se incluyeron los ajustes por el costo de vida para compensar el efecto de la inflación sobre el ingreso fijo. Y en 1956, se agregaron los beneficios para los trabajadores incapacitados. Pero la idea básica sigue siendo la misma. Usted aporta al programa a través de deducciones de los impuestos de nómina durante sus años laborales y cobra los beneficios cuando se jubila.

Por qué debe usted planificar el futuro. Usted recibirá en el futuro un ingreso fijo del Seguro Social, pero no debería depender únicamente de ese ingreso para financiar su jubilación. Aun con los incrementos por el costo de vida, es probable que lo que usted reciba cada mes no sea suficiente para mantenerse al día con sus gastos básicos. Imagínese al Seguro Social como un componente importante de su plan de jubilación, pero no el único. Al mismo tiempo, es fundamental que obtenga todo lo que le corresponde del Seguro Social. Eso significa que usted debe conocer el programa en detalle. Siga leyendo para descubrir cómo aprovechar al máximo los beneficios del Seguro Social.

Descifre los secretos para acceder a los beneficios

Tal vez usted ha oído decir que el Seguro Social es un *entitlement program*, es decir, un programa de beneficios por derecho ciudadano. Usted trabajó por esos beneficios. Usted tiene derecho a ellos.

Al desentrañar los secretos del Seguro Social, tenga presente que todo se basa en su historial de trabajo. Esto es cierto no solo para los beneficios de jubilación, sino también para los beneficios por incapacidad y los beneficios para los dependientes y los sobrevivientes.

Acumule créditos de trabajo. Para poder beneficiarse del Seguro Social, usted deberá acumular créditos laborales. Usted puede obtener un máximo de cuatro créditos por año, dependiendo de cuánto gana. Si nació después de 1929, usted necesitará un total de 40 créditos laborales. Es relativamente fácil acumular estos créditos. Por ejemplo, en el año 2008, se obtenía un crédito laboral por cada $1,050 ganados.

Si le faltan tan solo unos cuantos créditos laborales para ser elegible para recibir beneficios del Seguro Social, debe contemplar seriamente la posibilidad de conseguir empleo. Incluso un trabajo poco remunerado y a tiempo parcial podría ser la diferencia entre recibir estos beneficios de por vida o no recibir nada.

Acumule beneficios. La cantidad que usted reciba dependerá de su historial de ingresos. Para determinar sus beneficios, el Seguro Social emplea un complejo sistema de cálculos basándose en los 35 años en que usted ganó más dinero. Si usted trabajó menos de 35 años, la fórmula asigna ceros a los años faltantes. En ese caso, es recomendable trabajar unos cuantos años más. Cada año adicional de trabajo elimina un cero. Eso podría incrementar sus beneficios de manera considerable.

Recuerde, en estos cálculos solo cuentan los ingresos por trabajo y sobre los cuales usted pagó el impuesto del Seguro Social. Todas las demás fuentes de ingreso, ya sean intereses, dividendos, ganancias de capital o alquileres, no son pertinentes para el cálculo de sus beneficios.

Conozca su edad de jubilación plena

Año de nacimiento	Edad de jubilación plena
Antes de 1937	65 años
1938	65 años y 2 meses
1939	65 años y 4 meses
1940	65 años y 6 meses
1941	65 años y 8 meses
1942	65 años y 10 meses
De 1943 a 1954	66 años
1955	66 años y 2 meses
1956	66 años y 4 meses
1957	66 años y 6 meses
1958	66 años y 8 meses
1959	66 años y 10 meses
Después de 1960	67 años

Nota: las personas nacidas el 1 de enero de cualquier año deben referirse a la edad de jubilación plena del año anterior.

Calcule sus beneficios por jubilación

¿Cuánto dinero recibirá usted del Seguro Social? Son muchas las respuestas. Afortunadamente, usted ahora cuenta con herramientas que le ayudarán a estimar la cantidad a la que ascenderán sus beneficios.

En 2008, por ejemplo, el pago mensual promedio para una persona que alcanzó la edad de jubilación plena era de alrededor de $1,100. El pago mensual máximo para una persona que recién empezaba a cobrar beneficios por jubilación era de alrededor de $2,200. Una vez que comienza a recibir beneficios por jubilación, el monto es ajustado cada año de acuerdo con el aumento del costo de vida.

Si bien hay un máximo, no existe un mínimo. Todo depende de su historial o "registro de ganancias". Si ganó muy poco dinero durante sus años de trabajo, entonces usted cobrará muy poco cada mes en beneficios. Sin embargo, cuanto más bajas sean las ganancias promedio, más alto será el porcentaje que obtenga en beneficios. Por ejemplo, una persona que ganó un promedio de $20,000 aproximadamente, recibirá cerca del 50 por ciento de lo que ganó en los años justo antes de empezar a recibir beneficios por jubilación. Si sus ganancias promedio fueron un poco más altas, de $30,000 por ejemplo, entonces recibirá alrededor del 40 por ciento. Pero si sus ganancias promedio estaban entre las más altas, recibirá solamente alrededor del 20 por ciento.

Para tener una idea mucho más precisa de sus beneficios futuros, utilice la calculadora de beneficios de jubilación que está en la página oficial de la Administración del Seguro Social, en *www.ssa.gov/espanol/calculador*. Estas son tres buenas razones para hacerlo:

- Privacidad. Usted es la única persona que tiene acceso a su información personal. Para ello tendrá que proporcionar su nombre completo, su número de Seguro Social, el lugar y la fecha de su nacimiento, su apellido materno, entre otros datos.

- Precisión. Debido a que esta herramienta está enlazada con el actual registro de ganancias del Seguro Social, esta es la forma más precisa de estimar sus beneficios por jubilación.

- Flexibilidad. Usted puede comparar opciones de jubilación cambiando ya sea la edad de jubilación o los ingresos anuales proyectados.

Esa no es la única calculadora de beneficios disponible en el sitio web. Con las otras calculadoras, que no requieren que se registre para iniciar una sesión ni que proporcione información personal, usted obtendrá estimaciones más generales. Para más opciones, vaya a *www.ssa.gov/espanol/plan/cal-benef.htm* (en español).

Usted encontrará una Calculadora Rápida, una Calculadora por Internet y una Calculadora Detallada, que deberá descargar e instalar en su computadora. Estas calculadoras le ofrecen una estimación de sus beneficios por jubilación, así como de los beneficios por incapacidad y los beneficios para sobrevivientes si usted se incapacita o fallece. Solo necesita ingresar los números. Nunca está demás vislumbrar el futuro, mucho menos cuando aún se puede hacer algo para cambiarlo.

Detecte errores antes de que sea demasiado tarde

Los errores ocurren, especialmente en una gran burocracia como la de la Administración del Seguro Social. Pero no pierda los beneficios que se merece por culpa de estos errores. Asegúrese de verificar cuidadosamente su declaración o estado de cuenta del Seguro Social.

El Seguro Social estima que los empleadores se equivocan al entregar los informes sobre los sueldos de sus empleados aproximadamente el 4 por ciento de las veces. Y alrededor de $1 por cada $100 reportados no llega a ser acreditado a la debida cuenta del empleado.

Es más probable que usted encuentre errores si cambia de trabajo con frecuencia o si tiene más de un empleador. Su nombre también podría causar confusión. Las mujeres que han trabajado bajo nombres distintos, después de casarse o divorciarse por ejemplo, podrían tener problemas. Los apellidos compuestos como "de la Hoya" o los apellidos que no van al final, como el del jugador de baloncesto "Yao Ming" (su apellido es Yao), también pueden confundir a las computadoras.

Para protegerse de cualquier error potencial, usted debe revisar su registro de ganancias por lo menos una vez cada tres años. Para ello tendrá que solicitar su Declaración del Seguro Social a través del formulario SSA-7004, llamado *Request for Social Security Statement*. Lo puede hacer de varias maneras:

- Llene el formulario en línea en *www.ssa.gov/mystatement* (en inglés) o *www.ssa.gov/espanol/micuenta* (en español), aunque algunos servicios e información solo están disponibles en inglés.

- Descargue el formulario en línea y envíelo a:
  Social Security Administration
  Wilkes Barre Data Operations Center
  P.O. Box 7004
  Wilkes Barre, PA 18767–7004

- Llame al 800-772-1213 para solicitar un formulario por correo.

- Vaya a una oficina cercana del Seguro Social y solicite un formulario.

Cuando reciba la declaración por correo, asegúrese de que toda la información esté correcta, incluido su nombre y su número de Seguro Social. Verifique también si su historial de ganancias corresponde a los documentos que usted tiene, como las declaraciones de impuestos y los talones de pago de su sueldo. Tal vez deba pedir esta información a su empleador actual o a sus empleadores anteriores.

Si usted encuentra un error, solicite una corrección de inmediato. Llame al 800-772-1213 para comunicar el error. O saque una cita en una oficina del Seguro Social para hablar con alguien en persona. De cualquier manera, usted tendrá que proporcionar su nombre, su número de Seguro Social, el año o años que deben ser corregidos y el nombre y la dirección del empleador durante esos años. Asegúrese de tener a mano la declaración de beneficios o cualquier documentación de respaldo, como los formularios W-2 o las declaraciones de impuestos. Sea paciente y persistente, ya que puede ser un proceso largo. Es importante aclarar todo para poder recibir lo que usted se merece.

EL SIGUIENTE PASO

Para conocer más detalles sobre el Seguro Social, descargar formularios, acceder a herramientas para planificar su jubilación, solicitar beneficios, ubicar las oficinas de atención e, incluso, para reemplazar su tarjeta de Seguro Social, visite el sitio web oficial de la Administración del Seguro Social, en *www.ssa.gov* (en inglés) o *www.ssa.gov/espanol* (en español).

Tenga en cuenta la expectativa de vida

Si usted supiera cuándo va a morir, sería mucho más fácil decidir cuándo solicitar sus beneficios por jubilación del Seguro Social.

En teoría, no debiera importar cuándo solicita usted estos beneficios. El Seguro Social está diseñado para que usted cobre la misma cantidad total de beneficios sin importar cuándo los solicite. Usted recibirá ya sea una cantidad mensual menor durante un período más largo o una cantidad mensual mayor durante un período más corto. Por supuesto, esto se da solamente en teoría. Usted podría vivir mucho más tiempo de lo esperado o podría morir antes. A eso se debe que la decisión sobre cuándo solicitar los beneficios sea tan difícil de tomar.

Por un lado, usted no quiere solicitar los beneficios por jubilación demasiado pronto, para luego recibir una cantidad menor durante un tiempo más largo si llegara a vivir 90 años o más. De otro lado, sería triste posponer su jubilación y morirse antes de cobrar un centavo. Estadísticas recientes muestran que los hombres que cumplen 65 años tienen una expectativa de vida, como promedio, de 82 años. Las mujeres que cumplen los 65 años viven, como promedio, tres años más que los hombres, hasta los 85 años. Tome en consideración su historia médica personal y familiar, así como su situación financiera, al momento de decidir. Como bien decía Mr. Spock, de *Star Trek*: "Larga vida y prosperidad".

Bajo el supuesto que usted recibirá $1,000 mensuales a la de edad de la jubilación plena, esta es una comparación de los beneficios totales que recibiría por jubilación si los solicitara ya sea anticipadamente, a la edad de jubilación plena o a los 70 años de edad.

Edad*	Beneficio mensual	70 años	75 años	80 años	85 años	90 años
62	$750	$72,000	$117,000	$162,000	$207,000	$252,000
66	$1,000	$48,000	$108,000	$168,000	$228,000	$288,000
70	$1,320	$0	$79,200	$158,400	$237,600	$316,800

* Edad en que comienza a recibir los beneficios por jubilación

Lo bueno se hace esperar

Usted puede empezar a cobrar beneficios del Seguro Social a los 62 años, pero eso no significa que deba hacerlo. Es más, usted podría estar cometiendo un gran error. En una encuesta realizada por el Instituto de Investigación de los Beneficios de Empleados (EBRI, en inglés), 65 por ciento de los trabajadores actuales planeaban jubilarse antes de los 65 años de edad, mientras que solo el 32 por ciento planeaban esperar hasta la edad de jubilación plena antes de solicitar los beneficios del Seguro Social. Tal vez deberían reconsiderar su decisión.

El Seguro Social ha elevado la edad de jubilación plena en incrementos graduales, de 65 a 67 años. El Seguro Social ofrece incentivos monetarios para posponer la jubilación. Los beneficios aumentan en 7 por ciento cada año a partir de los 62 años hasta la edad de jubilación plena. Si usted puede esperar hasta los 70 años, el incremento será aun mayor: 8 por ciento cada año a partir de la edad de jubilación plena. A los 70 años, ya no hay razón para seguir esperando, ya que ese es el máximo que recibirá.

Por ejemplo, suponiendo que reciba $1,000 mensuales si solicita los beneficios a la edad de jubilación plena, usted cobrará tan solo $750 si solicita beneficios a la edad de 62 años. Eso quiere decir que por el resto de su vida, usted tendrá que contentarse con recibir 25 por ciento menos dinero cada mes.

En cambio, si usted espera hasta los 70 años, usted recibiría $1,320 cada mes. Si comienza a recibir beneficios a los 62 años, usted recibirá aproximadamente 76 por ciento menos cada mes de lo que recibiría si espera hasta cumplir 70 años. Una ventaja adicional: posponer la jubilación ayudará a su cónyuge y a sus hijos. Los beneficios de sus dependientes y sobrevivientes aumentan a medida que aumentan sus propios beneficios por jubilación.

Recuerde que aplazar la jubilación no siempre es la decisión más adecuada. Se trata de una decisión personal. Tal vez no se encuentre bien de salud y no espera vivir muchos años más. Tal vez necesite el dinero de inmediato. Solicitar sus beneficios antes podría permitirle financiar la educación universitaria de sus nietos, comprar una casa de descanso, viajar o disfrutar de su jubilación con algo más de dinero. Sin embargo, en la mayoría de los casos, si usted puede esperar hasta por lo menos alcanzar la edad de jubilación plena o más tiempo, antes de solicitar los beneficios del Seguro Social, es mejor hacerlo.

Vale la pena posponer la jubilación

El monto del beneficio mensual difiere según la edad en la que usted decide empezar a recibir los beneficios por jubilación. Esta tabla se basa en la suposición de que su edad de jubilación plena es de 66 años, y de que el monto del beneficio que usted empezaría a recibir a los 66 años es de $1,000 mensuales.

Edad	Beneficio mensual
62	$750
63	$800
64	$866
65	$933
66	$1,000
67	$1,080
68	$1,160
69	$1,240
70	$1,320

La verdad acerca de los límites de ingresos

Solo porque ha empezado a cobrar los beneficios del Seguro Social, no significa que usted tenga que dejar de trabajar. Pero asegúrese de prestar atención a los límites de ingresos. Una vez que se alcanza la edad de jubilación plena, no hay límite de cuánto dinero puede usted ganar, así que no hay de qué preocuparse. Sin embargo, si usted solicita los beneficios por jubilación antes de la edad de jubilación plena, algunos beneficios podrían serle denegados si usted gana más del límite anual. En el año 2008, por ejemplo, ese límite era de $13,560.

Por cada $2 que usted gane por encima de ese límite, usted perderá $1 en beneficios del Seguro Social. Puede parecer un precio demasiado alto a pagar por el solo hecho de seguir trabajando, pero la Administración del Seguro Social hace hincapié en que estos beneficios "perdidos" no lo están de manera permanente. Más bien, considérelos como beneficios aplazados. Eso se debe a que a medida que usted siga trabajando, los beneficios mensuales podrían aumentar en función de sus ingresos anuales.

Cuando usted cumple la edad de jubilación plena, el Seguro Social vuelve a calcular sus beneficios para compensar todos esos meses en los que no recibió parte de sus beneficios debido al monto de sus ingresos. Esos años adicionales de trabajo pueden dar fruto más adelante en la forma de pagos mensuales más altos.

Recuerde, la fórmula para calcular los beneficios toma en cuenta los 35 años en los que usted ganó más dinero. Si ahora está ganando menos de lo que ganó durante los años que tuvo los menores ingresos, trabajar más no ayudará a aumentar sus beneficios futuros. Pero si usted aún tiene un ingreso alto, trabajar unos cuantos años más podría borrar los años en los que ganó poco y, en consecuencia, aumentar sus beneficios futuros. La palabra clave es "futuros". A corto plazo, usted se verá golpeado a causa de los beneficios retenidos. Su capacidad para recuperar esos beneficios perdidos depende de qué tan larga sea su vida.

Además de la posibilidad de recibir beneficios más altos en el futuro, continuar trabajando después de solicitar los beneficios del Seguro

Social tiene otras ventajas. La primera, obviamente, es que le permite contar con dinero extra para cubrir los gastos básicos. Pero tal vez lo más importante es que ese trabajo le podría ofrecer un seguro médico para usted y su cónyuge. Si usted aún no es elegible para Medicare, es mucho más fácil y barato obtener un seguro médico a través de un empleador que por su propia cuenta. Y mientras siga trabajando, usted podrá guardar dinero en una 401k, una IRA u otra cuenta de ahorro.

Hay otra buena noticia. En el año en que usted cumpla la edad de jubilación plena, el límite de ingresos se amplía. A partir del 1 de enero de ese año hasta el día de su cumpleaños, la sanción se reduce a la retención de $1 por cada $3 que usted gana por encima de ese límite más amplio. En el año 2008, por ejemplo, ese límite fue de $36,120, esto es $3,010 mensuales.

Evite pagar impuestos sobre los beneficios

El gobierno de Estados Unidos da con una mano y quita con la otra. Si usted no presta atención, los impuestos pueden acabar con una buena parte de sus beneficios del Seguro Social. Sepa cuáles son las formas de evitar el pago de impuestos sobre el 50 por ciento —o hasta sobre el 85 por ciento— de sus beneficios.

Según la Administración del Seguro Social, menos de un tercio de los beneficiarios actuales pagan impuestos sobre sus beneficios, pero eso no significa que usted no tendrá que hacerlo. Échele un vistazo a las reglas:

- Si sus ingresos combinados de todas las fuentes son inferiores a $25,000 —o $32,000 para las parejas casadas— los beneficios no son tributables.

- Si sus ingresos combinados son de entre $25,000 y $34,000 —o de entre $32,000 y $44,000 para las parejas casadas— hasta el 50 por ciento de los beneficios son tributables.

- Si sus ingresos combinados son superiores a $34,000 —o a $44,000 para las parejas casadas— hasta el 85 por ciento de los beneficios son tributables.

Afortunadamente, usted puede andar de puntillas alrededor de este asunto. Primero, estudie cuáles son las reglas para su estado. Solamente en 15 de los 41 estados que recaudan impuestos individuales sobre la renta se deben pagar impuestos sobre los beneficios del Seguro Social. Usted podría disfrutar de tasas impositivas más bajas si primero se deshace de los activos no relacionados con la jubilación, tales como las acciones o los fondos mutuos, a la vez que aplaza los beneficios del Seguro Social. Otra táctica sería gastar lo que tiene en sus cuentas IRA antes de solicitar los beneficios del Seguro Social. Es posible que usted acabe pagando más impuestos a corto plazo, lo que se conoce como el "período de puente" entre el momento de la jubilación y el momento en que se solicitan los beneficios del Seguro Social. Sin embargo, usted ahorrará miles de dólares en impuestos en los años venideros.

Actualice e incremente sus beneficios mensuales

Usted no está necesariamente condenado a recibir beneficios mensuales menores por el resto de su vida si solicitó temprano sus beneficios por jubilación. Es posible actualizar e incrementar el cheque mensual que usted recibe del Seguro Social gracias a una disposición poco conocida que tiene que leer para creer.

Esta disposición le permite retirar su solicitud de beneficios utilizando el formulario 521 del Seguro Social. La condición es que usted debe devolver los beneficios que ya recibió, lo que puede ser difícil y costoso. Una vez que haya devuelto esos beneficios, el Seguro Social volverá a calcular sus beneficios como si los estuviera solicitando por primera vez a la edad actual. De ese modo, obtendrá beneficios mensuales mucho más altos por el resto de su vida.

Tenga en cuenta que esta estrategia conlleva algunos riesgos. Usted podría no recibir beneficios del Seguro Social durante unos meses, mientras que la agencia calcula el monto que usted debe devolver y usted vuelve a solicitar beneficios. El Congreso también podría cambiar esta norma en cualquier momento si decide reformar el Seguro Social. No es prudente planear anticipadamente alrededor de esta opción. Sin embargo, es bueno saber que usted tiene la oportunidad de empezar de nuevo.

HAGA QUE EL DINERO
TRABAJE PARA USTED

Juanito Impaciente empezó a recibir beneficios del Seguro Social tan pronto como le fue posible, a la edad de 62 años. Hoy, en lugar de recibir $1,000 al mes, solo recibe $750. Cuatro años más tarde, se da cuenta de su error. ¿Qué debe hacer para recibir una segunda oportunidad?

Primero, Juanito debe retirar su solicitud de beneficios. Debe asimismo devolver los beneficios que recibió hasta ese momento: a $750 mensuales, eso es $9,000 al año, para un total de $36,000. Cuando vuelva a solicitar estos beneficios al llegar a la edad de jubilación plena, Juanito empezará a recibir $1,000 al mes, o $12,000 al año. En tres años, Juanito habrá recuperado el dinero que tuvo que devolver. Además disfrutará de $250 adicionales cada mes, es decir $3,000 anuales de por vida.

Vaya a lo seguro en lugar de apostar al mercado

Puede resultar tentador solicitar los beneficios del Seguro Social anticipadamente para invertirlos. Es como obtener un préstamo sin intereses del Seguro Social. Sin embargo, los riesgos podrían ser mayores que las ventajas. En teoría, usted puede empezar a recibir beneficios a los 62 años, invertirlos, luego devolver todo lo recibido (¡sin intereses!) y reiniciar los beneficios a una razón más alta. De modo que al final usted se queda con las ganancias generadas por las inversiones. Es una manera algo engañosa, pero perfectamente legal de obtener algo más del Seguro Social. Sin embargo, lo que suena bien en teoría puede no servir en la práctica. En otras palabras, no está garantizado que usted haga dinero de sus inversiones. De hecho, usted podría perder dinero en la bolsa.

Por otro lado, a diferencia de las inversiones, los beneficios del Seguro Social están garantizados. Además contemplan incrementos automáticos por el aumento del costo de vida y vienen acompañados de incentivos para aplazar la solicitud de beneficios. Cada año que usted deja pasar sin solicitar beneficios a partir de la edad de jubilación plena hasta cumplir los 70 años, estos aumentan en ocho por ciento. Usted necesitaría una muy buena rentabilidad de sus inversiones para igualar o superar lo que usted recibe del Seguro Social, especialmente si tiene en cuenta los impuestos. Usted tendría que hacer inversiones mucho más arriesgadas para salir ganando.

Lo más provechoso y seguro sería pensar en el Seguro Social como una anualidad vitalicia. Si usted no necesita el dinero, la opción más inteligente es sencillamente esperar antes de reclamar sus beneficios del Seguro Social, en vez de solicitarlos de inmediato y jugarse sus ingresos futuros en el mercado bursátil.

Sugerencias valiosas para los dependientes

El Seguro Social también provee para la familia del trabajador en la forma de beneficios para los dependientes. Los hijos menores de edad, los cónyuges e, incluso, los excónyuges tienen derecho a recibir estos beneficios. En los estados que reconocen las "uniones de hecho", las parejas con largo tiempo de convivencia también pueden calificar.

Como todos los beneficios del Seguro Social, los beneficios de los dependientes se determinan a partir de los beneficios de jubilación del trabajador. También influye la fecha de solicitud de estos beneficios. A la edad de jubilación plena, el cónyuge puede recibir pagos mensuales equivalentes al 50 por ciento de los beneficios de jubilación del trabajador. Si el cónyuge solicita los beneficios como dependiente anticipadamente, a los 62 años, por ejemplo, el pago mensual se reduce a 35 por ciento de los beneficios de jubilación.

Edad del cónyuge dependiente	Porcentaje del beneficio del trabajador
62	35
63	37.5
64	41.7
65	45.8
Edad de jubilación plena	50

Recuerde, la fecha en la que usted solicita sus beneficios de jubilación afecta no solo sus propios beneficios mensuales, sino también los beneficios del dependiente. Si solicita los beneficios prematuramente, usted reducirá de manera permanente los dos tipos de beneficios.

He aquí algo que toda mujer necesita saber. Los beneficios de los dependientes son neutrales en cuanto al género. Tanto hombres como mujeres pueden cobrar estos beneficios. Sin embargo, son las mujeres, que tienden a ganar menos que los hombres, las que suelen cobrarlos. Además de ganar menos, las mujeres también tienden a vivir más tiempo. Así que es especialmente importante para ellas tomar la decisión correcta sobre sus beneficios del Seguro Social. No olvide que solamente se puede recibir un tipo de beneficio a la vez.

Situaciones diferentes requieren estrategias diferentes. Por ejemplo, debido a que las mujeres tienen una expectativa de vida mayor que la de los hombres, una mujer soltera tal vez deba esperar más tiempo antes de empezar a cobrar sus beneficios de jubilación. De esta manera, recibirá pagos mensuales mayores el resto de su vida. Las cosas son mucho más complicadas para las parejas casadas:

- Dependa del historial de su cónyuge. Según el historial de ganancias de su cónyuge, usted puede optar por los beneficios como cónyuge en lugar de sus propios beneficios de jubilación.

- Cobre y cámbiese. Si usted y su cónyuge han alcanzado la edad de jubilación plena, puede cobrar los beneficios para cónyuges ahora, mientras sigue trabajando, y así aumentar sus propios beneficios de jubilación. Luego cámbiese al cumplir los 70 años.

- Trabajen juntos. Coordinen su estrategia frente al Seguro Social. Cada pareja debe analizar su propia situación. Sin embargo, el sistema promueve que las mujeres soliciten sus beneficios de jubilación antes y que los hombres esperen para aumentar al máximo los beneficios del cónyuge y de los sobrevivientes.

Si su matrimonio está en crisis desde hace casi una década, trate de estirarlo hasta cumplir los 10 años. De ese modo, el cónyuge tendrá derecho a los beneficios para dependientes aun después del divorcio.

Excelente estrategia para los beneficios conyugales

Para disfrutar ciertas películas al máximo es necesario suspender la incredulidad. En otras palabras, usted tiene sencillamente que dejar a un lado todo juicio crítico, relajarse y disfrutar de la función.

Las parejas casadas podrían disfrutar aún más de la jubilación si adoptaran esta estrategia. Solo que en lugar de suspender su incredulidad, el cónyuge con los ingresos más altos deberá suspender sus beneficios de jubilación inmediatamente después de solicitarlos.

La estrategia funciona así: una persona no puede reclamar beneficios conyugales hasta que su cónyuge no solicite sus beneficios de jubilación del Seguro Social. Es fácil sortear esta norma una vez cumplida la edad de jubilación plena. Basta con solicitar los beneficios de jubilación e, inmediatamente después, suspender el pago de estos beneficios. Esto permite a su esposa o esposo empezar a recibir beneficios conyugales ahora, mientras usted sigue trabajando para recibir beneficios mensuales mayores en el futuro.

HAGA QUE EL DINERO TRABAJE PARA USTED

Para aprovechar al máximo el Seguro Social, el señor y la señora García deciden seguir la estrategia de "solicitar y suspender". Al cumplir la edad de jubilación plena a los 66 años, el señor García, el de los mayores ingresos, solicita sus beneficios del Seguro Social e inmediatamente después suspende el pago de los mismos. El señor García piensa posponer su retiro hasta cumplir los 70 años, para aumentar sus beneficios mensuales de $1,000 a $1,320.

Entretanto, la señora García solicita sus beneficios conyugales y recibe el 50 por ciento de los beneficios de jubilación del señor García, es decir $500 mensuales. El señor García empezará a cobrar en cuatro años sus beneficios incrementados. Mientras tanto, los $6,000 extra cada año son de gran ayuda en el hogar de los García.

Consejos para acelerar los beneficios por incapacidad

Las lesiones, los accidentes y las enfermedades pueden arrebatarle su forma de subsistencia. Los beneficios por incapacidad del Seguro Social ayudan a las personas que ya no pueden trabajar debido a una incapacidad física o mental. Reunir los requisitos para recibir estos beneficios puede ser un proceso complejo. Se necesita organización, paciencia y persistencia.

La clave es probar que usted se encuentra incapacitado para desempeñar un trabajo remunerado. Esto puede ser difícil. Además, su incapacidad debe durar por lo menos un año. No será sancionado si se recupera más rápido. También debe tratarse de un problema de salud que pueda ser diagnosticado y verificado por los médicos, como, por ejemplo:

- Enfermedades que afectan el corazón, los pulmones o los vasos sanguíneos

- Artritis grave

- Enfermedades mentales

- Lesiones cerebrales

- Cáncer

- SIDA

- Enfermedades del aparato digestivo

- Pérdida de una pierna

- Pérdida de la función principal de ambos brazos, de ambas piernas o de un brazo y una pierna

- Pérdida grave de la función renal

- Incapacidad total para hablar

Al igual que con los beneficios de jubilación, usted también debe cumplir con los requisitos de créditos laborales. Los trabajadores más jóvenes necesitan menos créditos laborales. Para las personas incapacitadas por ceguera las reglas son menos estrictas.

Cuándo solicitar los beneficios. Solicitar los beneficios por incapacidad puede ser un proceso lento y difícil. En un informe de la Oficina de Rendición de Cuentas del Gobierno de Estados Unidos (GAO, en inglés) se encontró que de los 1.5 millones de reclamos por incapacidad que esperan una decisión, 576,000 son solicitudes atrasadas. Se requiere, pues, mucha organización, paciencia y persistencia.

Si bien el proceso puede ser lento, usted no tiene por qué serlo. Solicite sus beneficios enseguida, tan pronto usted se vea obligado a dejar de trabajar y su médico determine que su incapacidad le impedirá trabajar durante un año o más. Usted no empezará a recibir beneficios hasta después de seis meses de estar incapacitado. Pero dado que el proceso puede tardar entre dos y seis meses, no hay tiempo que perder.

Además de su número de Seguro Social y de su historia laboral, usted debe proporcionar los nombres, las direcciones y los números telefónicos de sus médicos y de los hospitales o las clínicas donde fue tratado. Usted incluso podría llevar su expediente médico para agilizar el proceso.

Qué esperar. Una vez completada la solicitud, esta será enviada a la oficina de Servicios de Determinación de Incapacidad (DDS, en inglés). Tras evaluar sus expedientes médicos y su historia laboral, la oficina de DDS determinará si usted reúne los requisitos para recibir estos beneficios. Es posible que usted tenga que proporcionarles pruebas médicas adicionales o que deba someterse a nuevos exámenes médicos. También es posible que le pidan que vaya a una agencia de rehabilitación vocacional para recibir orientación laboral, capacitación y ayuda para encontrar otro empleo, de modo que usted pueda seguir trabajando a pesar de su incapacidad.

El Seguro Social le comunicará por escrito si su solicitud ha sido aprobada, la cantidad que recibirá en beneficios y a partir de qué fecha comenzarán sus pagos. Incluso si usted recibe beneficios por incapacidad, estos beneficios no son necesariamente permanentes. Usted puede ser llamado periódicamente para reexaminar su elegibilidad. Si su padecimiento médico mejora, usted podrá trabajar a prueba, siguiendo ciertas reglas que harán que sea más fácil volver a recibir los beneficios si su padecimiento médico nuevamente empeora.

Solicitar los beneficios del Seguro Social por incapacidad puede ser un proceso largo y difícil, sobre todo si usted está solo. Por suerte, usted puede recurrir a Allsup, una empresa privada que ayuda a acelerar este proceso. Allsup fue fundada en 1984 por un antiguo agente del Seguro Social, Jim Allsup. Hoy, Allsup se enorgullece de que el 97 por ciento de las personas que completaron el proceso con ellos reciben beneficios por incapacidad. Si su solicitud es rechazada, usted no paga la comisión. Pero si usted llega a recibir los beneficios, Allsup le cobrará el 25 por ciento —pero no más de $5,300— de los beneficios retroactivos que reciba. Para obtener más información y recursos en inglés o en español, visítelos en línea a *www.allsup.com/espanol* o llámelos al 800-854-1418 o al 866-488-8948 (en español).

La mejor manera de apelar una decisión

No acepte un "no" por respuesta. El 75 por ciento de todas las solicitudes de beneficios por incapacidad presentadas al Seguro Social son denegadas. Pero el 53 por ciento de los solicitantes que apelan acabarán recibiendo beneficios. Si su solicitud es denegada o si se le otorga menos dinero del que usted esperaba recibir, recuerde que casi siempre vale la pena hacer el esfuerzo de apelar. ¿Por qué sencillamente aceptar una decisión negativa que tanto puede afectar su vida cuando a usted le bastaría dar unos cuantos pasos sencillos para luchar contra esa decisión? Cada nuevo paso exigirá nuevos formularios y cronogramas, pero no se desanime. Sea persistente y luche por lo que le corresponde.

Lo primero que debe hacer es completar el formulario de solicitud de reconsideración SSA-561-U2, llamado *Request for Reconsideration*. Usted puede descargar el formulario en *www.ssa.gov* o solicitar uno llamando al 800-772-1213. Llame a la oficina del Seguro Social de su zona para hacer una cita y pedirles que revisen su expediente. Si usted desea aclarar algún punto, escriba una carta detallada y solicite que la carta sea incluida en su expediente.

Su pedido de apelación puede que sea breve y amable, pero prepárese para un proceso largo y tedioso, que incluye varias posibles etapas:

- Reconsideración. Este es el primer paso indispensable. El proceso de reconsideración puede incluir una entrevista informal, pero lo más probable es que usted no tenga que comparecer. Un funcionario distinto a la persona que tomó la decisión original revisará su expediente y cualquier información nueva que usted proporcione.

- Audiencia administrativa. Si su pedido es nuevamente denegado, usted puede solicitar una audiencia formal presidida por un juez de derecho administrativo independiente.

- Revisión por el Consejo de Apelaciones. Si el juez falla en su contra, el siguiente paso es presentar una apelación por escrito ante el Consejo de Apelaciones de la Administración del Seguro Social. Usted tendrá que explicar por qué considera que el juez se ha equivocado al decidir en su contra y deberá incluir documentación complementaria que justifique su apelación. Usted tal vez deba contratar a un abogado, si aún no tiene uno.

- Demanda civil en una corte federal. Esta es, obviamente, la última instancia de apelación. Es un proceso largo, complejo y costoso, pero vale la pena intentarlo si su demanda es aprobada.

NO OLVIDAR

Hay un plazo para presentar una apelación. A partir de la fecha de la notificación escrita de la decisión del Seguro Social, usted tiene 60 días para presentar una notificación escrita de apelación a dicha decisión. Ese mismo plazo de 60 días rige cada una de las etapas del proceso de apelación.

Cómo obtener los beneficios de sobrevivientes

La pérdida de un cónyuge es siempre una experiencia muy difícil. Aunque usted no pueda encontrar alivio para el dolor emocional que siente, sí puede aliviar la carga financiera que lo deprime haciendo uso de los beneficios para sobrevivientes que ofrece el Seguro Social. Creados para ayudar al cónyuge y a los hijos menores tras el fallecimiento de un trabajador, estos beneficios también pueden ser otorgados al cónyuge divorciado o a la pareja de una unión de hecho. En la mayoría de los casos, el beneficiario debe tener al menos 60 años de edad. Sin embargo hay excepciones en el caso de cónyuges que tienen a su cuidado a niños discapacitados o a niños menores de 16 años.

Usted puede obtener beneficios como sobreviviente a los 60 años, pero si espera a cumplir la edad de jubilación plena sus pagos mensuales serán equivalentes al 100 por ciento de los beneficios de jubilación de su cónyuge fallecido. Si los solicita antes, recibirá entre el 71 y el 99 por ciento, dependiendo de la edad que tenga al momento de presentar su solicitud. Los niños menores de edad y los niños discapacitados reciben el 75 por ciento. El total por familia no puede exceder el 180 por ciento.

La buena noticia es que solicitar los beneficios para sobrevivientes antes de cumplir la edad de jubilación plena no reduce sus propios beneficios de jubilación y viceversa. Usted puede recibir los beneficios reducidos para sobrevivientes a la edad de 60 años y recién optar por recibir sus beneficios de jubilación cuando cumple la edad de jubilación plena o más tarde. O puede solicitar los beneficios reducidos de jubilación al cumplir los 62 años y recién, unos años más tarde, pedir los beneficios completos como sobreviviente. Su estrategia dependerá de su historial de ingresos y del historial de su cónyuge. No olvide que los beneficios para sobrevivientes se calculan en función de cuáles habrían sido los beneficios de jubilación de la persona fallecida. Así que si usted ya está recibiendo pagos mensuales menores porque ha decidido jubilarse anticipadamente, su cónyuge también recibirá beneficios reducidos como sobreviviente en caso de que usted fallezca.

La familia de un trabajador fallecido también podrá recibir un pago único de $255 para cubrir los gastos de funeral o del entierro.

HAGA QUE EL DINERO
TRABAJE PARA USTED

A los 62 años, María Viuda tendrá derecho a dos tipos de beneficios del Seguro Social. María podrá solicitar ya sea sus propios beneficios de jubilación o los beneficios como sobreviviente basados en el historial laboral de su esposo fallecido.

Si María espera hasta cumplir los 66 años, su edad de jubilación plena, entonces recibirá $800 al mes en beneficios de jubilación o $1,000 al mes en beneficios para sobrevivientes. Pero si los reclama antes, a los 62 años, los beneficios de jubilación se reducirían a $600 y los beneficios para sobrevivientes a $775.

Para mantener sus ingresos estables, María Viuda podría solicitar los beneficios reducidos para sobrevivientes de $775 ahora y, en unos años, solicitar sus beneficios de jubilación completos de $800. Sin embargo, una estrategia mejor sería tal vez solicitar sus beneficios de jubilación reducidos de $600 ahora y arreglárselas unos cuantos años con un ingreso mensual reducido hasta poder solicitar los beneficios mayores como sobreviviente, de $1,000 mensuales.

No pierda sus beneficios si decide volver a dar el "sí"

La vida continúa. Su cónyuge fallece y pasado un tiempo usted conoce a una persona con la que desea unirse en matrimonio. ¿Perderá usted sus beneficios como sobreviviente con un nuevo matrimonio? Depende. Si usted vuelve a casarse antes de cumplir 60 años, los perderá aun si está criando a los hijos de su anterior cónyuge. Los hijos, sin embargo, seguirán recibiendo estos beneficios. De otro lado, usted no pierde sus beneficios como sobreviviente si tiene más de 60 años y vuelve a contraer matrimonio. A partir de los 62 años usted también puede optar por recibir los beneficios para dependientes, que se basan en el historial de ingresos de su cónyuge actual, si eso significa más dinero.

El Seguro Social simplificado   167

No todos los matrimonios duran para siempre. Si su segundo matrimonio acaba en divorcio, usted volverá a tener derecho a los beneficios como sobreviviente del cónyuge fallecido, siempre y cuando el primer matrimonio haya durado más de 10 años y usted tenga más de 60. Incluso si ya se había divorciado de su primer cónyuge al momento de su muerte, usted puede cobrar los beneficios para sobrevivientes si su matrimonio duró por lo menos 10 años. Ese también es el caso si usted volvió a casarse antes de cumplir 60 años y luego se divorció o enviudó.

Ayuda extra para las personas necesitadas

El Seguro Social provee ingresos de jubilación a los adultos mayores, pero algunas personas necesitan algo más de ayuda. Para ello existe la Seguridad de Ingreso Suplementario (SSI, en inglés), un programa gestionado por la Administración del Seguro Social. Este programa ayuda a las personas mayores, ciegas o con alguna discapacidad que tienen ingresos y recursos limitados. Para tener derecho a este programa es necesario cumplir con límites muy estrictos de ingresos y de bienes.

Por ejemplo, los límites federales para el ingreso están entre $500 y $700 mensuales para una persona o $750 mensuales para una pareja. Los límites de los bienes o recursos que se pueden poseer están, por lo general, en $2,000 para una persona y $3,000 para una pareja. Los límites varían de estado a estado y algunos bienes, como su vivienda, no cuentan al calcular si usted tiene derecho a recibir este beneficio.

En el año 2008, el beneficio federal básico era de $637 mensuales por persona y de $956 mensuales por pareja. Pero el monto exacto de su pago mensual depende de su lugar de residencia y de su ingreso. No todos son elegibles para los beneficios del SSI, pero valdría la pena que los solicite si usted tiene más de 65 años de edad, es ciego o tiene alguna discapacidad, vive con un ingreso fijo bajo y posee pocos bienes.

Truquitos para aligerar el trámite de solicitud

¿No puede esperar a cobrar sus beneficios de jubilación del Seguro Social? Solicítelos tres meses antes de cumplir 62 años. De ese modo el Seguro Social tendrá tiempo para procesar su solicitud de manera que usted pueda empezar a cobrar tan pronto como sea elegible.

Usted puede solicitar sus beneficios en persona en cualquier oficina del Seguro Social o puede hacerlo en línea en *www.ssa.gov* (en inglés) o en *www.ssa.gov./espanol* (en español). Usted también puede obtener ayuda y orientación por teléfono llamando al número 800-772-1213. Aun si inicia el proceso de solicitud en línea o por teléfono, usted probablemente tendrá que ir a una oficina para completar el proceso. Esto toma tiempo, pero usted puede acelerar el proceso si se prepara con anticipación. Cuando vaya a la oficina lleve consigo toda la documentación y siempre tenga a mano copias de todos los formularios y documentos. Incluya su nombre y el número de su Seguro Social en todos los documentos para que puedan ser fácilmente identificados.

Usted necesitará los siguientes documentos e información cuando vaya a solicitar los beneficios de jubilación:

- El número de su Seguro Social.

- Su partida de nacimiento.

- Sus documentos de baja del servicio militar —si prestó servicios en las fuerzas militares de Estados Unidos—.

- Su más reciente formulario de impuestos W-2 o su declaración de impuestos federal como trabajador independiente.

- El número de su cuenta en un banco, cooperativa de crédito u otra institución financiera, para que sus beneficios puedan ser depositados directamente en dicha cuenta.

Otros tipos de beneficios requieren documentos adicionales. Si usted solicita beneficios para dependientes, por ejemplo, necesitará su acta de matrimonio o las partidas de nacimiento de sus hijos.

Asegúrese de anotar el nombre y el número de teléfono directo del asistente social con el que habla en la oficina del Seguro Social. Es más fácil tratar con la misma persona a lo largo del proceso de solicitud.

Para obtener más información sobre el Seguro Social, visite el sitio del Comité Nacional para Mantener el Seguro Social y Medicare (NCPSSM, en inglés). Mary Jane Yarrington, analista principal de políticas responde a sus preguntas en una sección llamada "*Ask Mary Jane*". Usted puede ver los archivos con preguntas y respuestas de los últimos 20 años o hacerle su propia pregunta en *www.ncpssm.org/maryjane* (en inglés). Para información en español vaya a *www.ncpssm.org/EnEspanol*.

La explicación de cinco disposiciones confusas

¿Está usted recibiendo del Seguro Social todos los beneficios que le corresponden? Según el diario *The Wall Street Journal*, estas son cinco disposiciones comunes que muchas personas desaprovechan:

Bonificación doble. Si usted es elegible tanto para los beneficios de jubilación como para los beneficios como sobreviviente, usted puede optar por recibir uno de ellos inicialmente y luego cambiarse al otro cuando cumpla la edad de jubilación plena, sin sufrir una reducción.

Felicidad conyugal. Su cónyuge y múltiples excónyuges pueden recibir beneficios conyugales basados en su historial laboral, sin que los pagos que reciba uno de ellos reduzcan los pagos de los demás o los suyos. En este sentido, usted no tiene por qué preocuparse de que su excónyuge vaya a perjudicar a su nuevo cónyuge.

Un 10 perfecto. Si usted se divorcia antes de cumplir los 10 años de matrimonio, no será elegible para recibir beneficios conyugales. Si ha estado casado durante casi una década, tal vez sea mejor posponer el divorcio hasta alcanzar el número mágico de 10 años de matrimonio.

Viudos que esperan. Si tiene menos de 60 años y es elegible para recibir beneficios como sobreviviente, usted renuncia a ese beneficio si vuelve a contraer matrimonio. Si usted está por cumplir los 60 años, mejor espere hasta después de su cumpleaños para volver a casarse.

Advertencia anticipada. Si usted empieza a cobrar sus beneficios conyugales o de jubilación anticipadamente, sus beneficios de jubilación serán menores cuando cumpla la edad de jubilación plena. Si usted no necesita el dinero ahora, mejor aguarde a cumplir la edad de jubilación plena.

Ubique rápidamente una oficina cerca de usted

Es fácil encontrar una oficina del Seguro Social cerca de usted. Solo tiene que ir a *www.ssa.gov/espanol* y hacer clic en "Contáctenos" y luego en "Localizador de oficina". Ingrese su código postal (*ZIP code*, en inglés) y usted verá la dirección, el número de teléfono y el horario de atención de la oficina más cercana. O llame al número sin cargo 800-772-1213. Es menos probable que reciba la señal de ocupado que si llama al número de su oficina local.

Las horas más concurridas suelen ser a principios de semana y a principios de mes, así que procure evitarlas. Para acelerar el proceso, haga una cita. De lo contrario, prepárese para una larga espera. Si usted tiene una computadora, tal vez no necesite ir a una oficina. Es posible que usted pueda hacer todos los trámites en línea.

Super**ahorro**

Aun si no tiene una cuenta bancaria, usted puede evitar las complicaciones y el costo de los cheques de papel. Con una tarjeta de débito *Direct Express,* usted puede hacer que el dinero de su Seguro Social sea depositado cada mes directamente a la tarjeta prepago de débito. Usted puede utilizar esta tarjeta para hacer retiros de un cajero automático o para comprar en cualquier establecimiento que acepte las tarjetas de débito *MasterCard.* Para solicitar una tarjeta u obtener más información, llame al 877-212-9991 o vaya a *www.usdirectexpress.com* y elija "español".

Frustre el fraude y el abuso

No todos utilizan el Seguro Social de buena fe. Lamentablemente, el fraude y el abuso perjudican el programa. Asegúrese de cumplir con las reglas y de impedir que otros se burlen del sistema.

Denuncie el fraude. El fraude va desde hacer declaraciones falsas hasta estafar a un empleado de la Administración del Seguro Social para recibir beneficios que le corresponden a una persona que ha fallecido. Otros posibles abusos que pueden traerle problemas son:

- Encubrir hechos o eventos que afectan su elegibilidad para recibir beneficios.

- El uso indebido de los beneficios por parte del representante del beneficiario, que es la persona designada por el Seguro Social para administrar el dinero de quienes no pueden hacerse cargo de sus propios asuntos financieros.

- Comprar o vender tarjetas o información del Seguro Social.

- Hacerse pasar por un empleado del Seguro Social.

- Participar en un fraude de indemnizaciones laborales.

- Recibir beneficios para un niño que no está bajo su cuidado.

- Ocultar un matrimonio o activos del Seguro Social mientras recibe beneficios por incapacidad.

- Residir en el extranjero y recibir beneficios por incapacidad.

Usted puede dar aviso sobre estas actividades ilegales en el sitio web de la Administración del Seguro Social, en *www.ssa.gov/espanol*. Haga clic en "Informe fraude o robo de ID" y siga las instrucciones. Usted también puede llamar a la línea directa de fraude al 800-269-0271. Esté preparado para proporcionar información sobre la persona sospechosa, la víctima y los detalles del potencial delito.

Proteja su número de Seguro Social. El robo de identidad es un creciente tipo de fraude. El ladrón le roba parte de su información personal para conseguir préstamos, créditos y otros bienes y servicios. Su número de Seguro Social es muy útil para estos fines, así que guárdelo con mucho cuidado.

Mantenga su tarjeta del Seguro Social en un lugar seguro, junto con sus demás papeles importantes, y no proporcione su número cuando no sea necesario. Si alguien le pide su número de Seguro Social, hágale las siguientes preguntas:

- ¿Por qué necesita usted mi número de Seguro Social?

- ¿Cómo lo va a utilizar?

- ¿Qué sucede si me niego a proporcionarle ese número?

- ¿Qué ley me obliga a proporcionarle ese número?

No proporcione su número de Seguro Social si no queda satisfecho con las respuestas que recibe. Si es víctima de robo de identidad, póngase en contacto con la Comisión Federal de Comercio llamando al 877-438-4338 o al 877-IDTHEFT.

El número más utilizado de manera indebida

En 1938, la compañía E.H. Ferree, fabricante de billeteras, promocionó sus productos mostrando cómo cabía en ellos una tarjeta del Seguro Social. Las billeteras venían con una tarjeta de muestra. El número de esa tarjeta —078-05-1120— era el número real de Seguro Social de Hilda Schrader Whitcher, la secretaria del vicepresidente de la compañía.

Debido a que la billetera con la tarjeta de muestra se vendía en grandes almacenes como Woolworth's, miles de personas tuvieron acceso a ese número y lo adoptaron como propio. La Administración del Seguro Social tuvo que cancelar el número y emitir uno nuevo a la secretaria. Pero en el curso de los años, más de 40,000 personas declararon que ese era su número de Seguro Social y todavía en 1977, doce personas lo seguían utilizando.

Protéjase contra un futuro incierto

A medida que se jubile la numerosa generación de posguerra de los *baby boomers*, muchas más personas estarán cobrando beneficios, aun cuando no muchas más estarán pagando impuestos. Por esta razón, para el año 2041, los impuestos sobre la nómina cubrirán solamente el 78 por ciento de los beneficios prometidos por el Seguro Social. Algo se tendrá que hacer para que el sistema siga funcionando.

Soluciones al problema. Entre las posibles soluciones se ha propuesto aumentar los impuestos o elevar la base imponible, reducir los beneficios o reducir el ajuste por el costo de vida, posponer la edad a partir de la cual se tiene derecho a recibir beneficios o alguna combinación de estas medidas. Otra manera de aumentar los ingresos sería hacer uso de otros impuestos, como el impuesto sobre la herencia, para financiar el Seguro Social.

Una controvertida propuesta habla de privatizar el Seguro Social mediante la desviación de los fondos fiduciarios del Seguro Social hacia cuentas de inversión privadas. Sin embargo, como lo demuestra la actual crisis económica, esta medida podría tener resultados desastrosos si el mercado de valores cae en picada.

Una cosa es segura acerca del futuro del Seguro Social. El gobierno podrá no atender el problema ahora o en un futuro cercano, pero tendrá que enfrentarse a él en el año 2040.

Lo que significa para usted. Según los expertos, si usted está próximo a la edad de jubilación, no se preocupe demasiado. No hay razón para entrar en pánico y solicitar sus beneficios anticipadamente. Es poco probable que alguien que hoy tenga entre 55 y 65 años no vaya a cobrar beneficios.

Sin embargo, si a usted aún le falta mucho para jubilarse, reconsidere sus planes teniendo en cuenta la posibilidad de que reciba menores beneficios en el futuro. Tal vez sea mejor ahorrar o invertir más agresivamente o, incluso, trabajar más tiempo, si eso es posible.

Lo que usted debe saber sobre las cuentas IRA

Roth o tradicional: decida cuál es la mejor para usted

Las cuentas individuales de jubilación (IRA, en inglés) pueden potenciar sus ahorros para la jubilación. Usted deberá elegir la cuenta que más se ajuste a sus necesidades: la IRA tradicional o la IRA Roth.

Los dos tipos de cuentas aceptan acciones, bonos, fondos mutuos, entre otras inversiones. Las ganancias generadas por estas inversiones se acumulan exentas de impuestos, al igual que con los planes 401k. La gran diferencia entre estos dos tipos de cuentas IRA se debe a la manera como el IRS reclama su tajada del pastel.

La cuenta IRA tradicional. Usted no tiene que pagar impuestos sobre los aportes que haga a este tipo de cuenta y su dinero crecerá libre de impuestos. Usted solo pagará impuestos sobre ese dinero a medida que lo retire durante su jubilación. Y eso no es todo. Su carga fiscal podría ser menor si, con algo de suerte, durante su jubilación usted se encuentra en una categoría impositiva más baja que cuando trabajaba.

La cuenta IRA Roth. Este tipo de cuenta, que lleva el nombre del congresista que la patrocinó, el senador William Roth, ofrece una nueva manera de ahorrar para la jubilación. En este caso, usted paga impuestos sobre el dinero antes de depositarlo en la cuenta IRA. De modo que cuando lo retire al jubilarse, usted ya no tendrá que pagar impuestos sobre ese dinero —ni siquiera sobre los intereses devengados— siempre y cuando usted siga ciertas reglas.

Pros y contras. Los dos tipos de cuenta imponen un límite anual a la cantidad de dinero que se puede depositar en ellas y fijan un tope a los ingresos que se pueden tener para poder aportar a ellas. No se limita el número de cuentas IRA que usted puede tener, pero sí la cantidad total de dinero que usted puede depositar en ellas cada año. Hágase las siguientes preguntas para decidir cuál es la mejor cuenta para usted:

- ¿Es mayor de 70 años y medio? Opte por la Roth. No se puede aportar dinero a una IRA tradicional después de cumplir 70 años y medio. Las cuentas Roth, sin embargo, no establecen un límite de edad para las aportaciones.

- ¿Piensa dejarle el dinero que tiene en la cuenta a su cónyuge o a sus hijos? Elija la Roth. Sus herederos recibirán el dinero libre de impuestos con una cuenta IRA Roth, mientras que con la IRA tradicional deberán pagar impuestos.

- ¿Espera recibir otros ingresos de jubilación? Elija la Roth. Si no empieza a retirar dinero de su cuenta IRA tradicional al cumplir los 70 años y medio usted deberá pagar fuertes multas. Usted nunca se verá forzado a retirar dinero de una Roth.

- ¿Se encuentra usted ahora en una categoría impositiva más alta que la que tendrá durante su jubilación? Opte por una IRA tradicional. Usted ahorrará dinero al aplazar sus impuestos sobre la renta hasta llegar a la jubilación.

- ¿Ganó usted más de $105,000 (para las personas solteras) o $166,000 (para los casados que presentan una declaración conjunta) en el año 2009? Elija la IRA tradicional. A diferencia de la Roth, la IRA tradicional no impone un tope a lo que usted puede ganar, siempre y cuando obtenga ese dinero de su trabajo y no de otra fuente, como, por ejemplo, de una pensión.

- ¿Tiene usted más de 59 años y medio y piensa retirar el dinero de su cuenta IRA en los próximos cinco años? Abra una IRA tradicional. Usted podrá retirar todo el dinero que quiera después de cumplir los 59 años y medio. Con una Roth también puede retirar dinero cuando lo desee, pero debe haber tenido la cuenta durante al menos cinco años antes de poder retirar los intereses generados por ese dinero.

NO OLVIDAR

Si tiene más de una cuenta IRA tradicional, usted tiene dos opciones a la hora de retirar su dinero. Usted puede retirar el mínimo de cada IRA. O usted puede combinar las distribuciones mínimas que está obligado a tomar y retirar esa cantidad total de solamente una cuenta IRA.

Cámbiese a una Roth para ahorros libres de impuestos

Esa cuenta IRA tradicional le ha servido bien, pero considere la posibilidad de convertirla en una Roth cuando llegue la hora de jubilarse. Las cuentas Roth no son ideales para todos, pero sí ofrecen algunas ventajas para las personas mayores. Además, hay expertos que creen que los impuestos sobre la renta aumentarán en los próximos años, incluso para los jubilados. Si están en lo cierto, entonces pasarse a una Roth podría ahorrarle dinero más adelante.

Para hacer la conversión, simplemente abra una cuenta Roth a través de un banco, una firma de corretaje, una cooperativa de crédito u otra entidad. Luego transfiera el dinero directamente de su cuenta IRA tradicional a la nueva cuenta Roth.

Hágalo gradualmente. Usted no pagó impuestos sobre el dinero que depositó en su cuenta IRA tradicional y usted no pagará impuestos cuando lo retire de su cuenta IRA Roth. Pero el IRS no quiere perder lo que le corresponde, por lo que usted sí tendrá que pagar los impuestos al momento de la conversión.

Usted deberá pagar el impuesto sobre la renta el mismo año en que tuvo lugar la conversión, así que amortigüe el golpe convirtiendo el dinero de manera gradual. Distribuya las conversiones a lo largo de varios años, pasando solo una porción de su IRA corriente a la cuenta Roth cada año. De ese modo, usted no tendrá que pagar todos los impuestos a la vez.

Asesórese antes. Hable con un asesor financiero antes de empezar a mover sus fondos. Usted primero tendrá que abrir una cuenta IRA Roth y un experto puede ayudarle a evitar posibles errores y sanciones.

Tenga cuidado al convertir una cuenta IRA tradicional a una cuenta IRA Roth, porque puede que le apliquen una sanción por distribución anticipada. Como usted ya sabe, tendrá que pagar impuestos sobre el dinero que transfiere. No los pague con el dinero de la IRA si usted tiene menos de 59 años y medio, para que no le impongan la sanción por distribución anticipada.

Cinco consejos para potenciar el crecimiento

Algunos consejos sencillos para no afrontar sanciones drásticas y aumentar al máximo el crecimiento de su dinero durante la jubilación:

- No contribuya más de la cantidad máxima fijada para cada año. Las personas mayores de 50 años pueden depositar hasta $6,000 en cualquiera de las cuentas, la tradicional o la Roth, siempre y cuando ese dinero proceda de un empleo y no de otra fuente, como una pensión o las anualidades. Deposite más y le caerá un impuesto a modo de sanción del 6 por ciento.

- Contribuya a su cuenta IRA a comienzos de año para generar más intereses sobre ese dinero. Si el depositario recibe el dinero entre los meses de enero y abril, el depósito podría ser adjudicado al año anterior, así que asegúrese de incluir una nota detallando el año al que corresponde la contribución.

- Si su cónyuge no sale a trabajar y se queda en casa, abra una cuenta IRA a su nombre. Usted puede depositar hasta $6,000 al año si ya cumplió 50 años y obtuvo ese dinero de su trabajo. Eso sí, recuerde que el IRS limita la cantidad total de dinero que usted puede tener en todas sus cuentas IRA combinadas. Si usted y su cónyuge tienen más de 50 años, el límite es de $12,000. Si solo usted es mayor de 50 años, el límite es de $11,000.

- Mantenga todas sus cuentas IRA en un mismo banco o en una sola cooperativa de crédito o firma de corretaje. Así usted podrá mantener los cargos al mínimo y será más fácil monitorear sus cuentas.

- Si tiene una IRA tradicional no adquiera inversiones con "ventajas tributarias", como, por ejemplo, los bonos municipales. No tiene sentido ya que, de todas formas, sus ganancias son exentas de impuestos. Además, estas inversiones suelen no generar tantas ganancias como otras inversiones que usted podría tener en una cuenta IRA.

NO OLVIDAR

Los fondos de una cuenta Roth no se pueden tocar durante cinco años a partir de la fecha de su depósito, sin importar el tiempo que los tuvo en la cuenta IRA tradicional. Además, si usted tiene mucho dinero ahorrado en una cuenta IRA corriente, la conversión podría brevemente colocarlo en una categoría impositiva más alta.

No abandone a sus seres queridos

Si usted posee una cuenta IRA, usted debería nombrar a su cónyuge como la persona beneficiaria. La cuenta IRA podría sobrevivirle. Incluso si se la deja a su cónyuge en testamento, el dinero podría acabar en otras manos.

Algunas cuentas IRA nombran al cónyuge como el beneficiario por defecto, pero no todas lo hacen. Si la suya no lo hace y usted muere sin haber nombrado a un beneficiario, entonces la cuenta IRA se declara sin beneficiario designado, no importa si su testamento menciona a uno o las leyes estatales dicten quién debe recibir ese dinero. Sin un beneficiario designado, las distribuciones de la IRA podrían acelerarse después de su muerte, creando un serio problema tributario para quien acabe recibiendo ese dinero.

Si bien usted puede dejar su cuenta IRA a otras personas, las leyes tributarias definitivamente favorecen al cónyuge. A los beneficiarios conyugales se les ofrece una variedad más amplia de opciones de transferencia y de modalidades para recibir las distribuciones que a los demás posibles herederos.

Recupere su dinero sin sufrir sanciones

Colocar su dinero en una cuenta IRA es bastante fácil. Retirarlo es la parte difícil. Las cuentas IRA tradicional y IRA Roth tienen reglas ligeramente diferentes. Vale la pena conocerlas. Cometa un error, ya sea retirando su dinero en la fecha equivocada o no retirándolo en la fecha indicada, y usted lo pagará muy caro en multas que le impondrá el IRS.

Evite los impuestos sobre la distribución anticipada. Con una cuenta IRA Roth usted puede retirar su dinero en cualquier momento, pero no puede tocar los intereses generados hasta cumplir los 59 años y medio. Por otra parte, con una IRA tradicional usted no puede hacer uso de ninguna parte de los fondos hasta cumplir los 59 años y medio. Si hace algún retiro, usted tendrá que pagar una sanción por "distribución anticipada" del 10 por ciento de la cantidad retirada.

Pero el IRS tiene su corazón, después de todo. Eliminará la sanción en determinadas circunstancias, por ejemplo, si usted se incapacita. Hable con un asesor tributario si necesita acceder anticipadamente a su cuenta IRA y asegúrese de que puede retirar el dinero sin afrontar una sanción.

Retire el dinero cuando llegue el momento. Usted puede retirar su dinero de una cuenta IRA Roth a cualquier edad, siempre y cuando el dinero haya estado en esa cuenta durante al menos cinco años. Pero usted no puede retirar el interés que generó hasta cumplir los 59 años y medio. La verdad es, sin embargo, que usted no está obligado a retirar ni un solo centavo de una cuenta Roth. Usted puede dejar que su dinero crezca libre de impuestos todo el tiempo que quiera.

Las cuentas IRA tradicionales no son tan generosas. Usted puede retirar tanto o tan poco dinero como quiera entre los 59 años y medio y los 70 años y medio, pero usted está obligado a efectuar retiros después de cumplir los 70 años y medio. El IRS quiere tener una oportunidad para gravar esos fondos antes de que usted muera, pero solo puede hacerlo cuando usted efectúa un retiro.

Usted puede sacar todo el dinero que desee de su cuenta, pero como mínimo tendrá que retirar las llamadas "distribuciones mínimas requeridas" (RMD, en inglés), después de cumplir los 70 años y medio. El IRS calcula esta cantidad "mínima" sobre la base de su expectativa de vida (y, a veces, la de su cónyuge). Los cálculos pueden ser complicados, así que hable con su asesor financiero o con un contador público certificado para determinar el monto de su RMD.

Lea los consejos sobre cómo pagar la menor cantidad de impuestos cuando usted retira dinero en *Tenga en cuenta los impuestos al retirar su dinero,* en la página 260 del capítulo *Gánele la partida al IRS.*

HAGA QUE EL DINERO TRABAJE PARA USTED

Según el economista Burton Malkiel, es mejor empezar a ahorrar lo antes posible debido a lo que él llama el "milagro del interés compuesto". He aquí un buen ejemplo:

Marilú y Marité son gemelas de 65 años de edad. Marilú abrió una cuenta de jubilación individual (IRA) cuando tenía 20 años, a la que aportó $2,000 anuales hasta cumplir los 40 años. Marité recién abrió su cuenta IRA al cumplir 40 años y a partir de ese momento depositó $2,000 cada año. Las dos hermanas ganan cada año intereses del 10 por ciento. ¿Quién cree usted que tiene más dinero hoy?

Haga usted los cálculos y encontrará que Marilú tiene casi $1.25 millones en su cuenta IRA, mientras que Marité, que aportó cinco años más, tiene menos de $200,000. Ese es el milagro del interés compuesto.

Fondos mutuos: instrumentos de inversión de bajo riesgo

Gane más dinero y corra menos riesgos

Los fondos mutuos han ofrecido tradicionalmente una de las maneras más seguras de invertir y, aun así, obtener un rendimiento saludable de su dinero. Estos fondos reúnen el dinero de miles de personas como usted y contratan a expertos para evaluar las acciones, los bonos y otras inversiones, antes de invertir ese dinero en nombre de esas personas.

Al invertir en un fondo mutuo usted consigue diversificar sus ahorros de jubilación al instante y a un nivel mucho mayor de lo que podría lograr por su propia cuenta. La diversificación tiende a servir de protección contra las subidas y bajadas del mercado. Los fondos mutuos también le ahorran el tiempo y la molestia de investigar por su cuenta centenares de acciones individuales.

Un gestor de fondos mutuos no puede simplemente invertir en lo que se le antoje. El gestor debe seguir las pautas establecidas en el prospecto, que es el documento que detalla las comisiones, los riesgos, los términos y las condiciones del fondo. Hable con un asesor financiero de confianza para saber qué fondos se ajustan a sus necesidades.

- Los *fondos del mercado monetario* le ofrecen un lugar a corto plazo para colocar su efectivo con los riesgos más bajos, pero también con las ganancias más bajas. Cuidado, las comisiones cobradas por estos fondos pueden llevarse parte de sus ahorros.

- Los *fondos de bonos* pueden ser de corto, mediano o largo plazo, así como imponibles o exentos de impuestos. Pueden invertir en una combinación de bonos corporativos, de bonos municipales y de bonos del Tesoro de Estados Unidos. La mayoría paga los intereses devengados una vez al mes.

- El objetivo de los *fondos de crecimiento* es comprar acciones en compañías con gran potencial de crecimiento, pero pagan poco en dividendos y pueden resultar riesgosos.

- Los *fondos de valor* tratan de invertir en compañías con acciones infravaloradas, con la esperanza de que el precio de las acciones se eleve, generando ganancias para usted.

- Los *fondos de ingresos* invierten en bonos y acciones que pagan buenos dividendos a los accionistas. Son una buena opción para quienes necesitan un ingreso mensual regular.

- Los *fondos internacionales* se especializan en acciones y bonos extranjeros. Ofrecen la manera más segura de invertir en mercados extranjeros, y son más seguros que comprar acciones de empresas extranjeras individuales.

- Los *fondos sectoriales* adquieren acciones en un sector industrial específico, como el tecnológico. Invierten en una serie de compañías de ese sector, lo que reduce el grado de riesgo, pero aun así pueden presentar más riesgos que otros tipos de fondos y pueden cobrar comisiones más altas.

- Los *fondos indexados* compran acciones en las compañías que conforman los índices mayores y menores del mercado de bonos o acciones, como el S&P 500. Su objetivo es igualar el rendimiento del índice seleccionado.

¡ALERTA!

Comprar distintos tipos de fondos mutuos ayuda a reducir los riesgos, pero no lo hace si usted acaba teniendo fondos que invierten en las mismas empresas. Verifique la diversidad de sus fondos en forma gratuita en el sitio *www.morningstar.com* (en inglés). Haga clic en "*Tools*" y en "*Instant X-Ray*". Ingrese el símbolo o la clave de cotización de sus fondos mutuos para ver en qué medida sus tenencias coinciden.

Para ahorrar dinero elimine las comisiones

Evite que las comisiones de los fondos mutuos se lleven una buena parte del dinero que usted va a invertir:

Aléjese de los fondos con comisión. Estas comisiones o cargos por ventas se pagan a la compañía de fondos mutuos o al agente que le vendió las acciones. Pagar extra para recibir asesoramiento de los expertos parece razonable, pero estas comisiones pueden costarle una fortuna. Compare fondos, adquiera los que no cobran comisiones y ahórrese más del 5 por ciento al año en cargos por ventas. Olvídese del agente de bolsa y compre los fondos sin comisión directamente de la compañía de fondos mutuos llamando a su número sin cargo.

Evite las comisiones 12b-1. Los fondos mutuos incluyen estas comisiones para pagar el marketing y la publicidad. Lamentablemente, estas comisiones pueden llevarse hasta el 1 por ciento de sus inversiones cada año. Algunos fondos son particularmente engañosos, llamándose "*no-load funds*" o fondos sin cargos, cuando en realidad cobran hasta 0.25 por ciento al año en comisiones 12b-1. Para saber realmente a cuánto ascienden estos cobros, solicite un ejemplar del prospecto del fondo y busque las comisiones 12b-1 en la sección "Gastos operativos anuales del fondo".

Busque un coeficiente de gastos bajo. Esa cifra es la suma de los gastos de gestión, más las comisiones 12b-1, incluidos los gastos de tramitación y publicidad del fondo. Analice el prospecto y busque los fondos con un coeficiente de gastos de menos del 1 por ciento al año. Cuanto más bajo, mejor.

Invierta en fondos indexados. Estos fondos suelen cobrar comisiones más bajas que otros tipos de fondos mutuos, ya que no requieren un equipo de expertos para evaluar y negociar las acciones constantemente. Estos fondos se manejan prácticamente a sí mismos. Sencillamente busque un fondo que incluya la palabra "index" en su nombre.

Cumpla con el saldo de cuenta mínimo. Algunas compañías de fondos cobran un cargo si el saldo de su cartera de valores llega a estar por debajo de cierta cantidad. Cuidado, si el mercado bursátil se desploma, el valor de su cartera también caerá y eso podría llevarle por debajo del saldo mínimo. Si usted se encuentra en esa situación, llame a la compañía del fondo y solicite que le eximan del pago de esa comisión.

Opte por la alta tecnología. Pregunte a la compañía del fondo o a la firma de corretaje si reducirían sus comisiones si usted opta por:

- Recibir sus estados de cuenta en forma electrónica y no en papel.

- Administrar su cuenta en línea, moviendo su dinero a través de la Internet y no a través de un corredor o un agente de bolsa.

- Invertir en sus fondos mutuos de manera periódica mediante deducciones automáticas de su cuenta bancaria o de su sueldo.

Secretos para identificar los mejores fondos mutuos

Determinar cuáles son los mejores fondos para usted puede ser una tarea abrumadora. Estas recomendaciones le ayudarán a decidir:

No compre en función de un buen dato. Los fondos mutuos se parecen a las tendencias de la moda. Algunos estilos son clásicos y eternos, mientras que otros son solo novedades pasajeras. Para su cartera de valores adquiera fondos mutuos clásicos y resista la tentación de ir tras los que están solo de moda. Si usted compra en función de la popularidad es más probable que acabe pagando en exceso y que pierda dinero cuando el mercado adopte otro favorito del momento.

Fíjese en el rendimiento a largo plazo. Cuando investigue fondos, vea cuál ha sido su rendimiento durante los últimos cinco a 10 años, no solo durante el último año o dos. Compárelos, luego elija aquellos que rinden más que otros fondos de manera consistente. La firma de investigación financiera Morningstar califica el rendimiento de los fondos con un sistema de estrellas en *www.morningstar.com*.

Compare manzanas con manzanas. No compare fondos de pequeña capitalización con los de gran capitalización, cuando compare su rendimiento a largo plazo. Distintos tipos de fondos tienen buenos rendimientos en distintos ciclos del mercado. Solamente compare fondos de un mismo tipo entre sí para obtener un panorama más preciso de su rendimiento.

Compare las comisiones. El fondo mutuo más exitoso no le hará ganar mucho dinero si cobra comisiones ridículamente altas. Busque fondos que tengan un coeficiente de gastos bajo y comisiones bajas. Los fondos con comisiones bajas pueden generarle más dinero en el largo plazo que los fondos de alto rendimiento con comisiones exorbitantes.

Ojo con la gestión. Una vez que identifique los fondos de su interés, asegúrese de que los gestores que los llevaron al éxito en los últimos cinco o 10 años aún estén a cargo de ellos. Para obtener esa información:

- Busque la ayuda del intérprete de fondos de Morningstar, un servicio gratuito que le dice cómo se comparan las comisiones y el rendimiento del fondo con otros fondos de la misma categoría, cuánto tiempo han estado los gestores con esos fondos y más. Vaya a *www.morningstar.com* (en inglés) e ingrese la clave de cotización de su fondo en el espacio de "*Quotes*".

- Vea la clasificación de sus fondos mutuos en términos de su diversificación, riesgo y comisiones en *www.fundgrades.com*.

- Cuando tenga su lista de fondos mutuos, llame a cada uno y solicite un ejemplar de su prospecto, para conocer los detalles sobre las comisiones, los riesgos, la filosofía de inversiones y otra información sobre cada uno de sus fondos elegidos.

Manera fácil de elegir un fondo ganador

Usted no necesita una bola de cristal para saber qué fondos mutuos se desempeñarán bien. Usted solo tiene que saber quién lo gestiona y si el gestor invierte su propio dinero en él. Esa es la conclusión de un estudio realizado recientemente por expertos internacionales.

Alrededor de la mitad de todos los gestores de fondos mutuos invierten su propio dinero en los fondos que gestionan. Dicho estudio encontró que cuanto más invierten los propios gestores, mejor es el rendimiento del fondo. Los fondos con inversiones significativas por parte de sus gestores tienden a cobrar comisiones más bajas y a tener menos cambios en su gestión, otros dos factores clave para el éxito.

Averiguar si un gestor invierte en su propio fondo y a cuánto asciende dicha inversión toma tiempo, pero vale la pena. La Comisión de Bolsa y Valores (SEC, en inglés) ahora exige que los fondos revelen si el gestor del fondo ha puesto su propio dinero en juego. Estas son dos maneras de averiguarlo:

- Llame a la compañía de fondos mutuos y solicite una copia de su Declaración de Información Adicional (*Statement of Additional Information,* en inglés) o descárguela directamente del sitio web de la compañía.

- Vaya a *www.morningstar.com* (en inglés) e ingrese la clave de cotización del fondo en el espacio de "*Quotes*".

La inversión del gestor es importante, pero no es la única medida de éxito. Antes de tomar una decisión, usted también debe tener en cuenta los gastos del fondo, como las comisiones o "*loads*" en inglés, así como la estrategia de inversión y el rendimiento a largo plazo.

Conozca sus fondos de acciones

Las acciones y los fondos mutuos que las compran, al igual que las playeras, vienen en tres tamaños: pequeño, mediano y grande.

- Los **fondos de gran capitalización** invierten solo en las compañías más grandes y con mayor valor, como Coca Cola. Estas deben constituir la mayor parte de su cartera, ya que es menos probable que las grandes empresas se vayan a la quiebra.

- Los **fondos de pequeña capitalización** compran acciones en compañías que valen menos de mil millones de dólares. En pequeñas cantidades pueden endulzar su cartera, pero en grandes cantidades el riesgo podría provocarle dolores estomacales.

- Los **fondos de capitalización media** invierten en compañías de valor mediano, entre mil millones y ocho mil millones de dólares. Por lo general son más estables que los de pequeña capitalización, pero menos estables que los de gran capitalización.

El fondo que no le dará preocupaciones

Usted quiere invertir, pero no sabe cómo. Simplemente compre un fondo de inversión con fecha establecida y olvídese de todo lo demás.

Los expertos dicen que a medida que envejecemos, debemos empezar a dejar de lado las inversiones arriesgadas e ir a lo seguro, protegiendo aún más nuestros ahorros durante los años de jubilación. Los fondos mutuos con fecha establecida, a veces llamados fondos con fecha de jubilación o fondos de ciclo de vida, lo hacen de manera automática.

Determine la fecha objetivo del fondo, que es la fecha en la que planea jubilarse. Busque un fondo con esa fecha en el nombre y empiece a invertir en él. El gestor del fondo cambiará el tipo de acciones, bonos y otros productos en los que usted ha invertido su dinero a medida que el fondo se acerque a su fecha objetivo. Usted no tendrá que analizar los fondos ni mover su dinero cada cierto tiempo.

Es más, si usted ha invertido en un fondo con fecha establecida, los expertos aconsejan no adquirir otros fondos. No solo podría afectar el delicado equilibrio que existe entre sus acciones, bonos y dinero en efectivo, sino que usted también podría acabar pagando comisiones en exceso.

Dado que usted solo poseerá un fondo, elíjalo con cuidado:

- Elija un fondo con la fecha objetivo más cercana al año en el que usted piensa jubilarse.

- Analice las estrategias de los fondos. No todos los fondos con fecha establecida invierten de la misma manera. Algunos van más por las acciones, aun en sus años de jubilación, mientras que otros van a lo seguro y optan por los fondos de bonos o del mercado monetario casi desde el principio.

- Encuentre uno cuyos coeficientes de gastos sumen menos del uno por ciento.

- Ahorre en comisiones de corretaje comprándolos directamente de firmas como Fidelity, Vanguard o T. Rowe Price.

Los altibajos de las acciones y los bonos

Experto revela los secretos para elegir acciones

¿Le gustaría saber cómo piensa un inversionista privado exitoso? ¿Saber cómo sobrevivió a la crisis financiera del 2008–2009? ¿Saber qué hizo para que, unos meses más tarde, el valor de su cartera de inversión fuera mayor que antes de la crisis? Aunque aceptó compartir sus secretos, él prefiere no ser identificado. Lo llamaremos el señor Smith. El señor Smith ha aplicado con éxito las ideas de grandes inversionistas como Warren Buffett, Benjamin Graham y Maynard Keynes.

"Lo más importante es no verse como propietario de acciones, sino como propietario parcial del negocio", dice Smith. "¿Le gustaría ser dueño de parte de una gran empresa a un precio atractivo, aun si sus acciones no cotizan en bolsa? Esa es la pregunta fundamental. Si la respuesta es un rotundo sí, el mercado de valores se convertirá en su amigo. Cuando el precio de esas acciones se desplome, ¡alégrese! Usted podrá adquirirlas a precio de ganga, suponiendo que usted cuenta con el dinero para hacerlo", dice Smith con una enorme sonrisa.

Estas son las preguntas que Smith se hace antes de invertir:

¿Pertenece la empresa a un sector industrial en el que es fácil obtener beneficios? Específicamente, ¿beneficios que la empresa podría destinar a los accionistas sin disminuir su ventaja competitiva? Prácticamente todas las aerolíneas, los comerciantes minoristas, los restaurantes y otros sectores donde es fácil para cualquiera iniciar un negocio competitivo fallarán esta prueba. Sectores en declive, como los periódicos, las revistas y las emisoras de televisión también quedan descartados. Smith dice que él además suele evitar las empresas de tecnología, ya que solo un puñado de ellas cuenta con la ventaja competitiva de largo alcance que les permitiría sobrevivir los avances tecnológicos más recientes de un potencial competidor.

¿Cuál es el margen de ganancia? ¿Es amplio? En otras palabras, ¿son las ganancias mucho más altas que un porcentaje minúsculo de las ventas? De no ser así, la empresa puede carecer de las ventajas necesarias para hacerle frente a sus competidores, y la competencia de precios podría limitar su rentabilidad.

¿Cuál es el historial de ganancias a largo plazo? ¿Cuánto dinero al año ha generado la empresa durante los últimos 12 años? Asegúrese de que ese período de 12 años incluya por lo menos un momento de expansión y de contracción general de la economía. "El historial debe mostrar que a la compañía le fue relativamente bien en la última gran crisis. Teniendo en cuenta los altibajos del ciclo económico, identifique las empresas que tuvieron ganancias relativamente consistentes y, por lo general, en aumento y sin sorpresas desagradables. Muchas empresas quedarán fuera de su lista. Aquellas con un historial de ganancias sólidas y crecientes, con ganancias aceptables aun en tiempos de recesión, son empresas que tienen más probabilidades de salir adelante. De otro lado, una empresa que ha sufrido una caída en el precio de sus acciones tras reportar una baja en sus ganancias, presenta una buena oportunidad de compra si el resto de su historial a largo plazo es bueno y si sus perspectivas de aquí a uno o dos años se presentan brillantes".

¿Cuál es la trayectoria del CEO? ¿Es el CEO un propietario sustancial? Las compañías nuevas no cuentan con un historial de ganancias y casi todas deben ser evitadas, a menos que sus directores ejecutivos (CEO, en inglés) tengan una trayectoria sobresaliente en ese sector. Averigüe quién está a cargo de la empresa, qué otras empresas ha liderado, cuánto ganaron dichas empresas y qué porcentaje fue destinado a los accionistas. Smith describe al CEO ideal como un fundador que ha invertido su propia fortuna en una empresa probada y exitosa, un líder que no toma ventaja de los accionistas minoritarios mediante pagos excesivos, opciones o tratos inescrupulosos.

Smith prefiere invertir en empresas controladas por propietarios fundadores con trayectorias excepcionales. "Los operadores propietarios suelen dar prioridad a las demandas de los accionistas y suelen luchar tenazmente si la empresa enfrenta dificultades, a diferencia de los CEO contratados. El liderazgo probado de un CEO propietario es el indicador de éxito más importante para una empresa que tiene grandes cantidades de dinero para invertir". Sin embargo, Smith dice que las empresas con líneas defensivas muy bien establecidas frente a la competencia, como las empresas de marcas reconocidas que dominan sus mercados, también pueden ser buenas inversiones, ya que en ellas una gerencia mediocre es más perdonable que en las empresas sin esas líneas de defensa.

"Cuando Warren Buffett tomó el control de Berkshire Hathaway, un inversionista podría haber dudado en comprar sus acciones, ya que no cumplían con la regla de los 12 años de ganancias sólidas y consistentes". Pero, especula Smith, "si ese inversionista se hubiese fijado en la trayectoria sobresaliente de los 12 últimos años de Buffett con su anterior sociedad de inversión, tal vez habría hecho una excepción muy rentable a esa regla de los 12 años".

Smith hizo una excepción a su regla de los 12 años cuando compró acciones de Lancashire Holdings, aseguradora de bienes y accidentes de Bermudas, poco después de su inicio a principios de 2006, cuando las tarifas de seguro eran muy altas y rentables luego de las grandes pérdidas que tuvo la industria en 2005 debido al huracán Katrina. El CEO de Lancashire, Richard Brindle, tenía 20 años de destacada trayectoria como suscriptor para los sindicatos aseguradores de Lloyd's de Londres. Smith encontró que su historial en hacer que los "beneficios de suscripción" retornaran a los "nombres" que poseían las acciones en esos sindicatos de Lloyd's, era el mejor de la industria. Los beneficios de suscripción indican en cuánto el valor de las primas de seguro recibidas excede el costo de los reclamos y de los gastos relacionados.

Los sindicatos de Brindle proporcionaron un retorno de más del 20 por ciento anual a sus inversionistas durante muchos años, cuando a la mayoría de los sindicatos de Lloyd's les era difícil generar algún beneficio. A Smith no le sorprendió pues que Lancashire, la nueva empresa de Brindle, no solo obtuviera "beneficios de suscripción" relativamente buenos en 2008, un año desastroso debido a las pérdidas por los huracanes, sino que sobreviviera la crisis financiera del 2008 y 2009 manteniendo intacto el valor de sus activos financieros. En efecto, Lancashire generó valor para sus accionistas en un período en el que la mayoría de las demás empresas financieras sufrieron enormes pérdidas de su valor real, lo que se reflejó en una brusca reducción del precio de mercado de sus acciones.

Prem Watsa, CEO de la aseguradora canadiense de bienes y accidentes Fairfax Financial Holdings, otra de las compañías favoritas de Smith, también es un destacado propietario CEO. Watsa mostró tener temple cuando, hace unos años, le dio vuelta a la empresa después de que esta sufriera inesperadas pérdidas de suscripción. Fairfax ha proporcionado un retorno del 20 por ciento anual en valor a los accionistas durante las dos décadas que ha estado en actividad. El fuerte de Watsa es la gestión financiera, una habilidad distinta a la de Brindle. Watsa, en opinión de Smith, está a nivel de Buffett en cuanto a gestión de activos financieros, aunque Buffett no tiene igual cuando se trata de elegir acciones. Ambos siguen los principios establecidos por Benjamin Graham, antiguo mentor de Buffett. Watsa, que es casi una generación menor que Buffett, incluso le puso Benjamin a su hijo, en honor a Benjamin Graham.

"Fairfax tuvo su mejor año en el 2008, a pesar de las grandes pérdidas de suscripción a causa de los huracanes, gracias a la asombrosa capacidad de Watsa para reducir los riesgos en la gestión de activos financieros. Esto ocurrió en un año en el que la mayoría de las empresas financieras perdieron hasta la camisa", señala Smith.

¿Le devuelve la empresa algo de las ganancias? Las ganancias por sí solas no garantizan una buena inversión. "Hay muchos sectores industriales donde las empresas deben reinvertir todas sus ganancias tan solo para mantenerse competitivas", dice Smith, citando el sector de las compañías aéreas como un ejemplo desastroso. Esta no es una estrategia para el éxito en el largo plazo.

"Busque una empresa a la que, al final del año, le quede dinero para ofrecer a sus accionistas en forma de dividendos o de recompra de acciones, o para reinvertir de manera rentable. En los últimos 100 años, gran parte del valor de poseer acciones provino de los dividendos. El valor ajustado a la inflación de las ganancias de capital debido al alza del precio de las acciones fue mucho menor. Usted debe buscar ganancias consistentes, aunadas a la capacidad y a la voluntad de reembolsarlas a los accionistas o de ir acumulándolas a través de la reinversión", dice Smith. "No compre una empresa a menos que esta pueda pagar buenos dividendos", advierte. "Si una empresa tiene buenas ganancias y, en vez de pagar dividendos sustanciales o de volver a comprar acciones, opta por reinvertir sus ganancias acumuladas, compruebe si la tendencia de crecimiento a largo plazo de las ganancias es claramente ascendente en todo el ciclo económico. Eso revelará lo bien que la empresa ha reinvertido sus ganancias".

¿Cuánta deuda tienen? Usted nunca tiraría su dinero a un pozo sin fondo, así que, ¿por qué invertir sus ahorros en compañías endeudadas? "Es mejor optar por compañías que no tengan deudas o cuyas deudas sean mínimas en comparación con el valor de sus acciones", dice. "Si una compañía no tiene deudas que están por vencer, no se verá obligada en función de dichas deudas a tomar decisiones cortoplacistas sin visión de futuro", señala Smith. Una empresa que no tiene que cargar con el peso de una deuda, tiene más probabilidades de sobrevivir una crisis económica y puede, incluso, disponer de fondos adicionales, como suele hacer Buffett, para adquirir otros negocios estupendos a precios de ganga cuando baja el mercado de valores.

¿Dónde está el billete verde? La cantidad de dinero en efectivo que una empresa genera es uno de los indicadores más importantes de su salud. Smith recomienda invertir en empresas que generan ganancias en efectivo todos los años. "Elija las que sean generadoras consistentes de flujo en efectivo. Busque empresas que puedan generar efectivo extra incluso en épocas de crisis. Desconfíe de aquellas que reportan grandes ingresos no monetarios, como lo hizo Enron antes de su colapso hace unos años. Evite las empresas que no llevan al banco sus ingresos reportados. Utilice los recursos disponibles para detectarlas", dice Smith.

¿Cómo es el entorno empresarial? No se puede evaluar una empresa en el vacío. Compárela con otras empresas en su industria y a dicha industria con otros sectores industriales. ¿Tiene algo que la hace mejor que la mayoría de las demás empresas en su sector industrial, algo que le de una ventaja competitiva a largo plazo? Una vez más, no dependa únicamente de lo que le dice el precio accionario. Compare el historial de ganancias de la empresa con el de su industria, y a esa industria con la economía en general.

"Un buen ejercicio sería, por ejemplo, estudiar los últimos 20 años del historial de ganancias de Nucor", dice Smith. "Compárelo con el de otras empresas siderúrgicas. El notable crecimiento de sus ganancias a largo plazo y el alto retorno sobre el capital no son un accidente. Sus 'miniaceperas' ofrecen una ventaja significativa en costos sobre la mayoría de las plantas siderúrgicas". Smith recomienda elegir empresas que tengan algo que las hace mejor que la mayoría de las empresas.

¿Cuál es el retorno de la empresa sobre su capital? Supongamos que usted adquiere una franquicia venida a menos de Dairy Burger por el valor justo de $200,000, que la administra bien y que obtiene una ganancia de $50,000. Eso significaría que su retorno sobre el capital fue del 25 por ciento. Sin embargo, si usted pagara $2,000,000 por un súper Dairy Burger completamente nuevo y obtuviera el doble de ganancia, es decir $100,000, el retorno sobre el capital sería tan solo del 5 por ciento, lo que no sería un retorno muy bueno.

Asimismo, una empresa probablemente sea una mala inversión a largo plazo si, de manera consistente, no genera significativamente más sobre el capital total empleado en el negocio que la tasa histórica libre de riesgos de alrededor del 5 por ciento. No importa qué tan altas sean sus ganancias o qué tan baratas sean sus acciones. A Smith le gusta comprar empresas que tienen una ventaja que les permite ofrecer un retorno medio a largo plazo sobre el capital total de por lo menos el 15 por ciento. Smith dice que el tener de manera regular altos retornos sobre el capital, les permite a las empresas utilizar parte de las ganancias para incrementar sus utilidades en años futuros. De otro lado, las empresas con retornos bajos sobre el capital generalmente se estancan y se ven forzadas a emplear sus ganancias para hacer mejoras, simplemente para no perder terreno frente a sus competidores. Vea el recuadro de la página siguiente para un ejemplo.

¿Cuánto pagar por una acción? Incluso si una empresa cumple con todos los requisitos de un gran negocio, Smith no comprará las acciones si el precio no es atractivo. ¿Qué tan atractivo debe ser? Smith busca un "rendimiento de las ganancias" —la ganancia promedio anual de una acción dividida por el actual precio de mercado de dicha acción— de por lo menos el 10 por ciento, con un umbral mucho más alto después de una caída del mercado cuando es más fácil encontrar gangas. Smith recomienda optar por empresas que han mostrado tener ganancias consistentes durante varios años y evitar aquellas que han hecho inversiones imprudentes que provocaron pérdidas sustanciales en años anteriores. Smith normaliza las ganancias antes de determinar el rendimiento. Para sus cálculos, promedia las ganancias de los últimos tres años y no toma en cuenta los aportes extraordinarios a dichas ganancias, en la medida en que estos no pueden mantenerse constantes.

Adquiera acciones de buenas empresas cuando existe una reacción excesiva a un problema que estas pueden superar. Smith sostiene que los teóricos académicos han enseñado a toda una generación de gestores de fondos de inversión que la bolsa es racional y eficiente. Dice que un inversionista privado con sentido común puede beneficiarse enormemente cuando la mayoría de los participantes del mercado están al borde de la desilusión. En opinión de Smith, el mercado es racional la mayor parte del tiempo. Pero a veces enloquece sin previo aviso, una oportunidad que el inversionista inteligente no debe desaprovechar.

Comprar a un precio deprimido le puede dar lo que Warren Buffett y Benjamin Graham han llamado el "margen de seguridad". "Compre acciones en una empresa buena a un precio atractivo. Si usted piensa que una acción vale $100 y usted puede comprarla a $50", explica Smith, "ese es su margen de seguridad en caso de que haya calculado mal". Según Smith, esto es difícil de hacer en un mercado alcista (*bull market*), pero sorprendentemente fácil en un mercado en baja (*bear market*) que puede presentar oportunidades increíbles.

Investigue cuál es el valor real de una empresa, en contraposición al precio de sus acciones, una cifra hipotética que se conoce como "valor intrínseco". En el recuadro de la página 204 están los libros que, según Smith, pueden ayudarle en esta investigación.

Al final del día, estas investigaciones previas no necesariamente garantizan buenos resultados. "Si usted realmente quiere hacer dinero, tendrá que besar a muchos sapos antes de encontrar a su príncipe", bromea Smith. "Asegúrese de estar realmente ante un príncipe antes de comprar acciones en lo que podría terminar siendo el reino de un sapo. Si usted comete un error, no dude en vender sus acciones a pérdida. Una vez que sabe que ha cometido un error, no se quede con las acciones de un mal negocio cuyo precio se ha desplomado, creyendo que así recuperará sus pérdidas. Admita el error y siga adelante. Sin embargo, si la empresa es un buen negocio y tiene una ventaja competitiva no venda automáticamente solo porque bajó el precio de sus acciones. En lugar de ello, estudie la posibilidad de comprar más acciones si tiene fondos disponibles. Si no tiene dinero, no haga nada. El tiempo es amigo de los buenos negocios y del inversionista paciente".

HAGA QUE EL DINERO
TRABAJE PARA USTED

¿Recuerda la historia de las dos franquicias de Dairy Burger? Sigue así. El propietario de una franquicia de Dairy Burger (DB), de muy bajo precio, invirtió el excelente retorno sobre el capital del 25 por ciento, más las ganancias de $50,000 del primer año, en otro DB, también de muy bajo precio, con la idea de pagarlo en tres años. Cuatro años después de la primera compra y luego de una inversión total de $400,000, era propietario de dos DB de menor categoría que generaban $100,000 en ganancias anuales. ¡Nada mal! En cuatro años sus ganancias eran las mismas que el otro señor de la historia, el que invirtió $2,000,000 en un Dairy Burger de alto precio.

El propietario del Dairy Burger costoso, que solo obtuvo un retorno sobre el capital del 5 por ciento, invirtió las ganancias anuales de $100,000 que esperaba tener a lo largo de 20 años en otro súper DB de $2,000,000, que también le rendía $100,000 al año. Cuando finalmente lo termine de pagar, ¿podrá disfrutar de sus ganancias anuales de $200,000? En realidad no. Para entonces será propietario de dos DB de 20 años de antigüedad. Lo más seguro es que tenga que remodelar y renovar los equipos cada par de años para que los locales sigan pareciendo como nuevos.

Mientras que el primer propietario pagó su préstamo en tres años y pudo luego utilizar parte de sus ganancias para hacer mejoras, el otro propietario se la pasó pagando el préstamo durante 19 años, antes de poder renovar el equipo anticuado y poder remodelar sus locales. Para entonces, era difícil para él tomar más de un tercio de las ganancias anuales para vivir. Para colmo, los DB —ya algo degradados— tenían un valor de mercado menor de lo que él había pagado por ellos.

Esta parábola ilustra los problemas que toda empresa grande enfrenta cuando el retorno sobre el capital en su sector de negocios es bajo.

Cómo ganarle a Warren Buffett en su propio juego

La habilidad de Warren Buffett para elegir acciones es legendaria. En un estudio reciente se observó que su ganancia media fue del 31 por ciento al año durante tres años a partir de la compra inicial de una acción. Por increíble que parezca, según Smith cualquiera podría haber logrado resultados algo mejores que Buffett, de haber comprado esas mismas acciones unos pocos meses después de que Berkshire Hathaway, la compañía de Buffett, informara sobre sus compras a la Comisión de Bolsa y Valores (SEC, en inglés), tal como lo requiere la ley.

Busque un precio bajo. Buffett no comprará una acción a menos que su precio sea atractivo. Sus compras a menudo se dan después de que el precio ha sufrido una caída brusca. En ese momento, la mayoría de los inversionistas rehúyen esas acciones por temor a que el precio siga bajando. Cuando Buffett compra una acción en declive, el rebaño no pensante que está vendiendo esas acciones suele estar en lo correcto en cuanto a la tendencia a corto plazo de que estas sigan bajando. En los meses que siguen a la primera compra de Buffett, la tendencia es que el precio siga débil. Eso significa que las personas que pueden tolerar sufrir una posible pérdida en papel a corto plazo pueden igualar el rendimiento de Buffett ¡sencillamente comprando lo que Buffett compró tan solo unos meses antes! La mayoría de los gestores de los fondos de inversión no seguirán esta estrategia de sentido común, pues temen ser criticados por bajo rendimiento si compran acciones que siguen cayendo.

Copie las estrategias de Buffett. Cuando Berkshire Hathaway compra una acción, no siempre se puede estar seguro de que fue el propio Buffett quien decidió esa compra. Si el monto en dólares de la compra fue alto, de alrededor de mil millones de dólares, o si la empresa pertenece a una industria que Buffett favorece, es casi seguro que fue el propio Buffett quien tomó la decisión de comprarla. Buffett prefiere adquirir acciones de ciertas industrias a las que entiende bien. Las aseguradoras, los ferrocarriles, las empresas de productos de consumo que tienen una fuerte identidad de marca y las empresas eléctricas son algunas de sus categorías favoritas. Sin embargo, las compras menores de acciones, sobre todo en industrias que Buffett no favorece, podrían haber sido realizadas por un asociado de Buffett.

Usted puede ver en línea cuáles fueron las acciones que Berkshire compró recientemente. Busque la base de datos EDGAR en el sitio web de la SEC. Cuando Buffett compra más del 5 por ciento de acciones en circulación, esta compra aparecerá en un plazo de 10 días en un documento conocido como Schedule 13D o 13G.

Sea paciente. Smith lleva la estrategia de imitar a Buffett un paso más allá, ya que espera pacientemente a ver qué pasa con el precio de las acciones después de que Buffett efectúa su compra inicial. Smith invierte a veces 40 por ciento o más del valor de su cartera en acciones, si está seguro de entender plenamente por qué es probable que esa transacción sea de alto rendimiento y bajo riesgo. Smith, al igual que Buffett, considera el riesgo en función de la durabilidad del valor de la empresa y no de la volatilidad del precio de las acciones.

Smith señala que las tenencias de Buffett y Keynes estaban muy concentradas en solo unas pocas empresas durante sus mejores años, cuando no gestionaban grandes fondos. Él considera que esta estrategia, bien ejecutada, es mucho mejor que invertir en fondos ampliamente diversificados. "Los fondos diversificados que se supone reducen el riesgo, en realidad representan un riesgo oculto porque inevitablemente siguen al mercado cuando este se desploma", dice Smith.

¿Se cree Smith mejor que Buffett? "Eso es absurdo", responde. "Buffett es un gran jugador de bridge, yo no. Sin embargo, yo podría asociarme con otro jugador promedio de bridge y juntos podríamos derrotar a Buffett en pareja con el campeón mundial de bridge, si tan solo pudiéramos ver sus cartas". Smith puede vencer a Buffett en el juego de la bolsa solamente porque Buffett está obligado a mostrar sus cartas primero a través de los informes que debe presentar a la SEC.

Siga el ejemplo de Smith. Buffett compró USG en el cuarto trimestre del año 2000 a un precio promedio de $15 la acción. En junio de 2001, abrumada con las demandas por asbestos que, en su mayoría, eran fraudulentas, USG solicitó la protección del Capítulo 11 de la ley de quiebras. Comprar las acciones de una empresa que se ha acogido al Capítulo 11 es una receta para el desastre, dice Smith. Los accionistas suelen perderlo todo con una bancarrota. Smith dice que él no habría tocado USG por nada del mundo si no fuera porque Buffett compró.

La compra de Buffett despertó la curiosidad de Smith. Al analizar la situación con detenimiento, Smith encontró que USG tenía la mejor posición competitiva y el retorno sobre el capital más alto en su sector. Se trataba de una gran empresa con un CEO capaz, directo y muy respetado, Bill Foote. Las demandas por asbestos estaban legalmente aisladas del resto de la empresa en una de las subsidiarias de USG. El valor de las otras subsidiarias de USG ascendía a casi el doble de los $15 por acción que Buffett pagó. Sin embargo, ese valor nunca se habría realizado, dice Smith, si los directivos de USG hubiesen capitulado ante los requerimientos de pago de los abogados que presentaron dichas demandas, en su mayoría fraudulentas, contra la empresa.

Smith compró una cantidad considerable de acciones de USG por menos de $6 la acción, pero solo después de haber determinado que el CEO de sólidos principios de USG estaba muy pendiente de Buffett, su mayor accionista, y estaba decidido a defender el valor para sus accionistas durante el proceso del Capítulo 11.

Coseche los frutos. Cinco años más tarde, tras una larga batalla legal, Buffett y Smith fueron generosamente recompensados cuando USG pagó una suma que era el equivalente a cerca de la mitad del valor de toda la empresa para dar solución a las demandas por asbestos. USG emergió del proceso del Capítulo 11 en medio del mercado alcista del 2006, habiendo logrado mantener su capital accionario en manos de sus accionistas. El respaldo financiero de Buffett fue el factor clave que permitió a USG asegurar los fondos necesarios para satisfacer las demandas por asbestos y salir del proceso del Capítulo 11. Smith vendió la mayor parte de sus acciones de USG cuando estas se elevaron por encima de lo que él consideraba era su valor intrínseco, alrededor de $60 la acción, antes de que alcanzaran su punto máximo de $120 la acción, a mediados del año 2006.

"No sea ambicioso ni trate de conseguir el precio más alto posible", dice Smith. "Siempre se debe pensar que las acciones que uno tiene en buenas empresas son acciones que uno debe conservar durante muchos años, mientras estas continúan creando valor. Sin embargo, si el precio de una acción sube muy por encima de la valoración conservadora de la porción del negocio que usted posee, ¡véndala! De ese modo, usted tendrá dinero para adquirir acciones distintas a un precio muy barato cuando encuentre otra gran empresa".

Cuando la bolsa se desplomó a finales de 2008, USG sufrió pérdidas y sus acciones cayeron esta vez a cerca de $5 la acción. Fue otra gran oportunidad de compra ya que Buffett decidió nuevamente invertir en USG para ayudar a la empresa a capear el temporal financiero. ¿A que no adivina quién estaba comprando USG el mismo día, justo antes de que Buffett anunciara su más reciente rescate de la empresa? Smith no cabe en sí de satisfacción y se limita a sonreír. Dice que a Buffett se le conoce por ayudar a salvar las empresas en las que ha invertido, si estas se encuentran en problemas.

Smith sigue prestando mucha atención a lo que hace Buffett. En la primavera del 2008, Buffett adquirió las acciones de NGR, una empresa eléctrica muy bien gestionada, por alrededor de $40 la acción. Con la crisis financiera de finales del 2008, un inversionista podría haber comprado NRG por tan solo $17 la acción. Smith está seguro de que Buffett sabía que las plantas generadoras de electricidad de NRG valían alrededor de $65 la acción cuando él las compró.

¿Creía Smith que adquirir acciones por la mitad de lo que pagó Buffett era una transacción segura? "Nada es seguro en la bolsa", dice Smith. "Siempre hay cierto grado de riesgo. Sin embargo, pagar la mitad de lo que pagó Buffett conlleva menos riesgo que cualquier otro método de inversión que conozco. Buffett está en lo correcto 49 veces por cada vez que se equivoca", observa Smith. Por esa razón Smith se contenta con seguir a Buffett, como un carga bates y recogepelotas que sigue al mejor bateador de inversiones del mundo, parafraseando una analogía utilizada por el propio Buffett.

Prepárese a perder. Smith advierte que la bolsa puede ser irracional. Un inversionista siempre debe estar preparado a sufrir pérdidas en papel antes de que una inversión, que a la larga será exitosa, de frutos. "Tómese las pérdidas en papel con calma", recomienda Smith.

"Así como es poco razonable pensar que usted siempre podrá vender las acciones a su precio más alto, ¿por qué entonces pensar que usted siempre podrá comprarlas a su precio más bajo?"

La inevitabilidad de las fluctuaciones en el precio de las acciones significa que estas nunca deben ser adquiridas con préstamos de margen, que serán requeridos para el pago de devolución si bajaran los precios de las acciones utilizadas como colateral. Smith también aconseja no comprar acciones con fondos que podrían necesitarse en un futuro cercano. "Usted podrá dormir bien si sigue este consejo", concluye Smith. Ahora bien, este parece ser el mejor consejo de todos.

EL SIGUIENTE PASO

Smith recomienda los siguientes libros como guías que le ayudarán a analizar y evaluar sus inversiones:

Los Ensayos de Warren Buffett: lecciones para inversionistas y gerentes
por Warren E. Buffett y Lawrence A. Cunningham

El inversor inteligente
por Benjamin Graham
Prólogo y apéndices de Warren E. Buffett
Versión comentada y actualizada por Jason Zweig

El pequeño libro que bate al mercado: descubra la fórmula más rentable para invertir en Bolsa
por Joel Greenblatt

The Snowball: Warren Buffett and the Business of Life
por Alice Schroeder

Tenga cuidado con los corredores deshonestos

Un corredor de bolsa puede robarle los ahorros de toda la vida. También lo puede hacer un asesor de inversiones. Por ley, los corredores, los asesores de inversiones y sus firmas deben estar registrados o contar con una licencia. Si usted le entrega sus ahorros de jubilación a alguien que no está registrado o que no cuenta con una licencia y este desaparece o se va a la quiebra, tal vez no vuelva a ver ese dinero, incluso si un tribunal falla a su favor. No les dé esa oportunidad. Averigüe en quiénes puede confiar antes de entregar todos sus ahorros.

Haga averiguaciones. El Central Registration Depository (CRD) es un banco de datos computarizado con información sobre los corredores y las firmas para las cuales trabajan. Ahí puede enterarse de los antecedentes académicos y laborales del corredor, así como de:

- Si cuenta con una licencia en su estado.

- Si ha tenido problemas con los reguladores.

- Si otros inversionistas como usted han presentado alguna queja contra él.

Usted no puede acceder al CRD por su propia cuenta, pero un regulador de valores del estado sí puede hacerlo. Llame y solicite la información del CRD sobre el corredor o la firma de corretaje. La Autoridad Reguladora de la Industria Financiera (FINRA, en inglés) también brinda la información del CRD a través de su línea directa BrokerCheck en 800-289-9999. Es mejor llamar primero al regulador de valores del estado, ya que ellos tienen más información, especialmente la que atañe a las quejas de otros inversionistas.

Averigüe también si la firma de corretaje pertenece a la Corporación de Protección al Inversionista en Valores (SIPC, en inglés). Este grupo protege su dinero si una de sus firmas de corretaje se declara en quiebra, de manera similar a como la FDIC asegura su dinero en los bancos miembros. Sin embargo, la SIPC no protegerá su dinero contra las pérdidas del mercado de valores.

Investigue a los asesores de inversiones. Estos deben estar registrados ya sea con el gobierno federal o el gobierno estatal. Incluso los representantes que trabajan para el asesor de inversiones deben contar con una licencia o deben estar registrados a nivel del estado.

Solicite al asesor de inversiones o a su representante que le muestre su formulario ADV. De lo contrario, obténgalo del regulador de valores del estado o en *www.adviserinfo.sec.gov*, el sitio web del servicio de divulgación pública sobre los asesores de inversiones (IAPD, en inglés). La Parte 1 del formulario ADV le dice si reguladores u otros clientes como usted han presentado una queja contra ese asesor. La Parte 2 detalla sus honorarios, sus servicios y sus estrategias de inversión. Lea las dos partes con atención. Hay asesores que también son corredores, así que verifique además la información del CRD, de estar disponible.

Entrevístelos a fondo. Haga preguntas básicas antes de contratar a alguien para que administre su dinero. Averigüe qué productos y servicios ofrece, y cómo cobra por sus servicios: por hora, una tarifa fija o por comisión.

Manera fácil y barata de invertir

Los fondos cotizados en la bolsa (ETF, en inglés) son un híbrido entre las acciones y los fondos mutuos. Con nombres divertidos como *Spiders* o *Cubes*, los ETF invierten en una canasta de acciones o de bonos. La mayoría sigue un índice, como el de S&P 500.

Los ETF se jactan de tener gastos superbajos, incluso más bajos que los fondos mutuos indexados, y son muy eficientes desde el punto de vista de los impuestos. Téngalos en cuenta si dispone de una cantidad fuerte de dinero para invertir, pero no si hace continuas pequeñas aportaciones a sus ahorros de jubilación, ya que usted tendrá que pagar una comisión de corretaje cada vez que compra o vende acciones de ETF.

Ayuda gratuita para comprar acciones

Hoy es más fácil elegir acciones gracias a los "inspectores" de acciones en línea. Simplemente indique a estos programas computarizados qué tipo de acciones busca: el sector industrial, el tamaño de la empresa, la relación precio-ganancias, entre otros criterios. Usted obtendrá al instante una lista de las acciones que satisfacen dichos criterios.

Muchos de los buenos "inspectores" son gratuitos. Antes de pagar por el privilegio de usar uno, pruebe primero uno de estos:

MSN Money	*moneycentral.msn.com*	Haga clic en "Stock Research" y luego en "Stock Screener".
Yahoo! Finance	*biz.yahoo.com/r/*	Haga clic en "Stock Screener".
Morningstar	*www.morningstar.com*	Haga clic en "Tools" y luego en "Stocks", debajo de "Basic Screener".

EL SIGUIENTE PASO

Reciba asesoramiento de los grandes, que sea fácil de leer y de entender. Disfrute de *El inversor inteligente (The Intelligent Investor)*, la obra clásica de Benjamin Graham. Obtenga consejos en línea de Warren Buffet en *www.berkshirehathaway.com*. Lea sus *Cartas a los accionistas de Berkshire (Letters to Berkshire Shareholders)* y el *Manual del propietario (Owner's Manual)*.

Convierta en efectivo los viejos certificados

Los viejos certificados de acciones que solo acumulan polvo en el ático podrían valer su peso en oro. Averiguarlo es fácil con el clic de un ratón o una breve llamada telefónica.

Entérese gratis. Vaya a *www.google.com* e ingrese en la barra de búsqueda el nombre de la empresa que emitió el certificado. Con algo de suerte, los resultados de la búsqueda le dirán si la empresa sigue activa y a cómo se cotizan sus acciones.

Vaya al fondo. Si no encuentra lo que busca en Google, contrate a un profesional. Estos detectives financieros averiguarán que pasó con ese negocio y cuánto valen sus acciones hoy. Incluso si las acciones en sí no valen nada, el certificado puede tener valor como coleccionable. Estos son buenos contactos para averiguarlo:

- El departamento de investigación personalizada de Financial Information Inc.: 800-367-3441 (*Custom Research*)

- OldCompany.com: 888-STOCKS6 o *www.oldcompany.com*

- Stock Search International: 800-537-4523 o *www.stocksearchintl.com*

Sustituya los certificados perdidos. ¿Se le ha perdido un certificado? Tranquilo. Pida a su corredor que averigüe quién es el agente de transferencia, llámelo y solicite una orden de suspensión de transferencia (*stop transfer*, en inglés). Al igual que con una orden de suspensión de pago de un cheque, esta medida impide al ladrón transferir las acciones a su nombre. El agente de transferencia o el corredor también deberán notificar la pérdida de los certificados al programa de valores perdidos o robados de la Comisión de Bolsa y Valores (SEC).

Luego solicite un certificado de remplazo. Póngase en contacto con la compañía que los emitió. Para ello, usted deberá:

- Presentar una declaración jurada explicando lo que usted cree que sucedió con el certificado perdido.

- Comprar un bono de indemnización por un valor de entre el 1 y el 2 por ciento de las acciones perdidas, para proteger a la compañía y al agente de transferencia en caso de que alguien intente cobrar el certificado perdido más adelante.

- Solicitar un nuevo certificado antes de que alguien se presente con el antiguo certificado.

Si llegara a encontrar el certificado perdido, llame al agente de transferencia para anular la suspensión de transferencia. De lo contrario, usted podría tener problemas para vender sus acciones.

Proteja sus ahorros de la incertidumbre

Los bonos ofrecen un refugio seguro para una porción de sus valiosos ahorros de jubilación y, a la vez, le generan ingresos y le evitan el pago de impuestos. Los bonos son parte esencial de cualquier jubilación.

El precio de los bonos suele elevarse cuando cae el mercado, lo que ayuda a amortiguar los agitados vaivenes del mercado. La tenencia de bonos también ayuda a diversificar las inversiones, exponiéndolo a menos riesgos. Además, generan ingresos fijos que usted puede utilizar para vivir o para reinvertir. Sin embargo, no todos los bonos son iguales. Como sucede con las acciones, algunos son seguros, mientras que otros son riesgosos. Elija entre estos bonos de alta calidad:

Bonos emitidos por el Tesoro de Estados Unidos. Son de diverso tipo, desde los bonos del Tesoro y los pagarés del Tesoro hasta las letras del Tesoro y los bonos de ahorro de la serie "I" del Tesoro. Son lo más cercano que hay a una inversión sin riesgos. A fin de cuentas, el gobierno federal puede imprimir su propio dinero. Además, usted no tiene que pagar impuestos sobre la renta a nivel estatal o local sobre los bonos emitidos por el Tesoro de Estados Unidos. Conozca los distintos tipos de valores del Tesoro en *www.savingsbonds.gov* (en inglés).

Bonos municipales. Más seguros que la mayoría, pero no tan seguros como las emisiones del Tesoro de Estados Unidos, estos bonos son emitidos por los gobiernos estatales y municipales para pagar por las carreteras, las escuelas y otros proyectos. La mayoría están exentos del impuesto sobre la renta a nivel federal y, a veces, estatal y local.

Bonos corporativos. Las empresas emiten estos bonos de alta calidad crediticia y entidades independientes, como el servicio para inversionistas de Moody's, los califica. Solamente los bonos triple A y doble A califican como de alta calidad crediticia (*investment grade,* en inglés). Como en la escuela, cuantas más A, mejor. Si bien los bonos con las calificaciones más altas no pagan mucho en intereses, es menos probable que las empresas que los respaldan incumplan sus pagos.

Antes de adquirir un bono, verifique los dos principales sistemas de evaluación: Moody's y Standard & Poor's. Las distintas calificaciones para un mismo bono son, por lo general, una señal de la incertidumbre sobre el futuro de la empresa. No compre bonos sin calificación. Son simple y llanamente demasiado riesgosos.

Compre bonos con grandes descuentos

Los bonos de cupón cero ofrecen una manera de adquirir bonos sólidos y seguros con grandes descuentos. Esto es ideal cuando se cuenta con poco dinero para invertir y se desea estirarlo lo más que se pueda.

- Pague menos de la mitad de su valor nominal. Cuanto mayor el plazo del bono, mayor el descuento. A la fecha de vencimiento, le pagarán todo el valor nominal y la diferencia irá a su bolsillo.

- Los bonos de cupón cero, a diferencia de los bonos comunes, no realizan pagos de intereses hasta el vencimiento del bono. Solo entonces recibe usted todo en un pago único. Los intereses al final dan cuenta de la diferencia entre el precio descontado que usted pagó por el bono y su valor nominal total.

- Incluso si no recibe pagos de intereses mientras que posee el bono, usted paga impuestos a la renta sobre ese bono como si lo hiciera. Debido a que estos impuestos se pagan "por adelantado", usted no deberá pagarlos al vencimiento del bono.

Distintas entidades emiten estos bonos, desde el Tesoro de Estados Unidos hasta los gobiernos municipales y las empresas. Para aprovechar al máximo este tipo de inversiones, haga lo siguiente:

Evite los impuestos. Compre bonos municipales de cupón cero. No pagará impuestos sobre los intereses a nivel federal y, en algunos casos, tampoco a nivel estatal o municipal. Si los "munis" no son una opción, adquiera bonos de cupón cero corrientes a través de una cuenta de jubilación con impuestos diferidos, como una cuenta IRA. Los intereses se acumularán libres de impuestos hasta que usted retire el dinero.

Consiga beneficios aún mayores. Los bonos corporativos cero de alta calidad crediticia presentan mayores riesgos que las emisiones del gobierno, pero ofrecen mayores beneficios potenciales. Eso sí, si la empresa incumple con los pagos, usted podría no recibir nunca los intereses que se le adeudan.

Busque la estabilidad. Si le angustia correr riesgos, adquiera los bonos cero del Tesoro de Estados Unidos, conocidos como valores segregados en capital e intereses o STRIPS, por sus siglas en inglés. No presentan prácticamente ningún riesgo de incumplimiento de pago. No se pueden obtener directamente del gobierno, únicamente a través de instituciones financieras y corredores de bolsa calificados.

Construya una 'escalera' al éxito en el ahorro

Subir una escalera de bonos es mucho menos arriesgado que subir la escalera de casa y mucho menos estresante que subir la escalera corporativa. Además, la recompensa al final merece la pena.

"Escalonar" los bonos simplemente significa comprar varios bonos con distintas fechas de vencimiento, por ejemplo, a un año, a tres años, a cinco años y a diez años. Esto hará que los pagos de intereses que usted reciba sean escalonados, lo que lo protegerá contra la inflación y las fluctuaciones en las tasas de interés de los bonos. Si las tasas que se ofrecen aumentan, usted siempre tendrá un bono que está por vencer y que usted podrá transferir a uno nuevo, que pague más.

En consecuencia, usted obtendrá un retorno por encima de lo normal, ya que usted contará con bonos de corto, mediano y largo plazo, y de rendimientos variados. Cada bono representa un peldaño de su escalera. Cuantos más "peldaños", mayor será la diversificación de sus inversiones. Para obtener los mejores retornos, usted necesita poseer un bono al que le queden por lo menos cinco años.

Construya su escalera con bonos sólidos que tengan poca o ninguna posibilidad de incumplimiento de pago, como los bonos del Tesoro de Estados Unidos. Pero no tiene que ceñirse a un solo tipo. Existe una gran variedad de valores del Tesoro entre los cuales elegir, así como de bonos corporativos o municipales de alta calidad crediticia. Usted puede incluso escalonar los certificados bancarios de depósito. Pero no intente escalonar los fondos mutuos de bonos, debido a que usted no tiene control sobre sus plazos y fechas de vencimiento.

Super**ahorro**

Olvídese de los intermediarios y obtenga bonos y valores gubernamentales directamente del Tesoro de EE. UU. Usted se ahorra la comisión por transacción de $50 que suelen cobrar los corredores de bolsa, los bancos y los agentes. Póngase en contacto con el Tesoro llamando al 800-722-2678 o compre en línea, en *www.treasurydirect.gov* (en inglés).

Los bonos municipales y corporativos, sin embargo, pueden ser complejos. Busque la asesoría de un corredor de bolsa experimentado antes de comprarlos.

Sepa cuándo es el mejor momento para vender

Un cambio en la economía puede inducirle a querer vender sus bonos antes de la fecha de su vencimiento. Sin embargo, es probable que usted no logre obtener por ellos su valor nominal. Dependiendo de varios factores, un bono puede o bien venderse con prima, es decir, por encima de su valor, o bien con un descuento.

Solvencia crediticia. Si la calificación crediticia cae, usted querrá vender por debajo de su valor en lugar de arriesgarse a perderlo todo si la empresa se declara en bancarrota.

Vencimiento. Si quiere su dinero de inmediato, haga un descuento a fin de convertir un bono en efectivo antes de su fecha de vencimiento.

Tasas de interés. En general, cuando las tasas de interés aumentan, el precio de los bonos cae. Y cuando las tasas bajan, los bonos suben. Las tasas de interés son el principal factor para determinar los precios de los bonos y para decidir cuándo vender. Por ejemplo:

- Un bono de $10,000 a un interés del 7 por ciento pagará $700 por año.

- Un bono de $10,000 a un interés del 10 por ciento pagará $1,000 por año.

- Al 10 por ciento, se necesitan únicamente $7,000 para obtener $700 por año.

En términos sencillos, usted pierde $3,000 cuando las tasas pasan del 7 por ciento al 10 por ciento, porque un comprador puede conseguir un retorno mayor sobre $10,000 con un nuevo bono. Si usted quiere vender el suyo, tendrá que descontarlo a $7,000 para que genere ganancias al mismo ritmo que el nuevo bono. Afortunadamente, la caída de los intereses funciona en forma inversa. Su bono valdrá más, ya que pagará mejor que uno nuevo.

A pesar de la relativa seguridad de los bonos, el riesgo de perder dinero es tan real como en el mercado bursátil. Como con todas las inversiones, usted necesita examinar su tenencia de bonos cada año para asegurarse de que se mantienen dentro de sus objetivos.

Esté alerta ante estafa de proporciones históricas

Los estafadores están dando nueva vida a los bonos antiguos. Los bonos históricos alguna vez fueron bonos válidos emitidos por empresas privadas, tales como *Chicago, Saginaw & Canada Railroad*; *East Alabama & Cincinnati Railroad Co.*; *Noonday Mining Co.*, entre otras. Algunos de estos bonos fueron emitidos hace más de 100 años. Hoy en día, solo tienen valor como objetos de colección, ya que no tienen valor alguno como bonos. Tenga mucho cuidado, los estafadores intentarán convencerlo de lo contrario.

Los estafadores intentan vender estos documentos históricos que prácticamente no valen nada a inversionistas desprevenidos, a menudo por mucho más dinero que su valor nominal. Desconfíe de inmediato si alguien que le quiere vender un bono sostiene lo siguiente:

- Que el bono es pagadero en oro. Los tribunales de Estados Unidos han establecido que los términos de estos bonos ya no están vigentes y que no se puede exigir su cumplimiento.

- Que un bono emitido por una empresa privada cuenta con el respaldo del Departamento del Tesoro de Estados Unidos. El Tesoro no respalda bonos de emisores privados.

- Que un bono histórico es parte de una inversión de alto rendimiento. El estafador incluso podrá referirse a los programas "de negociación", "de obligaciones" o "de avisos a mediano plazo" de los "principales bancos ". Ninguno de esos programas existe.

- Que un evaluador independiente ha garantizado que el bono vale una fortuna. Con frecuencia, estos tasadores son cómplices de los estafadores.

No se deje tentar por esta "oportunidad histórica" y opte mejor por adquirir bonos reales y de emisión reciente.

Ahorros
a prueba de
estafas

Evite ser objeto de fuertes sanciones

Las cuentas de jubilación tienen reglas estrictas acerca de cuándo puede usted retirar su propio dinero. Cometa una equivocación y las multas se llevarán una buena parte de sus ahorros.

La regla más importante que usted debe recordar es no retirar dinero de una cuenta de jubilación antes de cumplir los 59 años y medio. Esta regla es válida para los planes 401k, para las cuentas IRA e, incluso, para las anualidades. Lo que el gobierno busca es que usted no toque ese dinero durante el mayor tiempo posible, para que este crezca lo suficiente como para cubrir sus necesidades durante la jubilación.

Con ese propósito el Tío Sam ha establecido sanciones drásticas: si retira ese dinero antes de tiempo, usted deberá pagar de inmediato no solo el impuesto a la renta sino un impuesto adicional del 10 por ciento por concepto de "distribución anticipada". Afortunadamente usted puede librarse de dicha sanción si:

- Tiene alguna discapacidad.

- Necesita el dinero para cubrir gastos médicos.

- Lo recibe como dividendos de un plan de propiedad de acciones para empleados (ESOP, en inglés).

A veces usted puede tomar el dinero como préstamo, pero debe devolverlo en cierto plazo. Algunos planes 401k, pero no todos, permiten retiros anticipados a las personas que tienen 55 años o más el año en que se jubilan.

Es posible que usted pueda retirar dinero de una cuenta IRA anticipadamente si lo hace a través de lo que el IRS llama "pagos periódicos sustancialmente iguales". El monto de estos pagos depende de su expectativa de vida y puede calcularse de tres maneras. Las calculadoras gratuitas en línea de *www.72t.net* (en inglés) pueden ser útiles, aunque es aconsejable solicitar que un contador público o un asesor financiero certificado revise los números. Si usted calcula mal el cronograma de pagos o el monto de los pagos, el IRS le impondrá una sanción retroactiva del 10 por ciento, más los intereses.

Haga que su dinero le dure toda la vida

No permita que el miedo a quedarse sin dinero durante su jubilación le quite el sueño. Descanse tranquilo. Usted puede estirar sus ahorros hasta pasados los 90 años siguiendo la sencilla regla del 4 por ciento.

Los expertos sostienen, en general, que usted puede hacer uso del 4 por ciento de sus ahorros de jubilación cada año a partir de los 60 años de edad. Usted retiraría 4 por ciento el primer año, luego ligeramente más los años siguientes para contrarrestar la inflación.

Usted también puede ajustar sus retiros dependiendo del interés que generen sus inversiones. Retire más los años en que los intereses sean mayores y haya ganado más del 4 por ciento sobre la inflación. Recorte sus gastos y retire menos los años en que sus inversiones rindan menos.

Los expertos recomiendan esperar tanto como sea posible para retirar el dinero de una cuenta IRA, de una 401k y de otras cuentas de jubilación de impuestos diferidos. La espera permite que el interés compuesto aumente lo máximo posible, aumentando así sus fondos de jubilación.

HAGA QUE EL DINERO TRABAJE PARA USTED

Calcular cuánto dinero necesita en su cuenta de jubilación es muy fácil. Sume todas las fuentes de ingresos, sin contar las cuentas de jubilación, luego reste todos los gastos previstos. Si usted obtiene un número negativo, necesitará recurrir a sus ahorros de jubilación para cubrir la diferencia. Divida esta diferencia por cuatro por ciento o por el porcentaje que planea retirar cada año.

Por ejemplo, si usted necesita $12,000 adicionales al año para cubrir sus gastos, entonces divida $12,000 por 0.04. La respuesta es $300,000 dólares. Esa es la cantidad de dinero que usted necesita en su cuenta de jubilación para poder retirar $12,000 al año de por vida.

Esquive esta trampa tributaria disimulada

Usted recibirá una sanción no solo por retirar dinero antes de tiempo sino también por retirarlo demasiado tarde. Es un error de buena fe que cometen muchas personas, pero que podría costarle la mitad de sus ahorros para la jubilación.

El año en que cumple 70 años y medio, usted debe empezar a retirar dinero de la mayoría de sus cuentas de jubilación, incluidos los planes de ahorro de la empresa donde trabajó y las cuentas IRA tradicionales, reasignadas o SEP. El IRS incluso tiene un nombre para estos retiros obligatorios: distribuciones mínimas requeridas (RMD, en inglés). Por supuesto, siempre hay excepciones. Usted no tiene que hacer estos retiros obligatorios si se trata de:

- Una cuenta IRA Roth que usted abrió.

- De una anualidad de impuestos diferidos hasta cumplir 90 años, siempre y cuando la haya adquirido fuera de su lugar de trabajo.

- De un plan de jubilación de la empresa si usted todavía trabaja ahí, sin importar su edad. Sin embargo, usted sí debe empezar a retirar dinero a partir del primero de abril del año siguiente al que dejó de trabajar.

Si no cumple con el plazo de las RMD, usted recibirá más que una llamada de atención. El IRS confiscará la mitad del dinero restante que usted debería haber retirado ese año y se quedará con él.

Averigüe la fecha de inicio. Marque su cumpleaños en un calendario. Ahora avance seis meses y marque la fecha en la que cumplirá 70 años y medio. Luego prosiga al primero de abril del año siguiente. Esa es su "fecha de inicio obligatorio" (RBD, en inglés) o la fecha límite en la que usted debe tomar su primera distribución obligatoria. Esta fecha solo cuenta para el primer año que usted retira una RMD. A partir de ese año, la fecha límite siempre será el 31 de diciembre.

Aumente sus ahorros. Encuentre nuevamente el primero de abril y luego retroceda cuatro meses para llegar al mes de diciembre. Averigüe cuánto dinero tenía en todas sus cuentas de jubilación al 31 de diciembre. Usted necesitará calcular las cantidades de cada cuenta IRA tradicional, SEP o SIMPLE que tenga. Establezca una columna para cada cuenta.

Estime su esperanza de vida. La RMD se basa en su expectativa de vida. Llame al IRS al 800-829-3676 y solicite la Publicación 590 u obténgala en el sitio web del IRS, en *www.irs.gov.* ¿Qué edad tenía usted el 31 de diciembre? Basándose en esa edad, averigüe su expectativa de vida en el cuadro *Uniform Lifetime Table* (en inglés).

Calcule su RMD. Divida el dinero total de cada columna por su expectativa de vida para obtener la RMD para cada grupo de cuentas. Las RMD cambian cada año porque su expectativa de vida también cambia. Usted tendrá que volver a calcular la RMD cada año. Usted puede retirar el importe total de la RMD de una sola vez o en cantidades más pequeñas a lo largo de todo el año. Recuerde, la RMD es simplemente la cantidad mínima que usted debe retirar. Usted siempre puede retirar una cantidad mayor.

Cualquiera que sea su decisión, no espere el último minuto. Usted debe retirar el dinero cada año antes del 31 de diciembre, pero los expertos recomiendan hacerlo alrededor del Día de Acción de Gracias para darse el tiempo suficiente y evitar la multa del 50 por ciento.

NO OLVIDAR

Empiece a retirar el dinero de la mayoría de sus cuentas de jubilación el año después de cumplir los 70 años y medio. De lo contrario, tendrá que afrontar las duras sanciones del IRS.

Líbrese de la sanción declarando la verdad

Si usted tomó la distribución mínima requerida (RMD, en inglés) incorrecta o si olvidó tomarla, no esconda la cabeza en la arena con la esperanza de que el IRS no se dará cuenta. Se dará cuenta.

Lo mejor es solicitar una exención al presentar su declaración de impuestos de ese año. Declare la cantidad que olvidó retirar en el formulario 5329 y adjúntelo a su formulario 1040. Luego adjunte una carta breve explicando por qué no retiró la RMD correcta. Tal vez usted no sabía que debía hacerlo o se equivocó en los cálculos. Sea cual sea la razón, diga la verdad. En muchos casos, el IRS anulará la sanción. Pero no lo hará de modo automático, así que asegúrese de solicitarla.

Truco simple para favorecer sus ahorros

Las personas que se jubilan con un millón de dólares en el banco no son genios de las finanzas, sencillamente conocen los secretos de la distribución de activos y del "reequilibrio".

La distribución de activos es la forma como usted invierte sus ahorros de jubilación, teniendo en cuenta su edad y su tolerancia al riesgo. Un buen asesor financiero puede ayudarle a lograr el equilibrio ideal.

Digamos, por ejemplo, que usted empieza con 50 por ciento en acciones, 35 por ciento en bonos y 15 por ciento en un fondo del mercado financiero. Usted debe procurar mantener ese equilibrio. Supongamos que le va bien en el mercado bursátil y, en un año, las acciones llegan a ser el 70 por ciento de su cartera de valores, los bonos solo el 20 por ciento y el fondo del mercado financiero apenas el 10 por ciento. Ahora usted tiene demasiado dinero en acciones. Usted podría vender algunas acciones para invertir ese dinero en bonos y fondos y así volver a su objetivo original de 50-35-15.

El Centro de Investigación Financiera Schwab determinó que el "reequilibrio" anual de la cartera de jubilación reduce los riesgos y mejora el rendimiento a largo plazo. Schwab sugiere "reequilibrar" al menos una vez al año o cada vez que su distribución de activos se aleje del objetivo original en más de un 5 por ciento.

Los cinco mayores errores de inversión

Estos cinco errores pueden descarrilar sus planes de jubilación:

Solo ir a lo más seguro. Por lo general, mientras más segura es una inversión, menos intereses gana. Las cuentas de ahorros y los fondos del mercado de valores pueden ser seguros, pero pueden no pagar los intereses suficientes para contrarrestar la inflación.

Las inversiones de mayor rendimiento son las que aprovechan mejor la capitalización compuesta, el mayor descubrimiento matemático según Albert Einstein. Cuando usted deposita $2,000 en una cuenta de ahorros que paga 3 por ciento de interés compuesto anualmente, ganará $60 en intereses al cabo de un año. Al año siguiente usted nuevamente ganará intereses, pero ya no sobre los $2,000 originales, sino sobre $2,060. Eso significa que ganará $61.80 en intereses.

El interés compuesto ayuda a que su dinero crezca de manera increíblemente rápida. Es poco probable que esto suceda si usted mantiene todo su dinero en una cuenta de ahorros, porque ese tipo de cuenta paga muy poco interés. Las acciones bursátiles en la forma de fondos mutuos y de fondos indexados le ofrecen mayores probabilidades de no solo alcanzar sus metas de ahorro para la jubilación, sino de hacer que su dinero le dure toda la vida.

No diversificar. Jugárselo todo a una sola carta es una fórmula para el desastre. Lo mismo ocurre con las acciones de la bolsa. Esa es la razón por la cual los asesores financieros sugieren diversificar sus activos entre diferentes fondos mutuos, fondos indexados, bonos, bonos del Tesoro y otros tipos de inversiones.

Endeudarse para invertir. No caiga en la tentación de pedir un préstamo en contra de su casa, sus tarjetas de crédito o su futuro para invertir en la bolsa o en bonos. Las inversiones podrían generar menos en intereses de lo que usted deberá pagar por el dinero prestado. Además, los ciclos de la bolsa de valores no son lo suficientemente estables como para garantizar un buen rendimiento.

Apostar en contra del futuro. De la misma manera, no saque dinero de su 401k, su IRA u otras cuentas de inversión para hacer pagos. Usted no solo dejará de beneficiarse del interés compuesto, sino que es posible que tenga que soportar fuertes multas e impuestos.

Rendirse cuando las cosas van mal. Todo lo que sube tiene que bajar y la bolsa de valores no es una excepción. Si retira todo su dinero durante las épocas malas, usted hará precisamente lo contrario de lo que recomiendan los inversionistas experimentados: venderá cuando los precios están bajos y perderá la oportunidad de comprar acciones baratas.

Ni siquiera los expertos pueden predecir los movimientos del mercado. Así que no lo intente usted. Consulte con un asesor financiero acerca de su distribución de activos. Opte por una combinación de inversiones que corresponda a su edad y a su tolerancia al riesgo, y procure "reequilibrar" su cartera de inversiones por lo menos una vez al año.

Asegure su futuro con un buen asesor financiero

Piense en ellos como médicos para su cuenta bancaria. Un buen asesor financiero puede encaminarlo hacia una jubilación larga y feliz.

Cualquiera puede hacerse llamar planificador financiero, pero solo algunos títulos profesionales dan cuenta de su educación y experiencia. Los planificadores financieros certificados (CFP, en inglés) tienen más formación, seguidos de cerca por los asesores financieros colegiados (ChFC). A los contadores públicos certificados (CPA) que han tomado cursos adicionales en planificación financiera se les conoce como especialistas financieros personales (PFS). Antes de contratar a alguien:

- Pregunte cómo cobran sus honorarios y cuánto suelen cobrar. Obtenga dicha información por escrito. Los expertos que solo cobran honorarios pueden ser caros, pero puede que usted prefiera trabajar con ellos que con los que ganan comisiones sobre los productos que recomiendan.

- Averigüe cuánto tiempo han sido asesores financieros y para qué empresas han trabajado. ¿Se especializan en ciertas áreas? Busque a alguien que pueda atender sus necesidades.

- Entrevístelos a fondo sobre su estilo de inversión y asegúrese de que este es compatible con el suyo. Si usted tiende a ser cauteloso, nunca contrate a quien le guste correr riesgos.

- Consiga una copia de su historial disciplinario, llamado IARD, del regulador de valores de su estado.

- Pregúntele qué agencias gubernamentales u organizaciones profesionales rigen su actuación y luego contacte a esas entidades para verificar sus antecedentes. Para los CFP, llame a 888-CFP-MARK o vaya a *www.cfp.net* (en inglés).

- Constate si los clientes o los reguladores han tenido problemas con un planificador, visitando el sitio de la Comisión de Bolsa y Valores en *www.sec.gov/investor/brokers.htm* (en inglés).

EL SIGUIENTE PASO

Las organizaciones profesionales pueden ayudarle a encontrar a expertos capacitados y de confianza. La Asociación de Planificación Financiera (FPA) le asistirá principalmente con los CFP, a través de su sitio web *www.fpanet.org* (en inglés) o si llama al 800-282-7526. Para obtener ayuda de la Asociación Nacional de Asesores Financieros Personales (NAPFA) vaya a *www.napfa.org* (en inglés) o llame al 888-333-6659.

Ayuda gratuita para administrar su dinero

En todo el país hay asesores financieros que ofrecen ayuda gratuita a personas como usted. Solo necesita saber dónde encontrarlos.

Súbase al "autobús del dinero". La asesoría financiera y los seminarios gratuitos impartidos en inglés son parte de la gira de *"Your Money Bus"*, una iniciativa patrocinada por la Asociación Nacional de Asesores Financieros Personales (NAPFA), la Fundación para la Educación del Consumidor, TD Ameritrade y la revista *Kiplinger's Personal Finance*. Para conocer las fechas de estas actividades en su ciudad vaya a *www.YourMoneyBus.com* (en inglés).

Solicite un chequeo financiero. Los planificadores financieros certificados (CFP, en inglés) ofrecen talleres gratuitos y ayuda personalizada en temas de jubilación, patrimonio, seguros y planificación de inversiones durante los talleres ofrecidos por el Consejo de Normas de Planificadores Financieros Certificados. Para obtener información sobre estos servicios, llame al Consejo de CFP al 800-487-1497.

Llame para pedir ayuda. Usted puede recibir asesoría financiera gratuita por teléfono y a través de charlas en vivo por Internet con los miembros de la Asociación Nacional de Asesores Financieros Personales (NAPFA) varias veces al año gracias a la NAPFA y a la revista *Kiplinger's Personal Finance*. Visite el sitio web de la NAPFA *www.napfa.org* (en inglés), para obtener más información.

Recurra al Tío Sam. Solicite un paquete gratuito de publicaciones de educación financiera del gobierno federal llamando a 888-MY-MONEY. O visite el sitio en español *www.mymoney.gov/contact-us-es.html,* para obtener información sobre temas como seguros, manejo de deuda y crédito, planear para el retiro y derechos del consumidor.

EL SIGUIENTE PASO

Muchas organizaciones y compañías de planificación financiera ofrecen artículos gratuitos de autoayuda en sus sitios web:

- *www.napfa.org/consumer/index.asp*
- *www.kiplinger.com*
- *www.fpaforfinancialplanning.org*
- *www.cfp.net/learn*

En inglés y español:

- *www.mymoney.gov* (haga clic en "Español")

Deles una patada a los estafadores financieros

Hay estafadores de todos los colores. Algunos usan trajes elegantes y se hacen llamar agentes o expertos financieros. Afirman que pueden producir rendimientos increíbles con su dinero. Aprenda a reconocerlos y a diferenciar a los verdaderos expertos de los impostores.

No de crédito a seminarios que hacen promesas increíbles. Incluso si ocurren en el trabajo, pueden no estar respaldados por su empleador. En estos seminarios abundan los "expertos" financieros sin escrúpulos. Tenga cuidado con quienes le digan que:

- Cualquiera se puede jubilar anticipadamente.

- Usted puede ganar tanto dinero después de jubilarse como cuando trabajaba.

- Usted puede obtener un retorno del 12 por ciento sobre sus inversiones.

- Usted puede retirar 7 por ciento o más al año de su cuenta de jubilación y no quedarse sin dinero.

Promesas como estas sugieren que su dinero será colocado en inversiones de alto riesgo.

Proteja sus ahorros. Piense dos veces antes de convertir en efectivo su pensión, su 401k u otro plan de la empresa. Un agente o asesor de poca confianza puede presionarle para que se jubile prematuramente, cobre sus planes de retiro e invierta su dinero con ellos. Antes hable con un experto fiscal para averiguar cuánto tendría que pagar en impuestos. Busque el consejo sólido de un planificador financiero certificado para saber si tendrá suficiente dinero para vivir.

No ceda el control. Nunca haga negocios con alguien que ejerza presión para que le ceda el control total sobre sus inversiones.

Busque una segunda opinión. Pida a alguien de su confianza, preferiblemente un abogado o un asesor financiero, para que revise cualquier contrato antes de que usted lo firme.

Aléjese. Diga "no gracias" si un agente o asesor financiero no está dispuesto a darle tiempo para pensar y estudiar sus opciones. Es más, verifique sus antecedentes o solicite asesoramiento de un tercero.

Presente su queja. Póngase en contacto con la Autoridad Reguladora del Sector Financiero (FINRA, en inglés) si tiene alguna pregunta o queja sobre las recomendaciones de jubilación anticipada que ha recibido. Visítelos en línea en *www.finra.org/complaint* (en inglés) escriba al departamento de quejas y sugerencias a: FINRA Complaints and Tips, 9509 Key West Avenue, Rockville, Maryland 20850-3329.

Ponga freno a las ofertas preaprobadas

Todas esas ofertas que le prometen miles de dólares de crédito fácil no solo llenan su buzón de correo no deseado, también son pasto fácil para los ladrones que intentan robar su identidad. Defiéndase de estos ladrones optando por la exclusión voluntaria a las ofertas preaprobadas.

Esta acción detiene las ofertas de crédito en su origen: las agencias de información crediticia. Para solicitar que se le excluya de las listas de envío llame al 888-567-8688. Usted tendrá que proporcionar su nombre, número de teléfono y número de seguro social, pero la información es confidencial y solo será utilizada para procesar su pedido.

Usted también puede optar por la exclusión voluntaria por escrito. Envíe una carta a las principales agencias de información crediticia, indicando su nombre completo, número de seguro social, fecha de nacimiento y la dirección actual que desea eliminar. También puede optar por no recibir correo publicitario de ningún tipo. Envíe la misma carta a la Asociación de Marketing Directo (DMA, en inglés) a: Direct Mail Association, Mail Preference Service, P.O. Box 643, Carmel, Nueva York, 10512. Usted seguirá recibiendo algún correo publicitario, pero la cantidad será bastante menor durante los próximos cinco años.

Proteja su crédito de manera gratuita

Usted tiene derecho a recibir una copia gratuita de su informe de crédito una vez al año, gracias a la Ley de información justa sobre crédito, del gobierno federal. Usted también puede verificar que su informe no contenga errores antes de solicitar un préstamo, un seguro o incluso un trabajo, sin tener que pagar por una copia de su informe.

Eliminar la información errónea y negativa puede aumentar las probabilidades de obtener buenas tasas de interés en préstamos y de obtener un empleo. Revisar su informe de crédito también le protege contra los ladrones de identidad, ya que usted puede detectarlos rápidamente si abren una cuenta o solicitan un préstamo a su nombre.

Pida su copia llamando al 877-322-8228 o visitando el sitio web *www.annualcreditreport.com.* Usted necesitará proporcionar su nombre, dirección, número de seguro social y fecha de nacimiento. El sitio web le hará entrega de su informe de inmediato, pero si lo solicita por teléfono puede tardar hasta 15 días en llegar.

Un solo informe gratuito al año puede parecer poco, pero la ley también garantiza una copia gratuita si:

- Usted recibe asistencia social.

- Usted no tiene empleo y buscará trabajo en los próximos 60 días.

- Usted descubre que el informe es incorrecto debido a actividades fraudulentas, como el robo de identidad.

- A usted se le ha denegado un crédito, un seguro o un trabajo debido a su informe de crédito.

Usted puede solicitar otra copia de su informe de crédito de cada una de las tres agencias de informe crediticio, aun cuando ya haya solicitado su copia gratuita anual, pero tendrá que pagar hasta $10.50 por copia.

¡ALERTA!

Tenga cuidado con falsos informes de crédito "gratis" de otros sitios web. Solo *www.annualcreditreport.com* está autorizado para procesar su solicitud de informe de crédito en forma gratuita. Otros podrían estar suscribiéndole a un servicio pagado o simplemente intentan obtener su información personal. Tenga cuidado al escribir la dirección. Algunos sitios web de impostores utilizan versiones mal escritas de la dirección *www.annualcreditreport.com.*

Defiéndase de los ladrones de identidad

Un ladrón que le roba su identidad puede causarle mucho más daño que uno que le roba su televisor. En el año 2008, casi 10 millones de estadounidenses sufrieron el robo de sus identidades, lo que les costó un promedio de $4,849 a cada uno, según un estudio realizado por Javelin Strategy & Research. Algunos perdieron mucho más.

Sorprendentemente, el principal método de robo de identidad sigue siendo uno anticuado: las pérdidas o los robos de billeteras, tarjetas de crédito y talonarios de cheques constituyeron casi la mitad de todos los casos de robo de identidad en los que se pudo determinar la causa. La Internet, por el contrario, solo representó uno de cada 10 casos.

Una de cada 10 víctimas conocía a la persona que robó su identidad. Lo que es peor, estos ladrones robaron dos veces más dinero que los ladrones desconocidos, porque el robo pasó inadvertido durante más tiempo. Las cerraduras y los sistemas de alarma no detendrán a estos ladrones, pero los siguientes consejos sí podrán hacerlo:

Opte por lo digital. Las facturas de papel y los cheques adjuntos son el objetivo de los ladrones de identidad. Contra todo sentido común, pagar sus cuentas en línea puede resultar más seguro. Para que sea más seguro aún, adquiera los programas antivirus y antiespía más recientes para su computadora y configure el sistema operativo, los programas y el navegador para que se actualicen automáticamente.

Retírese de las listas de correo publicitario. Opte por no recibir las ofertas de tarjetas de crédito preaprobadas y retire su nombre de las listas de correo publicitario para reducir las probabilidades de robo.

Haga papel picado. Invierta en una buena trituradora de papel que convierta el papel en confeti. Destruya el correo publicitario, las cuentas, los viejos estados financieros, los cheques cancelados y todo lo que contenga información personal que un ladrón podría utilizar.

Mantenga privada su privacidad. No dé su número de seguro social, sus números de identificación personal (PIN, en inglés), sus contraseñas o su información financiera sensible a través del teléfono o de la Internet. La excepción: proporcione estos datos solamente si usted marcó el número de teléfono o fue al sitio web que aparece en la parte posterior de la tarjeta de crédito o de otro documento oficial.

Además, usted puede solicitar una licencia de conducir o una tarjeta de identificación emitida por su estado en la que no aparezca su número de seguro social. Y no lleve su tarjeta de Seguro Social consigo.

Lea la letra pequeña. Solo utilice tarjetas de crédito o de débito emitidas por compañías que garanticen que no le harán responsable por compras fraudulentas. Asegúrese de que su banco o compañía de tarjeta de crédito tengan reglas de cero responsabilidad en caso de pérdida o robo. Cancele cualquier cuenta o tarjeta de crédito que no use para disminuir las probabilidades de robo.

Controle la correspondencia. Envíe sus pagos, declaraciones de impuestos y cualquier otro correo importante directamente desde la oficina de correos, no desde el buzón de correo de su casa. Haga que le envíen los nuevos talonarios de cheques al banco en vez de a la oficina de correos, o haga que se los entreguen en su casa vía correo certificado.

Detecte el robo de identidad a tiempo

A diferencia de los robos comunes, no habrá ventanas rotas que le adviertan que su identidad ha sido robada. Es posible que pasen meses sin que usted lo note, a menos que esté atento a estas cuatro pistas:

- Información inexacta en su informe de crédito, como, por ejemplo, cuentas que usted nunca abrió, direcciones en las que nunca vivió y empleadores para los que nunca trabajó.

- Llamadas o cartas de negocios o servicios de cobro de deudas, solicitando que pague por artículos y servicios que usted no compró ni contrató.

- Denegación de solicitudes de crédito o préstamos, o que únicamente le ofrezcan términos malos, como intereses altos, cuando usted sabe que tiene buen crédito. Los estafadores pueden haber destrozado su puntuación de crédito.

- Dejar de recibir facturas y otra correspondencia periódica. Llame a las compañías para saber qué pasó. Los ladrones podrían haber robado su correo, haber asumido el control de la cuenta y haber cambiado el domicilio de facturación para cubrir sus huellas.

Sospeche, también, si recibe por correo tarjetas de crédito que nunca solicitó o facturas y estados de cuentas que no recuerda haber abierto.

Javelin Research & Strategy ha comprobado que descubrir a tiempo el robo de identidad puede limitar los daños y proteger la reputación. Según la Comisión Federal de Comercio, la mejor forma de detectar este fraude es monitoreando sus cuentas y estados bancarios. Lea atentamente los estados financieros mensuales, buscando cargos o retiros que no haya hecho.

Revise su informe de crédito al menos una vez al año, más a menudo si es posible. Compruebe si hay cuentas que usted no abrió, controles de crédito realizados por compañías con las que usted no entró en contacto, deudas inesperadas en cuentas existentes, así como direcciones, empleadores, número de seguro social, nombre o iniciales incorrectos.

¡ALERTA!

Los servicios de seguimiento de crédito que le alertan en caso de que haya actividad sospechosa en una de sus cuentas son costosos y, según advierte la Comisión Federal de Comercio, muchos de estos servicios monitorean solamente a una agencia de informe crediticio, no a las tres.

Antes de contratar este servicio, averigüe bien cuánta protección estará recibiendo. Investigue si hay quejas sobre el servicio que piensa contratar en la oficina de buenas prácticas comerciales o Better Business Bureau, en las agencias de protección al consumidor y en la oficina del Fiscal General del Estado.

Qué hacer si le roban la identidad

Estos primeros pasos son fundamentales para salvar su crédito:

Corra la voz. Coloque una alerta de fraude en sus informes de crédito para evitar que el ladrón abra más cuentas a su nombre. Llame al número gratuito de una de las agencias de informe crediticio. Esa agencia informará de su alerta a las otras dos.

- Equifax: llame al 1-800-525-6285
- Experian: llame al 1-888-EXPERIAN o al 1-888-397-3742
- TransUnion: llame al 1-800-680-7289

Revise su informe. Una vez que haya colocado una alerta de fraude, tiene derecho a una copia gratuita de su informe de crédito de cada agencia. Solicite sus informes y revíselos cuidadosamente. Determine qué cuentas han sido afectadas y asegúrese de que su número de seguro social, dirección, nombre, iniciales y empleadores estén correctos.

Cierre las cuentas malas. Llame a los bancos y empresas de las cuentas afectadas y pida hablar con el departamento de fraude o de seguridad. Explique lo sucedido y luego haga un seguimiento por escrito. En su carta, incluya copias —no los originales— de cualquier documento de prueba que soliciten. Envíe estas cartas por correo certificado y pida un comprobante de entrega. Conserve una copia de cada una y tome nota de cuándo la empresa recibió su carta.

Involucre al gobierno. Presente una queja ante la Comisión Federal de Comercio (FTC, en inglés). Vaya a *www.ftccomplaintassistant.gov* y haga clic en el botón de "FTC Complaint Assistant" para presentar su queja en inglés. Para presentarla en español, vaya a *www.ftc.gov/queja*. Complete el formulario y luego imprima una copia final.

Si usted no tiene acceso a Internet, llame a la línea gratuita de asistencia para casos de robo de identidad de la FTC al 877-ID-THEFT (1-877-438-4338). Presente una queja ante el asesor de robo de identidad y luego pida una copia de este documento, que se conoce como Declaración Jurada de Robo de Identidad de la FTC.

Notifique a la policía. Comuníquese con la policía local o la dependencia policial del lugar donde ocurrió el robo. Si se niegan a redactar un informe policial, llame a la policía del condado o del estado o a la oficina del Fiscal General del Estado. Usted también puede presentar una denuncia por "incidentes varios" con la policía, si no aceptan que usted presente una denuncia de robo de identidad.

Entregue al oficial una copia de la Declaración Jurada de Robo de Identidad de la FTC, si es que ya tiene una. Obtenga una copia de la denuncia policial o el número del informe.

Dispute las deudas fraudulentas. En cuanto a los cargos realizados en una de sus cuentas existentes, llame a la compañía involucrada y solicite que le envíen un formulario para presentar una disputa por fraude. En el caso de nuevas cuentas fraudulentas abiertas a su nombre:

- Pregunte a la compañía si aceptan el informe policial.

- Si no lo aceptan o si usted no tiene un informe policial, pregunte si aceptan la Declaración Jurada de Robo de Identidad de la FTC.

- Si nuevamente se niegan, solicite un formulario para presentar una disputa por fraude, complételo y envíelo por correo a la dirección de facturación de la empresa.

Una vez resuelto el conflicto, solicite a la compañía una carta que indique que las cuentas disputadas han sido cerradas y que las deudas fraudulentas han sido canceladas. Archive esta carta como prueba en caso de que la compañía intente cobrarle la deuda o reporte la deuda a una de las agencias de informe crediticio.

Corrija su historial de crédito. A continuación, escriba a cada una de las tres agencias de informes crediticios y dígales qué información considera usted incorrecta y por qué. Pida que eliminen o que corrijan la información. Usted puede incluir una copia de su informe crediticio con los elementos erróneos encerrados en un círculo. También incluya copias de cualquier documento que apoye su reclamo. Asegúrese de enviar su solicitud por correo certificado, con acuse de recibo.

Restablezca su privacidad. Cree nuevas contraseñas y números de identificación personal (PIN, en inglés) para todas sus cuentas. Pida copias de sus informes crediticios periódicamente el primer año después del robo y verifique que no haya nuevas actividades fraudulentas.

EL SIGUIENTE PASO

Busque ayuda si fue víctima de un robo de identidad. Además de la FTC, estos grupos le ayudarán a recuperar su buen nombre:

Identity Theft Resource Center
888-400-5530 / *www.idtheftcenter.org*

National Consumer League's Fraud Center
202-835-3323 / *www.fraud.org*

Call for Action
301-657-8260 / *www.callforaction.org*

"Congele" el fraude de crédito

El robo de identidad puede destruir su vida. Un "congelamiento de seguridad" es una excelente manera de impedir que los criminales arruinen su buen crédito. Esta medida bloquea el acceso de acreedores y terceros a su informe crediticio lo que, a su vez, impide que los ladrones puedan abrir cuentas a su nombre. Sin embargo, tampoco es la panacea. Un congelamiento de seguridad:

- No le protegerá contra los ladrones que utilicen las tarjetas y las cuentas de crédito existentes.

- No les impide a los ladrones abrir nuevas cuentas que no requieran una verificación de crédito, como es el caso de algunos teléfonos fijos, teléfonos móviles y cuentas bancarias.

- No impide que las empresas con las que usted ya tiene una relación comercial tengan acceso a su informe de crédito.

- No pone fin a las ofertas de crédito preaprobadas.

- No afecta su calificación de crédito.

En algunos estados, cualquiera puede congelar su crédito. En otros, solo las víctimas de robo de identidad pueden hacerlo. La mayoría tendrá que pagar hasta $10 a cada una de las agencias de informe crediticio. Sin embargo, en muchos estados las víctimas de robo de identidad pueden solicitar este "congelamiento" de manera gratuita.

Para protegerse usted deberá comunicarse con cada una de las agencias de informe crediticio. Equifax requiere una notificación por escrito, pero TransUnion y Experian le permiten solicitar un "congelamiento" por teléfono o por correo. Si les escribe, incluya su nombre completo, su fecha de nacimiento, su número de seguro social, su dirección postal actual y las que tuvo durante los dos años anteriores, una fotocopia de su licencia de conducir o de una tarjeta de identificación oficial, alguna prueba de su dirección actual, como la copia de una factura de servicios públicos reciente, más el pago.

Para solicitar un "congelamiento" por teléfono, llame a Experian al 866-580-2347 y a TransUnion al 888-909-8872. O envíe por correo su solicitud, más los documentos y el pago, a:

Equifax Security Freeze
P.O. Box 105788, Atlanta, GA 30348

Experian Security Freeze
P.O. Box 9554, Allen, TX 75013

TransUnion
Fraud Victim Assistance Department
P.O. Box 6790, Fullerton, CA 92834

Tenga presente que si solicita un préstamo o una tarjeta de crédito, usted tendrá que suspender temporalmente el "congelamiento" y, con frecuencia, deberá pagar un cargo por esa suspensión. Para ello, deberá utilizar el número de identificación personal (PIN) que cada agencia de crédito le ha proporcionado.

Gánele la partida al IRS

Reduzca los impuestos a la propiedad trabajando

Con una mínima inversión de su tiempo usted podría eliminar los impuestos sobre la propiedad y, lo más sorprendente de todo, por cortesía del gobierno.

En pueblos, ciudades y condados de todo el país se está ofreciendo un nuevo programa para personas de la tercera edad. Gracias a este programa, los adultos mayores pueden reducir o eliminar su factura de impuestos sobre la propiedad trabajando a tiempo parcial para el gobierno local. Los residentes de Boulder, Colorado, por ejemplo, pudieron aliviar sus impuestos trabajando en jardinería, reuniendo información climática, recortando periódicos y atendiendo la caseta de información del juzgado. En Massachusetts, los participantes de este programa redujeron sus impuestos realizando tareas de investigación, ingreso de datos y jardinería. Es más, algunas personas solamente necesitan trabajar unas cuantas semanas al año para eliminar sus impuestos. Averigüe si su gobierno local ofrece un programa similar.

NO OLVIDAR

Una vez que reciba su factura de impuestos, usted solo tiene cierto número de días para presentar una apelación ante la autoridad tributaria. Llame a la oficina de su asesor de impuestos para averiguar cuál es la fecha límite. Puede que tenga que esperar por lo menos un año antes de poder apelar. También pregunte qué formularios se requieren y qué otros plazos debe cumplir.

Apele para reducir sus impuestos a la propiedad

Los impuestos sobre la propiedad dependen de la estimación que hacen las autoridades locales del valor de su vivienda. Pero las cifras de la Unión Nacional de Contribuyentes sugieren que con frecuencia esos valores son demasiado altos. Usted puede evitar que le cobren más impuestos sobre la propiedad de los que le corresponden. Presente una apelación y es posible que su factura de impuestos disminuya.

Aprenda a calcular el valor de la base imponible. Este valor se puede calcular en función del costo de reconstrucción, de un porcentaje del valor estimado de su vivienda, del valor de las ventas recientes de viviendas similares o de algo enteramente distinto. Llame a la oficina del tasador y pregunte qué métodos o porcentajes utilizan. También pregunte cómo presentar una apelación si fuese necesario.

Determine si usted tiene un caso. Solicite los documentos que se utilizaron para valorar su vivienda. Cuando los reciba, encuentre la copia de su tarjeta de propiedad. Esta tarjeta describe las características de la vivienda que afectan su valor imponible, como la superficie en pies cuadrados o el número de baños. Verifique si hay algún error. Estas tarjetas pueden contener errores debido a plazos muy justos, inspecciones apresuradas y altas cargas de trabajo.

Aun si usted no encuentra errores en la tarjeta de propiedad, existe la posibilidad de que el valor de su vivienda sea incorrecto. Si encuentra viviendas similares a la suya que se han vendido o han sido tasadas en al menos un 10 por ciento por debajo del valor de su vivienda, usted podría tener un caso. "Similar" significa una vivienda de tamaño más o menos igual, de aproximadamente la misma antigüedad y, de preferencia, con el mismo número de dormitorios y baños. Si las viviendas de sus vecinos califican como similares, busque sus valoraciones en la oficina del tasador. O bien busque entre cinco y diez casas similares que se hayan vendido recientemente o durante el tiempo en que su casa fue tasada. Un agente inmobiliario puede ayudarle a conseguir esta información.

Invoque a su Perry Mason interior. Si usted encontró un error en la tarjeta de su propiedad o tiene conocimiento de que viviendas similares han sido tasadas como mínimo en un 10 por ciento menos, reúna pruebas para armar su caso. Tome fotos para demostrar que la tarjeta de su propiedad está equivocada, utilice los planos e informes de inspección, o elabore un cuadro que muestre cómo las tasaciones de otras casas difieren de la suya. En otras palabras, prepare su caso como lo haría el abogado Perry Mason antes de presentarse ante un jurado.

Presente su apelación. Averigüe dónde debe presentar los formularios de apelación. Entréguelos en persona o envíelos por correo certificado. Cuando llegue la fecha de la apelación, prepare una presentación de cinco minutos, digna de Perry Mason, para explicar por qué usted debería pagar menos impuestos sobre la propiedad. De ganar el caso, su recompensa será una reducción de los impuestos sobre la propiedad.

Super**ahorro**

Pregunte a un asesor de impuestos acerca de las reducciones o exenciones fiscales especiales sobre la propiedad principal para los adultos mayores, los veteranos, los discapacitados y los propietarios de bajos ingresos. Asegúrese de aprovechar todos los incentivos tributarios que le corresponden.

Alivie el dolor de las facturas médicas

Los gastos médicos que las compañías de seguros no reembolsan pueden ser bastante dolorosos. Afortunadamente, usted cuenta con un último recurso: la deducción de impuestos.

Si usted ha incurrido en gastos no reembolsados para usted y los miembros de su familia, como anteojos, medicamentos de receta, servicios dentales, visitas al médico y pruebas de diagnóstico, súmelos. Usted puede obtener una deducción si el total es más del 7.5 por ciento de su ingreso bruto ajustado (AGI, en inglés). Para comprobar su AGI, vea las líneas 37 y 38 de su formulario de impuestos 1040.

Por ejemplo, si usted tiene un ingreso bruto ajustado de $40,000, entonces el 7.5 por ciento de su AGI es $3,000. Sus gastos médicos no reembolsados deben ser superiores a esa cantidad para tener derecho a la deducción. Si dichos gastos suman un total de $4,200, por ejemplo, entonces exceden su límite de $3,000 en $1,200. De modo que usted tendría una deducción de $1,200 por gastos médicos.

Para beneficiarse de esta deducción, recuerde lo siguiente:

- Usted debe detallar los gastos.

- Los pagos deben ser específicamente para el diagnóstico, la cura, el tratamiento o la prevención de una enfermedad o para cualquier tratamiento que afecte una parte o una función del cuerpo. Los medicamentos de venta libre y los pagos cubiertos por un empleador o por el gobierno no son elegibles.

- La probabilidad de reunir los requisitos para una deducción es mayor si usted puede planificar sus gastos médicos de modo que caigan durante el mismo año tributario.

EL SIGUIENTE PASO

Para saber exactamente qué gastos califican como deducciones médicas, vaya a *www.irs.gov* y busque *"Tema 502, Gastos médicos y dentales"* o llame al 800-829-3676.

Sorprendentes gastos médicos deducibles

Usted puede tener un mayor número de gastos médicos deducibles de lo que cree. Asegúrese de incluir los siguientes:

- **Pagos por transporte.** Cuente las millas recorridas ida y vuelta a los tratamientos médicos si es que conduce. Si usted se ha desplazado en taxi, tren o autobús para acceder a los tratamientos médicos, puede deducir las tarifas que pagó. "Lo que muchos olvidan es que pueden deducir las tarifas de estacionamiento y los costos de peaje pagados cuando se dirigían a la visita médica", dice Angie Grillo, planificadora financiera certificada y fiduciaria acreditada en inversiones, de South County Financial Planning, en Orange County, California. "Además, no hay que olvidar contar las millas recorridas ida y vuelta a la farmacia para recoger medicamentos".

- **Suplementos recetados por el médico.** "Por lo general, las vitaminas y los suplementos se consideran artículos de salud general y, por tanto, no son deducibles. Sin embargo, mucha gente tiene ciertas deficiencias que causan afecciones y que son aliviadas por los suplementos. Si un médico o profesional autorizado receta un suplemento para una condición médica específica y diagnosticada, entonces sí es un gasto deducible", explica Grillo. "Los quiroprácticos pueden diagnosticar este tipo de dolencias. Asegúrese de obtener una carta del doctor con el diagnóstico y el nombre del suplemento para su archivo".

- **Primas.** Las primas privadas complementarias de Medicare o las primas de la Parte B (cobertura complementaria) y la Parte D (cobertura de farmacia) de Medicare son deducibles, añade Grillo. Pero con una restricción: "Si una prima de seguro es reembolsable entonces no es deducible. Si un empleador la reembolsa, es considerado un ingreso exento de impuestos".

- **Profesionales especiales de la salud.** No se olvide de los pagos hechos a su quiropráctico u osteópata.

- **Audífonos y dientes postizos.** Incluya los pagos por audífonos para la sordera o por la dentadura postiza.

- **Lentes para leer y más.** "También se pueden deducir los gastos de los lentes para leer, los lentes de contacto y la cirugía ocular, incluida la cirugía ocular con láser", dice Teri Tornroos, planificadora financiera de Evergreen Financial Planning LLC, en Marietta, Georgia. Los gastos de enfermera privada y la estancia en un hogar de ancianos también son deducibles.

- **Los medicamentos de receta para dejar de fumar.** Incluya los pagos por medicamentos y por participar en un programa para dejar de fumar si estos fueron recetados por un médico.

- **Reducción de peso recetada por el médico.** Si su médico le recomienda bajar de peso debido a una enfermedad específica, como una afección cardíaca, usted puede deducir los pagos que hizo al programa de pérdida de peso.

"Ciertas mejoras permanentes a su vivienda debido a una discapacidad son deducibles", indica Grillo. Estas incluyen las rampas, los pasamanos o las barras de soporte, la ampliación de umbrales, bajar la altura de los gabinetes de la cocina, cambiar la ubicación de tomacorrientes, colocar gradas de acceso o elevadores para las escaleras. Por lo general, los ascensores no son deducibles. "Si usted siente que debe modificar algo en su hogar debido a una discapacidad, lo mejor es contactar a su asesor de impuestos para ver si constituirá una deducción médica", recomienda Grillo. "Guarde todos los recibos de cualquier trabajo realizado".

El secreto de las primas de cuidados a largo plazo

Existe una deducción adicional que usted tal vez no conozca. "Una porción de las primas de seguro de cuidados a largo plazo son deducibles si califican", dice Angie Grillo, planificadora financiera certificada y fiduciaria acreditada en inversiones, de South County Financial Planning, en Orange County, California. "La clave es asegurarse de que usted está comprando una póliza de seguro que reúna los requisitos. Comuníquese con su compañía de seguros y pida que le indiquen en qué parte de su póliza dice que se trata de una póliza calificada. Si su póliza no reúne los requisitos, considere la posibilidad de reemplazar su póliza para acceder a la deducción. A medida que el asegurado envejece, la deducción máxima permitida aumenta".

A continuación, las cantidades máximas de la prima que eran deducibles en el año 2008:

- 40 años o menos: $310

- De 41 años a 50 años: $580

- De 51 años a 60 años: $1,150

- De 61 años a 70 años: $3,080

- De 71 años en adelante: $3,850

"Tenga en cuenta que estas cantidades máximas son por persona", agrega Angie Grillo.

Cuidado con el "impuesto" a la jubilación anticipada

Probablemente ha oído decir que los beneficios del Seguro Social son menores si se jubila temprano, pero una multa poco conocida puede hacer que usted reciba mucho menos aún.

Usted no encontrará esta multa en ningún documento del IRS, sin embargo los expertos afirman que reduce el ingreso tan drásticamente como si se tratase de un impuesto. Este "impuesto" solo afecta a quienes aún no han alcanzado la edad de jubilación exacta establecida por la Administración del Seguro Social. Las personas que sufren esta sanción reciben menos cheques —y menos dinero— del Seguro Social durante los años y meses previos a la edad de jubilación. Pero la multa exacta por retirarse temprano depende de sus ingresos totales y de qué tan lejos esté usted de la edad establecida para su jubilación. (Vea el recuadro *Conozca su edad de jubilación plena* en la página 148 del capítulo *El Seguro Social simplificado,* para conocer su edad de jubilación).

Si aún no ha cumplido la edad de jubilación. Este es un momento difícil para obtener el importe total de su beneficio del Seguro Social.

"En el año 2008, por ejemplo, se le permitía ganar un máximo de $13,560 antes de que sus beneficios se vieran reducidos", dice la planificadora financiera certificada Angie Grillo. "Si usted ganaba más que el máximo permitido, sus beneficios eran reducidos en $1 por cada $2 que ganaba sobre el máximo". Es como si le cobrasen un impuesto del 50 por ciento por cada dólar por encima del máximo.

"Por ejemplo, si usted ganaba $15,000, entonces $1,440 era lo que excedía el máximo permitido de $13,560. En consecuencia, usted recibía $720 menos del Seguro Social", explica Grillo. (Divida $1,440 por dos para obtener esa cantidad o vea el gráfico en la página siguiente).

Si ya alcanzó la edad de jubilación. "En el año 2008, se podía ganar un máximo de $36,120 en los meses anteriores a cumplir la edad de jubilación, antes de que los beneficios se vieran afectados", dice Grillo. Eso fue una mejora considerable sobre el límite anterior establecido. Es más, la multa era bastante menos dolorosa.

"Si usted gana más que el máximo permitido, sus beneficios serán reducidos en $1 por cada $3 que gane sobre el máximo", explica Grillo. Eso significa que se "grava" solo un tercio de cada dólar por encima del máximo, en lugar de la mitad.

En el cuadro de más abajo se explica, por ejemplo, que si usted cumplió la edad de jubilación en noviembre y ganaba $38,000 durante los meses previos, estaba a $1,880 sobre el máximo permitido de $36,120. Divida eso por tres y obtendrá $626.66, es decir, la cantidad en que verá reducido su beneficio del Seguro Social. Sin embargo, si solo ganó $36,000 antes de cumplir la edad de jubilación, su beneficio del Seguro Social no se verá reducido, señala Grillo.

Después de su primer año de jubilación. Una vez que usted alcanza la edad de jubilación plena, sus beneficios del Seguro Social no serán reducidos, no importa cuánto gane en los siguientes años.

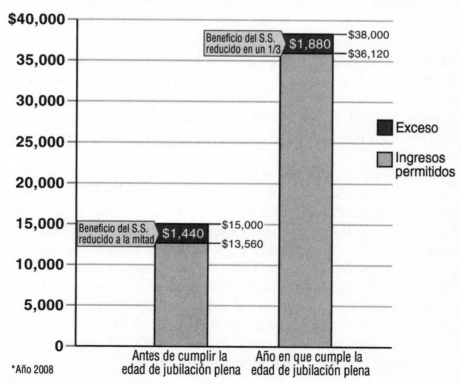

El "impuesto" del Seguro Social por jubilación anticipada*

Sálvese de los impuestos del Seguro Social

"Cerca de un tercio de las personas que reciben beneficios del Seguro Social tienen que pagar impuestos sobre estos beneficios", dice Teri Tornroos, planificadora financiera de Evergreen Financial Planning LLC, en Marietta, Georgia. "Si usted trabaja mientras recibe beneficios del Seguro Social, esto incrementará su ingreso bruto ajustado y es muy probable que acabe en el nivel en el que el 85 por ciento de sus beneficios están sujetos a gravamen", agrega Angie Grillo, planificadora financiera de Orange County, California. "Lo importante es averiguar si sus beneficios se reducirán porque usted está trabajando".

Tenga en cuenta que las siguientes reglas pueden afectar a cualquier persona que esté recibiendo beneficios del Seguro Social, independientemente de si ha alcanzado la edad de jubilación o no.

"Los beneficios del Seguro Social corresponden a uno de estos tres niveles de tributación: están exentos de impuestos, el 50 por ciento de los beneficios están sujetos a impuestos o el 85 por ciento de los beneficios están sujetos a impuestos", explica Grillo.

El nivel de imposición tributaria se basa en "los ingresos totales combinados", lo que se determina sumando el ingreso bruto ajustado más los intereses exentos de impuestos que se generaron (como los bonos municipales o los fondos del mercado monetario exentos de impuestos), más la mitad de los beneficios recibidos del Seguro Social.

Esto puede parecer confuso, pero en realidad no lo es. El ingreso bruto ajustado es la cantidad que aparece en la línea 37 o 38 del formulario 1040 o en la línea 22 del formulario 1040A. Se compone de todos los ingresos sujetos a impuestos, menos las deducciones fiscales permitidas como un ajuste de ingresos. Los ingresos sujetos a impuestos incluyen los sueldos, los salarios, las propinas, los intereses gravables y los dividendos devengados por las inversiones, los reembolsos fiscales locales y estatales, las pensiones por alimentos, las ganancias de capital y las distribuciones de las cuentas IRA y de las pensiones. Las deducciones permitidas son las que se deducen del ingreso bruto para obtener la cantidad del ingreso bruto ajustado.

Una vez que sabe a cuánto ascienden sus ingresos combinados, usted puede tener una idea aproximada de la categoría impositiva que le corresponde. Vea los ejemplos en el cuadro de abajo.

Solteros, jefes de familia o viudos que reúnen los requisitos, con ingresos combinados de:	Casados que presentan una declaración conjunta, con ingresos combinados de:	Impuestos a pagar sobre los beneficios del Seguro Social:
Menos de $25,000	Menos de $32,000	Nada
Entre $25,000 y $34,000	Entre $32,000 y $44,000	50 por ciento de los beneficios recibidos
Más de $34,000	Más de $44,000	85 por ciento de los beneficios recibidos

Consejos para reducir los ingresos gravables

Las siguientes tácticas pueden reducir ya sea sus ingresos sujetos a impuestos o sus entradas de dinero, de modo que usted no tenga que pagar impuestos sobre los beneficios que recibe del Seguro Social. Tenga en cuenta que estas tácticas pueden afectar su situación financiera a largo plazo, así como sus impuestos.

- Evitar las inversiones que generen ingresos gravables, tales como las acciones que pagan dividendos. En su lugar, considere la posibilidad de adquirir acciones que pagan pocos dividendos o no los pagan, o fondos mutuos con manejo de impuestos que prometen poca o ninguna distribución gravable.

- Evitar hacer retiros de las cuentas de jubilación sujetas a impuestos, como las IRA tradicionales y los planes 401k, antes de cumplir 70 años y medio.

- Obtener algún ingreso de las distribuciones de las cuentas IRA Roth, que son libres de impuestos. Antes de probar esto, estudie cómo esto puede afectar su situación financiera a largo plazo. Usted puede decidir que sus finanzas mejorarán si deja que las ganancias de su cuenta Roth sigan creciendo sin tocarlas.

Cuidado con esta complicada ley fiscal. Compre bonos municipales y no tendrá que pagar impuestos sobre los intereses que ganen. Pero, curiosamente, usted deberá contabilizar esos mismos intereses como ingreso, cuando calcule si debe pagar impuestos sobre lo que recibe del Seguro Social. De lo contrario, usted podría tener problemas con el IRS.

Manera segura para recortar los impuestos

Usted puede rebajar sus impuestos y aumentar sus beneficios mensuales del Seguro Social. ¿Cómo? Para los jubilados, las distribuciones de sus cuentas IRA tradicionales y 401k son 100 por ciento imponibles. Si usted a eso le suma lo que recibe por el Seguro Social, es posible que hasta el 85 por ciento de los beneficios del Seguro Social estén sujetos a impuestos. Por esa razón, en lugar de cobrar el Seguro Social cuando llegue a la edad de jubilación, viva durante un tiempo de las distribuciones de sus cuentas sujetas a impuestos, como las IRA y las 401k. Después de todo, si espera hasta los 70 años para empezar a cobrar el Seguro Social, usted recibirá un cheque mensual mayor.

Si usted obtiene el mayor porcentaje de sus ingresos de las cuentas IRA y 401k antes de cumplir los 70 años, pero luego reduce las distribuciones de esas cuentas de jubilación cuando empieza a cobrar los beneficios del Seguro Social, su factura de impuestos total puede disminuir. ¿Por qué? Porque sus ingresos totales sujetos a impuestos serán menores, aunque sus ingresos totales en dólares sean los mismos que antes. Recuerde, lo que recibe del Seguro Social solo se vuelve imponible cuando usted tiene grandes cantidades de otros ingresos al mismo tiempo que recibe beneficios.

Esta estrategia puede no ser adecuada para todos y, de hecho, puede ser una opción equivocada para algunos. Así que antes de tomar una decisión, calcule sus ingresos después de impuestos antes de cumplir 70 años y después de cumplirlos, o bien hable con un asesor financiero.

Cómo ganar miles de dólares libres de impuestos

Si es propietario de una vivienda, usted podría llevarse al bolsillo miles, incluso cientos de miles de dólares exentos de impuestos.

He aquí cómo: si su vivienda ha apreciado en valor o ya pagó parte de la hipoteca, usted podría financiarla nuevamente por más de lo que debe. De ese modo, usted podría pagar la hipoteca "vieja" y quedarse con el remanente de dinero libre de impuestos.

Veamos un ejemplo: Juan compra una casa por $150,000 con una hipoteca de $120,000. Juan va pagando la hipoteca hasta deber solo $108,000. Mientras tanto, el valor de su casa aumenta a $337,500. Si Juan refinancia por $200,000, él podrá pagar los restantes $108,000 de su hipoteca vieja. Y como $200,000 – $108,000 = $92,000, Juan se embolsará $92,000 libres de impuestos.

Por supuesto, ese es dinero que se tiene que devolver. Sin embargo, si usted tiene una razón válida para necesitar un préstamo, la refinanciación puede ser una manera ventajosa de conseguirlo. Pero, recuerde lo siguiente:

- Su prestamista debe aceptar este tipo de préstamo de refinanciamiento.

- Pregunte si los términos del nuevo préstamo reiniciarán el cronograma de pagos, de modo que usted tenga que pagar la hipoteca durante los próximos 30 años.

- Averigüe si existen sanciones por prepago en la hipoteca anterior, antes de solicitar una nueva.

- La forma como se utiliza el dinero remanente puede determinar si el interés del préstamo es deducible en la declaración de impuestos. Si se utiliza para mejoras en la vivienda, el interés podría ser totalmente deducible. Pero si ese dinero se utiliza para cualquier otra cosa, probablemente el monto a deducir disminuirá. Busque la hoja de trabajo en la publicación 936 del IRS para ayudarse a determinar si el interés es deducible.

Un beneficio inesperado de las acciones de la empresa

Si su plan 401k incluye acciones de la empresa, usted podría reducir sus impuestos al jubilarse gracias a un secreto poco conocido.

Cuidado con esta trampa tributaria. Usted tiene más de 59 años y medio, deja su empleo y transfiere todo su 401k, incluidas las acciones de la empresa, a una cuenta IRA. Si lo hace, estas se gravarán a la tasa de ingresos ordinarios cuando retire esas acciones de la IRA como una distribución de jubilación. Si en ese momento la tasa impositiva de ingresos ordinarios es más alta que la tasa de ganancias de capital, usted podría dejar de ahorrar cientos o incluso miles de dólares en impuestos.

Opte por un incentivo fiscal. Si las acciones de su empleador fueron adquiridas a través de un plan de compra de acciones para empleados y puestas en su 401k, parte de esa distribución de 401k durante su jubilación puede ser en acciones. Eso podría hacer que usted califique para un incentivo fiscal conocido como apreciación neta no realizada (NUA, en inglés). "La NUA ocurre cuando el valor de las acciones del empleador aumenta mientras están dentro de un plan calificado", explica la planificadora financiera Teri Tornroos. "Para aprovechar las ventajas de la NUA, la distribución debe ser hecha como acciones de la empresa, no como efectivo".

> **La apreciación neta no realizada** es un incentivo tributario para los jubilados cuyo plan 401k contiene acciones del empleador adquiridas mediante un plan de compra de acciones para empleados.

"No transfiera todo su plan 401k a una cuenta IRA", recomienda la planificadora financiera Angie Grillo. "Para aprovechar la apreciación neta no realizada de las acciones de la empresa que se encuentran en su plan 401k, es importante separar las acciones del empleador del resto de los activos de su 401k". Así que pídale al administrador de su plan de pensiones que transfiera parte o la totalidad de las acciones de la empresa a una cuenta de corretaje imponible y el resto de su 401k a una IRA. Cuando lo haga, usted deberá pagar impuestos sobre la renta, pero solo sobre el precio original de compra de cada acción. Si las acciones de la empresa cuestan más hoy que cuando las compró, usted no tendrá que pagar impuestos sobre las ganancias. La NUA se grava solo cuando se venden las acciones, explica Tornroos. Es por ello que esas ganancias se llaman apreciación "no realizada", ya que aún no se han convertido en dólares "reales" que usted pueda gastar. Si no transfiere las acciones a la cuenta de corretaje, usted tendrá que pagar impuestos sobre esas ganancias. Pero de este modo, usted solo paga impuestos sobre las ganancias de capital cuando venda las acciones. Si la tasa de impuesto sobre las ganancias de capital es inferior a la tasa de impuesto sobre la renta usted podría ahorrar en grande.

HAGA QUE EL DINERO TRABAJE PARA USTED

Durante el tiempo que Juan Jubilado trabajó para la empresa X, 1000 acciones de la empresa X a $10 la acción fueron adquiridas para el plan de compra de acciones para empleados (ESPP, en inglés) de Juan. Estas acciones, por un total de $10,000, pasaron a formar parte del 401k de Juan.

Juan está a punto de retirarse, pero descubre que sus acciones de la empresa han subido a $30 dólares cada una y que su cartera de acciones ahora vale $30,000. Juan transfiere sus acciones de la empresa a una cuenta de corretaje imponible y el resto de su 401k a una cuenta IRA. Como resultado, Juan deberá pagar impuestos sobre la renta sobre el precio original de $10 de cada acción. Eso le deja $20 de cada acción libre de impuestos. Así que su apreciación neta no realizada (NUA, en inglés) es de $20,000 ($30,000 − $10,000).

Juan espera para vender sus acciones hasta que su valor llega a $50,000. Paga impuestos sobre la ganancia de $40,000 a la tasa de ganancias de capital a largo plazo y no a la tasa de ingresos ordinarios. Si su tasa de impuesto sobre la renta es del 25 por ciento y la de las ganancias de capital del 15 por ciento, Juan disfrutará de un ahorro fiscal de $4,000.

Conozca los requisitos. Sepa por qué la NUA no es para todos:

- Usted puede hacer uso de la NUA únicamente si retira el saldo total de todos los planes calificados de su empleador, incluidos los planes de reparto de utilidades, de pensión, de bonificación en acciones y 401k, dentro de un mismo año.

- Solamente las acciones de la empresa adquiridas a través de una combinación de contribuciones del empleador y dinero del empleado antes de la deducción de impuestos califican para este incentivo tributario.

- La NUA es más beneficiosa para quienes, encontrándose en las categorías impositivas más altas, tienen acciones de la empresa cuyo valor se ha apreciado bastante.

Hable con un asesor fiscal o un planificador financiero para asegurarse de estar haciendo correctamente todo lo relacionado con la NUA.

¡ALERTA!

Si usted vende sus acciones "NUA" antes de que se cumpla un año de la fecha de haberlas transferido a una cuenta imponible, puede que se le aplique una tasa impositiva de ganancias de capital *a corto plazo* más alta sobre cualquier ganancia obtenida por dichas acciones ese año. Las ganancias obtenidas antes de la transferencia de NUA aún caen dentro de la tasa de ganancias de capital *a largo plazo*, que suele ser menor.

Obtenga un crédito tributario para sus ahorros

"Si realiza aportaciones elegibles a determinados planes de jubilación, como un plan calificado IRA o 401k, usted puede tener derecho a un crédito fiscal de hasta $1,000 si presenta una declaración individual, y de hasta $2,000 si presenta una declaración conjunta", afirma Gina L. Gwozdz, CPA. Para calificar para el crédito del ahorrista:

- Usted debe haber contribuido a una cuenta 401k, IRA tradicional, IRA Roth, SEP, SIMPLE, 403b u otro plan de jubilación calificado durante ese año fiscal.

- "En 2008, este crédito se eliminó gradualmente para los contribuyentes con ingresos superiores a $26,500 si estaban casados y declaraban por separado; $53,000 si estaban casados y declaraban conjuntamente y $39,750 si declaraban como cabeza de familia", dice Gwozdz. Eso significaba que el ingreso bruto ajustado, la cantidad de la línea 37 o 38 del formulario 1040, tendría que haber sido menor que dichas cantidades en el año 2008. Tenga en cuenta que estas cantidades "tope" cambian.

- Usted no debe aparecer como dependiente en la declaración de impuestos de otro contribuyente o ser un estudiante a tiempo completo.

- Usted debe presentar el formulario 8880 del IRS, disponible gratuitamente en *www.irs.gov* o llamando al 800-829-3676. Este formulario muestra los límites de ingresos actuales para calificar para este crédito fiscal y le ayudará a calcular la cantidad del crédito que usted debería recibir.

Para obtener más información, revise el formulario 8880.

¡ALERTA!

El hecho de retirar dinero de un plan de jubilación o de recibir distribuciones puede reducir o eliminar el crédito del ahorrista.

Nueva exención tributaria por viudez

Usted acaba de perder a su esposo y una amiga le dice que debe vender su casa dentro de un año o enfrentará fuertes sanciones tributarias. Eso ya no es así. Siempre y cuando no se haya vuelto a casar, usted puede esperar hasta dos años después de la fecha de la muerte de su cónyuge para vender su casa y quedarse con hasta $500,000 en ganancias libres de impuestos. Así tendrá más tiempo para organizarse y crear un mejor futuro financiero con los beneficios de la venta de su casa. Para conocer los requisitos que usted deberá cumplir, visite *www.irs.gov* o llame a la línea de ayuda del IRS al número gratuito 800-829-1040.

Super**ahorro**

El IRS parece tener consideración con quienes han perdido a su cónyuge. Al preparar su declaración de impuestos correspondiente al año en que su cónyuge falleció, usted puede seguir presentándola como "persona casada con declaración conjunta", siempre y cuando usted no se haya vuelto a casar y no se haya nombrado un albacea o un administrador con anterioridad a la fecha en la que debe presentar su declaración de impuestos.

Incremente su deducción estándar

Extraño pero cierto, el IRS le dará un "descuento para mayores" si usted no detalla.

Si tenía 65 años o más durante el año fiscal, usted puede reclamar tanto la deducción estándar normal como la deducción estándar adicional. Por ejemplo, en 2008, usted podía deducir $1,350 (solteros) o $1,050 (casados). Usted debe utilizar el formulario 1040 o 1040A para beneficiarse de esta deducción. Para obtener más información, vea la publicación 501 del IRS disponible gratis en *www.irs.gov* (inglés), *www.irs.gov/Spanish* (español) o llamando sin cargo al 800-829-3676.

Juegue inteligentemente y salga ganando

No tire los viejos estados de cuenta de sus inversiones. Pueden servirle para mantenerse en una categoría impositiva más baja cuando se jubile.

Archívelos. Si usted tiene dinero en una cuenta imponible, como una IRA o una 401k, guarde copias de todos los estados e informes que reciba de sus inversiones, incluidos los recibos de confirmación y los formularios 1099. Le ayudarán a establecer el precio y la fecha de compra y de venta de sus acciones individuales.

Controle sus impuestos durante la jubilación. Si usted compra participaciones de ciertas acciones o fondos mutuos cada año para añadirlas a sus ahorros de jubilación, cada año pagará un precio distinto por ellas. Cuando se jubile, usted puede tomar una distribución a través de la venta de algunas de ellas. Pero si usted le indica a su corredor que venda un número x de acciones, él seguirá la regla del IRS que requiere vender primero las que se compraron primero y venderá las acciones más antiguas. Si esas acciones son las más baratas, usted pagará una imposición fiscal más alta por sus ganancias.

Pero si mantuvo un buen registro, usted sabrá si compró acciones más adelante a un precio más elevado. Entonces podrá utilizar el método de "identificación específica". Eso significa que usted le da a su corredor instrucciones escritas de vender primero las acciones que compró a un precio más elevado. Estas instrucciones deben incluir el precio y la fecha de compra de las acciones. Usted debe recibir una confirmación por escrito de sus instrucciones. Vender sus acciones más caras reduce sus ganancias de capital y los impuestos sobre las ganancias de capital.

Tenga una perspectiva amplia. Por supuesto, usted venderá las acciones de menor precio tarde o temprano, así que, ¿en qué le beneficia esta estrategia? Verá. Venda las acciones de menor precio y con mayores ganancias de capital en los años en que su carga tributaria es más baja. Venda las acciones más caras (y con menores ganancias de capital) los años en que su carga tributaria es más alta. Esta estrategia puede mantenerle dentro de una categoría impositiva más baja.

Recuerde, la clave de este secreto fiscal es llevar un registro detallado de cuándo compró cada acción, cuánto pagó por ella y si ya la vendió o no. Puede requerir más tiempo y esfuerzo, pero no le costará un centavo. Y podría terminar ahorrándole mucho dinero.

> El **impuesto sobre las ganancias de capital** es el impuesto sobre las ganancias obtenidas al vender acciones, bonos o inversiones similares. Cuando se venden inversiones que se tuvieron durante más de un año, se utiliza la tasa de ganancias de capital *a largo plazo*. Si se tuvieron durante menos de un año, se emplea la tasa de ganancias de capital *a corto plazo*, que equivale a la tasa de impuesto sobre la renta normal.

Usted compra 100 acciones de su empresa favorita cada año y, por suerte para usted, su valor sigue subiendo. El primer año pagó $10 por acción; el segundo, $20 y el tercer año, $30. Cuando llega su jubilación, las acciones están a $50. Usted instruye a su agente para que venda 100 acciones. Él sigue los lineamientos del IRS, la primera en entrar debe ser la primera en salir, y vende las acciones de $10. Eso le da una ganancia de capital de $40 por acción. Si su tasa impositiva de ganancias de capital es del 15 por ciento, estará siendo gravado $6 por acción.

Sin embargo, si usted usa el método de identificación específica y vende las acciones que compró a $30, la venta al precio actual de $50 le daría una ganancia de $20. Usted pagaría solo $3 por acción en impuestos sobre las ganancias de capital, en lugar de $6.

Usted ganará $50 por acción sin importar qué acciones decida vender, pero su carga tributaria será más ligera si vende primero las acciones que compró a $30.

Evite cometer este error tributario por descuido

Usted observa que sus ganancias de capital serían menores si vende las acciones que compró durante el último año y decide tomar ventaja de esta situación. Preste mucha atención.

Si usted ha poseído las acciones durante 366 días o menos, sus ganancias son consideradas ganancias de capital a corto plazo. Las ganancias de capital a corto plazo se gravan con la misma tasa de impuesto que la renta normal. Si su tasa impositiva sobre la renta es superior a la tasa de impuesto de ganancias a largo plazo, esa diferencia podría acabar con parte o la totalidad de sus ahorros tributarios. Vea el recuadro en la página siguiente para más detalles.

Por supuesto, su tasa impositiva y los precios de sus acciones podrían ser distintos a los de este ejemplo. Y, en algunos casos, es posible que sea preferible vender las acciones compradas más recientemente. Así que antes de vender, haga los cálculos para determinar qué acciones son las que realmente le permitirán pagar los impuestos más bajos.

HAGA QUE EL DINERO TRABAJE PARA USTED

Sus acciones se venden actualmente a $10 por acción. Hace poco menos de un año, usted compró 400 acciones a $7 cada una. Hace dos años, usted compró el mismo número de acciones a $6. La tasa de impuesto sobre la renta es del 25 por ciento y la tasa sobre las ganancias de capital es del 15 por ciento.

Si usted decide vender las acciones de $7:

- Sus ganancias de capital a corto plazo serán de $3 por acción ($10 – $7 = $3)
- $3 x la tasa de impuesto sobre la renta del 25% = 75 centavos en impuestos por acción
- 400 acciones x 75 centavos = un total de $300 en impuestos

En cambio, si usted vende las acciones de $6:

- $10 – $6 = $4 en ganancias de capital a largo plazo por acción
- $4 x la tasa de impuesto sobre las ganancias de capital del 15% = 60 centavos en impuestos por acción
- 400 acciones x 60 centavos = un total de $240 en impuestos

Al vender las acciones más antiguas y aceptar las ganancias de capital por acción más altas, usted estaría en realidad pagando $60 menos en impuestos.

No caiga en la trampa fiscal de los fondos mutuos

Si compra acciones de fondos mutuos en el momento equivocado del año, usted podría tener que pagar impuestos adicionales.

Ocasionalmente las inversiones dentro de los fondos mutuos generan ganancias e incluso dividendos, que, por ley, deben ser transferidos a los inversionistas una vez al año. Esta distribución ocurre durante los últimos meses del año. Si usted compra justo antes de la distribución, deberá pagar impuestos sobre esa distribución a pesar de no haber sido propietario del fondo mutuo durante la mayor parte del año.

Sin embargo, si sus fondos mutuos ya se encuentran dentro de una cuenta IRA tradicional, IRA Roth o 401k, usted no tendrá que pagar impuestos sobre las distribuciones del fondo siempre y cuando mantenga las acciones del fondo en la cuenta. Si usted está considerando la posibilidad de comprar acciones de un fondo mutuo particular para una cuenta imponible, pregunte a la compañía de fondos mutuos cuál es la fecha de distribución del fondo. Compre poco después de esa fecha, en lugar de unos pocos días antes, para así ahorrar en su factura de impuestos.

Super**ahorro**

Invierta en fondos mutuos fiscalmente eficientes o con manejo de impuestos, y evitará los riesgos fiscales de las distribuciones de fondos mutuos. Solo recuerde, los impuestos no deben ser la única razón para optar por un fondo mutuo.

Dese un regalo de Navidad

Es diciembre y usted está angustiado por los altos impuestos que tendrá que pagar por sus exitosas inversiones de ese año. Pero no se preocupe tanto. Puede que no sea demasiado tarde para reducir su factura de impuestos.

Si usted tiene inversiones en las que está perdiendo dinero y que ya estaba considerando vender, adelante, hágalo antes de que termine el año. Si se venden por menos de su precio de compra, esto le dará una pérdida de capital. Es posible que usted pueda utilizar estas pérdidas de capital para compensar algunas de sus ganancias de capital.

Eso no significa que deba vender aquellas inversiones que usted cree que van a recuperarse y obtener ganancias. Pero si usted tenía pensado liquidarlas para evitar mayores pérdidas, hágalo durante el año que puede serle de más beneficio. Si este es el año, usted disfrutará más de la Navidad sabiendo que tendrá que pagar menos impuestos en abril.

Reduzca los impuestos durante sus "años dorados"

Algunos expertos recomiendan las cuentas regulares, como la IRA tradicional o la 401k, mientras que otros recomiendan las cuentas IRA Roth y, de estar disponibles, las cuentas 401k Roth. ¿Qué hacer?

Infórmese. Si usted espera estar en una categoría impositiva más baja durante su jubilación que durante sus años de trabajo, las cuentas de impuestos diferidos, como la IRA tradicional o la 401k, ofrecen una ventaja. En vez de pagar la tasa impositiva más alta de hoy sobre sus contribuciones para la jubilación, usted pagará una tasa impositiva más baja sobre ese dinero cuando lo retire durante su jubilación.

Sin embargo, si usted cree que al jubilarse pasará a una categoría impositiva más alta, entonces puede que sea mejor que contribuya a una IRA Roth. Así, hoy mientras trabaja, usted paga la tasa impositiva "baja" sobre sus contribuciones a la cuenta Roth, pero durante la jubilación retirará el dinero libre de impuestos, cuando su tasa de impuestos será mayor. El problema radica en la dificultad para predecir en qué categoría impositiva se encontrará uno durante la jubilación.

Cubra todos los frentes. Considere la posibilidad de incluir tanto cuentas de impuestos diferidos (IRA tradicional y 401k) como cuentas exentas de impuestos (IRA Roth y 401k Roth) en sus planes de jubilación. Esto divide de forma efectiva su carga impositiva entre sus años de trabajo y sus años de jubilación.

Solo recuerde que, dependiendo de sus ingresos, el IRS limita la cantidad que usted puede contribuir a cada una de estas cuentas de jubilación. Así que tenga cuidado y evite contribuir demasiado a una sola cuenta o a cualquier combinación de estas cuentas. Para obtener más información sobre las diferencias entre los planes Roth y los planes tradicionales, lea el capítulo *Lo que usted debe saber sobre las cuentas IRA.*

EL SIGUIENTE PASO

Para mayor información sobre el límite anual de las contribuciones en las cuentas de jubilación, visite *www.irs.gov* o consulte la publicación 590 del IRS que se encuentra disponible gratis en *www.irs.gov* o llamando sin cargo al número 800-829-3676. También puede encontrar información útil en inglés en *www.vanguard.com* o *www.fidelity.com.*

Ayuda gratuita para preparar sus impuestos

La asistencia tributaria no tiene por qué ser costosa. Estos programas responderán a sus preguntas sobre impuestos, sin costo alguno:

- El programa del IRS de Asistencia Voluntaria al Contribuyente (VITA, en inglés) ofrece ayuda gratuita para la preparación de la declaración de impuestos a contribuyentes de ingresos bajos y medios de todas las edades. Si usted es mayor de 60 años puede dirigirse al programa de asesoramiento sobre impuestos para personas mayores (TCE, en inglés) para obtener ayuda con su declaración de impuestos. En estos programas, voluntarios capacitados le informarán sobre los créditos y las deducciones que usted puede solicitar. Para encontrar la oficina más cercana de los programas VITA o TCE, llame al 800-829-1040.

- Como parte del programa TCE, AARP ofrece Tax-Aide, un programa de asesoría tributaria para personas mayores. Para encontrar la oficina más cercana, llame al número gratuito 888-227-7669 o visite el sitio web *www.aarp.org/money/taxaide.*

- El IRS también ofrece un servicio telefónico gratuito con información pregrabada sobre impuestos las 24 horas del día a través de su línea de ayuda en español de TeleTax. Simplemente llame al 800-829-4477 y tenga lápiz y papel a mano.

Para conocer más detalles sobre la información y los servicios gratuitos de asesoría sobre impuestos, solicite la publicación 910 del IRS en *www.irs.gov* o llamando sin cargo al número 800-829-3676.

Convierta su IRA de manera sencilla e inteligente

Puede que los impuestos no sean lo primero que usted toma en consideración al decidir si debe convertir una cuenta de jubilación a una IRA Roth. Pero los impuestos de una conversión a Roth pueden afectar tanto sus finanzas actuales como las de su jubilación. Tome decisiones más acertadas siguiendo estos consejos:

Cuídese de los impuestos de conversión a una IRA Roth. Usted puede convertir una cuenta IRA tradicional o cualquier plan calificado de pensiones, de bonificación en acciones o de reparto de utilidades a una cuenta IRA Roth, siempre que reúna los requisitos para hacerlo. Sin embargo, usted deberá pagar impuestos sobre el monto que convierta. En otras palabras, convertir $10,000 equivale a agregar $10,000 a sus ingresos imponibles. Eso podría incluso hacer que usted pase a una categoría impositiva más alta. Así que antes de convertir, averigüe a cuánto ascenderá el impuesto adicional que usted tendrá que pagar.

Haga economías al convertir. Si usted no puede pagar los impuestos correspondientes, no convierta todo a la vez. En su lugar, considere la posibilidad de convertir una porción de la cantidad total cada año, durante varios años. Haga los cálculos para asegurarse de que puede pagar los impuestos y de que no terminará en una categoría impositiva más alta durante los años en que haga las conversiones.

La conversión a una IRA Roth puede no ser la mejor opción para todos. Consulte a un asesor financiero profesional antes de tomar la decisión. También asegúrese de que cumple con las restricciones de ingresos y con cualquier otro requisito para una conversión legal a una IRA Roth.

Super**ahorro**

En algunos casos, las contribuciones a una cuenta IRA tradicional no son deducibles de impuestos. Estas contribuciones no deducibles son gravadas antes de ingresar a la cuenta. Si más adelante la convierte a una IRA Roth, usted no tendrá que pagar impuestos sobre aquellas porciones no deducibles de la IRA tradicional que está convirtiendo.

Tenga en cuenta los impuestos al retirar su dinero

Si retira demasiado dinero de su cuenta IRA tradicional usted podría acabar en una categoría impositiva más alta. Sin embargo, con un poco de planificación, usted puede evitar esta desagradable sorpresa.

Para promover la acumulación de fondos en las cuentas IRA, las autoridades imponen cuantiosas multas disuasorias a quienes retiran dinero antes de cumplir los 59 años y medio. Pero si hasta los 70 años y medio no ha efectuado retiro alguno, usted estará legalmente obligado a retirar cada año una cantidad especificada por el gobierno. Así que usted puede retirar dinero a partir de los 59 años y medio o puede esperar hasta los 70 y medio. La decisión es suya. Sin embargo, una vez que empiece a efectuar retiros, no olvide estas reglas:

- Mantenga los retiros al mínimo si desea pagar lo menos posible en impuestos. Eso significa que usted debe planificar sus gastos cuidadosamente, de modo que pueda retirar el dinero suficiente para cubrir tanto sus gastos como los impuestos que deberá pagará por el retiro.

- Preste especial atención a los impuestos previstos para determinar si el monto de sus retiros debe ser mayor o menor. Usted tal vez pueda permitirse retirar una cantidad ligeramente mayor los años en que tiene muchas deducciones, por ejemplo, o tal vez deba reducir sus retiros los años en que sus impuestos sean más altos debido a ingresos adicionales de otras fuentes.

Así que antes de cumplir los 70 años y medio, procure mantener sus distribuciones lo suficientemente pequeñas como para permanecer en la misma categoría impositiva. Después de esa fecha, usted solo puede limitar los impuestos asegurándose de que sus retiros no excedan el monto mínimo obligatorio de las distribuciones.

Coseche su efectivo en el momento adecuado

Usted ha sembrado las semillas para su jubilación y se encargará de ayudarlas a crecer durante los años que siguen. Cuando llegue el momento de cosechar una parte de su dinero, le irá mejor si tiene tres "campos de cultivo" de los cuales cosechar: los ingresos imponibles, las cuentas con impuestos diferidos y las cuentas exentas de impuestos.

Coseche los ingresos imponibles primero. Estos incluyen las distribuciones de pensiones y los dividendos e intereses de inversiones. Las cuentas imponibles, como las cuentas de corretaje de acciones, bonos y fondos mutuos, no están protegidas de los impuestos, así que retire el efectivo de estas cuentas en la primera etapa de su jubilación.

Retire luego el dinero de impuestos diferidos. La IRA tradicional y la 401k son cuentas con impuestos diferidos. Los expertos aconsejan dejar el dinero en estas cuentas tanto tiempo como sea posible. Las inversiones en estas cuentas crecen exentas de impuestos hasta ser convertidas en efectivo. Además, su dinero crece más rápido que en una cuenta imponible porque no está pagando impuestos sobre las ganancias, lo que reduciría su inversión. Así que retire las distribuciones de las IRA y de las 401k después de retirar las inversiones imponibles.

Aproveche los beneficios de las Roth al final. Como ya pagó impuestos sobre las contribuciones que fueron hechas a una IRA Roth o a una 401k Roth, usted no paga impuesto alguno sobre ese dinero cuando lo retira. Al igual que con la IRA tradicional y con la 401k, las inversiones en su IRA Roth no se verán reducidas por impuestos anuales, por lo que también crecen rápidamente. Si a esto le añade que con esta cuenta usted no paga impuestos al momento de retirar su dinero, la Roth es difícil de igualar. Coseche este tipo de inversión al final para obtener ingresos libres de impuestos cuando más los necesita.

Tenga en cuenta las excepciones. Cuestiones legales o financieras pueden plantear la necesidad de una estrategia distinta. Por lo tanto, mantenga un ojo no solamente en sus inversiones, sino también en los impuestos, en las regulaciones y en los requisitos legales, y planifique según sus circunstancias particulares.

Encuentre un estado favorable a los contribuyentes

Mudarse para reducir sus impuestos estatales puede ser una excelente manera de estirar su dinero durante la jubilación, pero tenga cuidado. Los estados con impuestos sobre la renta bajos o inexistentes no son necesariamente favorables a los contribuyentes. Podrían compensar esta situación con impuestos muy altos en otros rubros, por ejemplo, sobre las ventas, sobre la propiedad, sobre el combustible o los automóviles. Antes de cambiar de lugar de residencia para jubilarse en otro estado, infórmese bien.

- Averigüe la tasa de impuesto sobre la propiedad vigente en la ciudad, en el condado y en el estado. Pregunte qué porcentaje del valor tasado de la propiedad está sujeto a impuestos.

- Averigüe si existen incentivos y exenciones en el impuesto sobre la propiedad, sobre todo para personas mayores y veteranos.

- Examine las leyes del impuesto sobre la herencia de ese estado.

- Entérese de qué tan elevados son los impuestos sobre las ventas del estado, de la ciudad y del condado.

- Averigüe si ese estado grava los beneficios del Seguro Social, las distribuciones de una IRA y las pensiones.

- Si ese estado cobra impuestos sobre la renta, averigüe cómo define la renta y cuáles son sus tasas y sus categorías impositivas.

- Verifique si ese estado ofrece incentivos fiscales para jubilados.

Para obtener esta información, comuníquese con los departamentos de impuestos locales y estatales de los lugares a los que le interesaría mudarse o visite sus sitios web.

Dos maneras de reducir los impuestos a la propiedad

Si usted quiere dejar la mayor parte de su dinero a sus herederos y no al Tío Sam, siga estos útiles consejos:

Regálelo de una vez. "Aprovechar al máximo la figura de la exclusión anual por donaciones a miembros de la familia es la forma más sencilla de reducir su patrimonio", dice Angie Grillo, planificadora financiera certificada de Orange County, California. "En el 2009, un individuo tenía la potestad de regalar $13,000 como ingresos libres de impuestos a tantas personas como quisiera sin tener que pagar los impuestos sobre regalos. Una pareja casada podía dar $26,000 a cada individuo". Estas cifras pueden variar, así que busque las más recientes en la publicación 950 del IRS. Usted puede solicitarla de manera gratuita en *www.irs.gov* o llamando al 800-829-3676.

Vaya más allá de los regalos. Reduzca aún más su patrimonio. Además de la exclusión anual por donaciones a miembros de su familia, haga lo siguiente, libre de impuestos, en cualquier año:

- Pague directamente la escuela privada o la matrícula universitaria de cualquier persona que usted elija.

- Pague directamente los gastos médicos de cualquier persona que usted elija.

"La clave en las dos estrategias anteriores es que usted debe hacer el pago directamente a la institución. No entregue el dinero a la persona que se está beneficiando", advierte Grillo.

¡ALERTA!

Tenga cuidado con los errores en su declaración de impuestos que pueden llevar a una auditoría. Las leyes tributarias cambian cada año, así que asegúrese de tener la información más actualizada. Hable con un profesional de impuestos, visite *www.irs.gov* o llame a la línea gratuita de ayuda tributaria del IRS al 800-829-1040.

Aproveche el crédito fiscal especial

Usted puede calificar para un crédito fiscal especial si cumple con estos tres requisitos:

- Usted, o su cónyuge, debe cumplir con el requisito de edad mínima. Por ejemplo, si estuviera pagando los impuestos del año 2008, uno de los dos tendría que ser mayor de 65 años durante el año 2008 o cumplir 65 años el 1 de enero de 2009. ¿Por qué el 1 de enero? Curiosamente, el IRS considera que usted ya tiene 65 años en la víspera de su cumpleaños.

- Usted debe completar el Anexo R del formulario 1040 o el Anexo 3 del formulario 1040A.

- Usted debe reunir los requisitos de ingresos.

Las reglas sobre los ingresos no solo determinan si usted obtendrá el crédito, sino también qué cantidad del crédito puede reclamar. Para calificar para el crédito, usted debe cumplir con un primer requisito en el ingreso bruto ajustado (AGI, en inglés) y un segundo requisito en los montos no imponibles del Seguro Social y las pensiones. Si califica, usted puede solicitar al IRS que calcule la cantidad por usted.

Si en el año 2008, por ejemplo, tanto usted como su cónyuge eran mayores de 65 años y presentaban la declaración conjuntamente, usted habría podido reclamar el crédito tributario si su AGI era menor de $25,000 y el total de ingresos no imponibles de su Seguro Social y sus pensiones era menor de $7,500. Las cantidades varían según su categoría de contribuyente, así que vea la publicación 524 del IRS para asegurarse de que califica y para saber cómo solicitar al IRS que calcule su crédito.

Haga más donaciones y pague menos impuestos

Las donaciones caritativas merecen una buena deducción impositiva, pero debido al gran número de reglas del IRS conseguir esa deducción puede llegar a ser un poco complicado. Así que utilice estos consejos para ayudarse:

Contribuya a las causas benéficas "deducibles". Para que su deducción cuente, debe ir a una organización que califique para recibir donaciones deducibles de impuestos, como los grupos de veteranos; las escuelas, iglesias y hospitales sin fines de lucro; y las organizaciones benéficas reconocidas, como el Ejército de Salvación. Para saber si una organización benéfica califica, pregúntele a la organización o consulte la publicación 78 del IRS, disponible en forma gratuita en muchas bibliotecas locales, en *www.irs.gov* o llamando al 877-829-5500.

Incluya sus donaciones "invisibles". Además de las donaciones en efectivo y en bienes usados, usted puede deducir ciertos gastos no reembolsados y efectuados específicamente para el trabajo voluntario en obras de caridad. El costo del transporte al lugar del voluntariado, las estampillas para enviar solicitudes de recaudación de fondos, entre otros gastos, también pueden ser deducibles.

Done dinero inteligentemente. En lugar de dar $20 en efectivo, escriba un cheque por esa misma cantidad. De lo contrario, esos $20 no serán deducibles. Para que las contribuciones en efectivo sean deducibles, se necesita contar con una de las siguientes pruebas:

- Un cheque cancelado.

- Un estado de cuenta bancario o de la tarjeta de crédito que muestre la cantidad y el nombre de la organización benéfica.

- Un reconocimiento escrito de la organización benéfica que incluya su nombre, la fecha y la cantidad de la contribución.

La cantidad que usted puede deducir y la prueba requerida por el IRS pueden variar dependiendo de la cantidad donada y de si usted recibió algún beneficio a cambio.

Siga las reglas de la donación de bienes. Si la deducción por la donación de ropa u otros bienes es mayor de $500, adjunte el Formulario 8283 a su declaración de impuestos para que el IRS no le niegue la deducción. Para conocer más detalles sobre la donación de ropa, vea *Obtenga el máximo valor de sus donaciones caritativas,* en la página 83 del capítulo *Cree su propio "fondo de retiro".*

Conozca sus límites. La cantidad de donaciones caritativas que usted puede deducir dependerá de sus ingresos. Las reglas varían mucho dependiendo de lo que usted dona y de otros factores. Mientras sus donaciones caritativas permanezcan por debajo del 20 por ciento de su ingreso bruto ajustado, es poco probable que las normas que establecen límites le afecten. Vaya a lo seguro y revise la publicación 526 del IRS, en caso de que las leyes tributarias hayan cambiado.

Declare y calcule inteligentemente. El IRS tiene requisitos específicos para los documentos que usted debe enviar para demostrar las donaciones que ha hecho. También debe guardar documentos adicionales en casa, en caso de que el IRS solicite más pruebas. La publicación 526 del IRS puede ayudarle a determinar qué enviar y qué guardar en casa. Para saber cómo determinar el valor de los bienes donados, usted debe consultar la publicación 561. Estas publicaciones gratuitas están disponibles en *www.irs.gov* o llamando al 800-829-3676.

Alivie su carga fiscal con la donación de acciones

Si dona acciones en vez de dinero, usted pagará aún menos al IRS. Eso se debe a que usted no solo obtiene la deducción por donaciones caritativas, sino que además dejará de pagar el impuesto de ganancias de capital sobre los beneficios.

Compruebe los requisitos. Antes de donar, asegúrese de lo siguiente:

- Las acciones deben ser acciones cotizadas públicamente y deben tener actividad regular en la bolsa de valores.

- Usted debe haber comprado las acciones hace por lo menos un año y su valor debe ser más alto que cuando las compró.

- Su donación debe ser menor del 30 por ciento de su ingreso bruto ajustado y debe ir a una organización calificada como de "límite del 50 por ciento", como la Cruz Roja, el Ejército de Salvación, United Way y los hospitales o las iglesias sin fines de lucro. Y debe ser menor del 20 por ciento de su AGI si contribuye a ciertas organizaciones benéficas.

- Usted debe detallar sus deducciones.

- La organización benéfica debe aceptar donaciones en acciones. Consulte primero con la organización benéfica y averigüe si tiene un requisito de donación mínima.

Obtenga el mayor beneficio. Para aprovechar al máximo su donación, tenga en cuenta que el valor justo de mercado de las acciones, que es el que determina su deducción, es el precio por el que usted podría haberlas vendido el día que las donó. Para completar la donación, usted debe transferir la propiedad de sus acciones. Su corredor de bolsa o la organización benéfica pueden ayudarle a hacer esto. La fecha en que se hace efectiva su donación dependerá de la forma como se realiza esta transferencia de propiedad.

Conozca las reglas. Hay otros requisitos o restricciones dependiendo de sus circunstancias particulares, de las acciones que usted dona, del monto de su donación y de muchos otros detalles tributarios. Antes de donar acciones, lea las publicaciones 526 y 561 del IRS o consulte con un profesional especializado en impuestos.

HAGA QUE EL DINERO TRABAJE PARA USTED

Digamos que hace dos años usted compró 100 acciones a $2 y que ahora cada acción vale $5. Eso significa que usted tiene acciones por un valor de $500, de los cuales $300 contarían como ganancias de capital si las vendiese hoy. Usted podría escribir un cheque de $500 a su organización benéfica y reducir sus impuestos en $125 si la tasa impositiva es del 25 por ciento. Pero si dona las acciones, usted no solo obtendría la deducción de $125, también dejaría de pagar $45 en impuestos sobre las ganancias de capital (a una tasa del 15 por ciento). Cuando usted resta el ahorro tributario, el costo total de la donación es de solo $330, pero la organización benéfica sigue recibiendo los mismos $500 como si usted hubiera escrito un cheque. Es una situación en la que todos salen ganando.

Tome ventaja de la ayuda gratuita del IRS

El Servicio de Impuestos Interno (IRS) ha elaborado una serie de publicaciones para responder a todas sus preguntas sobre impuestos. A continuación usted encontrará algunos de los temas tratados en este capítulo y la publicación correspondiente. Muchas de estas publicaciones también se encuentran disponibles en línea en español. Vaya a *www.irs.gov/Spanish/Publicaciones* o a *www.irs.gov/Spanish*, la página en español del IRS.

Información sobre:	Se encuentra en:	Contacto:
Listado de organizaciones que califican para recibir donativos deducibles	Publicación 78 del IRS	*www.irs.gov* o 877-829-5500
Donaciones caritativas	Publicaciones 526 y 561 y Formulario 8283 del IRS	*www.irs.gov* o 800-829-3676
Deducción de gastos médicos y dentales	Publicación 502 del IRS	*www.irs.gov* o 800-829-3676
Retención de impuestos de su sueldo o salario	Publicaciones 505 y 919 del IRS	*www.irs.gov* o 800-829-3676
Crédito tributario por edad	Publicación 524 y ya sea el Formulario 1040 y el Anexo R o el Formulario 1040A y el Anexo 3	*www.irs.gov* o 800-829-3676
Deducciones estándar adicionales para los adultos mayores	Publicación 501del IRS	*www.irs.gov* o 800-829-3676
Cuentas IRA	Publicación 590 del IRS	*www.irs.gov* o 800-829-3676
Información y servicios tributarios gratuitos	Publicación 910 del IRS	*www.irs.gov* o 800-829-3676
Deducciones por intereses al refinanciar un préstamo hipotecario	Publicación 936 del IRS	*www.irs.gov* o 800-829-3676
Impuestos sobre donaciones y sobre la herencia	Publicación 950 del IRS	*www.irs.gov* o 800-829-3676
Crédito fiscal del ahorrista previsional	Formulario 8880	*www.irs.gov* o 800-829-3676

Hablemos sin rodeos sobre los seguros de salud

Elija un seguro médico que pague

PPO, HMO, FFS... Es tan fácil perderse en el laberinto de los seguros médicos. Cada plan funciona de manera distinta y los costos son muy variados. ¿Cómo saber cuál es el que más le conviene? La respuesta depende de su salud y de su situación familiar.

El FFS es un seguro médico tradicional. FFS son las siglas en inglés de *Fee-For-Service* (pago por servicio). También conocido como plan de indemnización, este tipo de plan le permite elegir el médico que quiere ver y el hospital donde usted desea ser atendido. El seguro cubre todos los costos o parte de ellos. Con frecuencia este es el seguro más costoso, pero también el que ofrece la mayor flexibilidad. Trate de conseguir una tarifa para grupos, ya sea a través de su empleador o de un grupo de afinidad. Estas tarifas son mucho más bajas. Si elige una póliza individual usted acabará pagando un ojo de la cara.

Las PPO limitan sus opciones. PPO son las siglas en inglés de *Preferred-Provider Organization* (organización de proveedores preferidos). Las PPO ofrecen atención médica administrada. Con este tipo de plan usted acepta ser atendido por médicos preseleccionados en clínicas preseleccionadas, que se han comprometido a cumplir con ciertos límites de costos. Usted puede ser atendido por médicos que no pertenecen a la red de proveedores, pero tendrá que pagar más. Por lo general no hay deducibles, así que usted ahorra dinero si se cambia a una PPO. Esto puede ser aconsejable si usted sufre una dolencia crónica.

Si necesita que le hagan una resonancia magnética, rayos X, análisis de sangre u otros exámenes, asegúrese de que el laboratorio al que vaya esté en la lista de proveedores preferidos. Así el laboratorio podrá facturar al seguro, tal como lo haría un médico. Dependiendo del plan, estos exámenes pueden ser gratuitos o requerir un copago.

Las HMO mantienen los costos bajos. HMO son las siglas en inglés de *Health Maintenance Organization* (organización para el mantenimiento de la salud). Por lo general, con una HMO no tendrá que pagar un deducible ni un copago, y los trámites son mínimos. Solo pagará una prima mensual, independientemente del número de veces que vaya al médico. Pero usted solo puede acudir a los médicos de la red y necesitará una orden por escrito de un médico para ver a un especialista. Las HMO se enfocan en el cuidado preventivo y cubren muchos servicios por los que usted tendría que pagar con un seguro médico típico.

Cualquiera que sea el plan que usted elija, antes de firmar fíjese bien en todos los detalles relacionados con los beneficios. Usted debe saber de antemano cuál será el monto de los copagos, a cuánto asciende el deducible y cuál es la indemnización máxima del plan.

Los detalles que cuestan: conózcalos antes de firmar

Si usted no desea pagar más de lo que va a utilizar, entonces haga las siguientes preguntas antes de inscribirse en una póliza:

- ¿Incluye servicios preventivos? ¿Con qué frecuencia podrá usted solicitar un examen físico preventivo? ¿Y qué hay sobre los servicios dentales o de la vista?

- Exactamente, ¿qué servicios de emergencia están cubiertos?

- ¿Qué se considera una enfermedad preexistente? Si usted tiene una enfermedad que califica como tal, ¿cuánto tiempo debe esperar para contar con cobertura?

- ¿Qué servicios especiales cubre? ¿Cubre, por ejemplo, las transfusiones de sangre o las terapias después de dejar el hospital?

- ¿Sus medicamentos figuran en el "formulario" o lista de medicamentos cubiertos por el plan? Revise el formulario para saber cuánto tendrá usted que pagar.

- ¿A cuánto asciende el deducible? Este es el monto que usted debe pagar por los servicios que recibe antes de que estos empiecen a ser cubiertos por su seguro.

- ¿Ofrece cobertura para los trastornos nerviosos y mentales? ¿Podrá ser tratado por un siquiatra o un sicólogo? ¿Incluye tratamientos como paciente interno o externo?

- ¿Qué es lo que cubre si usted viaja? ¿Cubrirá su regreso a casa si usted tiene un problema grave en otra ciudad u otro país?

- ¿Hay un límite para los beneficios? ¿Contará usted con la suficiente cobertura en caso de una enfermedad grave?

Por último, trate de utilizar las herramientas de comparación de precios en línea para analizar los distintos planes.

Apele si su solicitud de pago ha sido denegada

¿Qué puede hacer usted si su proveedor de seguro médico se niega a cubrir sus gastos médicos? No acepte una negativa como respuesta. Siga estos pasos para conseguir lo que le corresponde:

Verifique el código. En primer lugar, llame a la compañía de seguros y solicite información sobre la factura. No se rinda si le dicen que el procedimiento no está cubierto. El consultorio de su médico pudo haberle asignado el código CPT equivocado al completar la documentación —CPT son las siglas en inglés para "terminología actualizada de procedimientos"—. Eso haría que su reclamo quede fuera del sistema al ser calificado como "no cubierto". Llame al consultorio de su médico para comprobar si utilizaron el código CPT correcto.

Haga que su médico intervenga. Asegúrese de no haber cometido un error, como atenderse con un especialista sin contar con la hoja de referencia necesaria. Luego comuníquese con el consultorio de su médico y solicite ayuda para conseguir la cobertura del procedimiento. Su médico tal vez deba escribir una carta a la compañía de seguros demostrando que su salud empeoraría sin el tratamiento.

Presente una apelación. Por último, apele ante la aseguradora.

- Siga el conducto regular hasta llegar a las más altas instancias de la aseguradora. Tal vez deba apelar por teléfono y por escrito.

- Si no logra los resultados deseados, solicite a la comisión de seguros de su estado que actúe como un grupo negociador.

- Por último, usted tal vez deba contratar a un abogado para resolver la disputa con la compañía de seguros. Busque uno con experiencia en asuntos relacionados con los seguros médicos y usted podría llegar a un acuerdo extrajudicial.

Super**ahorro**

No todos los médicos cobran igual. En estudios realizados sobre los honorarios médicos se observó que estos pueden variar en más del 700 por ciento en una misma zona. Averigüe cuál es la tarifa en su zona con la ayuda de un buscador en línea. Sepa de antemano cuánto cuesta un procedimiento médico, para así tomar una decisión informada sobre dónde tratarse.

Posponga su jubilación para evitar las primas altas

Incluso si siente que ya tiene ahorrado suficiente dinero, los costos del seguro médico podrían llegar a estar fuera de su alcance si usted aún no ha cumplido 65 años y, por lo tanto, no es elegible para Medicare. Si usted se jubila antes de esa edad, tendrá que pagar un alto costo por las primas del seguro, con frecuencia el triple de lo que pagaba cuando estaba en el plan subsidiado por su empleador. Y eso es únicamente si usted logra continuar con la misma cobertura.

¡ALERTA!

Consiga una nueva cobertura lo más rápido posible si es que usted ha sido dado de baja de un plan de seguro médico grupal. De no conseguir una nueva cobertura dentro de los siguientes 60 días, le será difícil lograr que le cubran las enfermedades preexistentes. El proceso para ser aceptado a un nuevo plan tarda 30 días o más. Así que empiece a buscar un nuevo plan por lo menos 60 días antes de que finalice su actual cobertura. Hable con distintas aseguradoras a la vez para conseguir una cobertura a tiempo.

Seis maneras de sobrevivir antes de Medicare

Si usted tiene la suficiente suerte como para jubilarse anticipadamente, pero no la suficiente edad para contar con la cobertura de Medicare, ¿cómo va a pagar sus gastos médicos? Una vez que deja de trabajar y pierde el seguro de salud que tenía a través del trabajo, usted tiene las siguientes opciones a la hora de cubrir sus facturas médicas:

Domine la COBRA. La ley conocida como *Consolidated Omnibus Budget Reconciliation Act* o COBRA es una ley que le permite continuar con el seguro médico que tenía con su empleador. Si su empleador cuenta con más de 20 empleados, usted puede permanecer en el plan hasta 18 meses después de haber dejado el empleo. Pero COBRA puede resultar costosa, ya que usted debe hacerse cargo de todos los pagos. El costo medio de las primas para la cobertura de COBRA es de alrededor de $700 al mes para una familia o de $250 al mes para una persona.

Tenga una reserva. Planifique de antemano y reserve algo de sus ingresos en una cuenta de ahorros de salud (HSA, en inglés) exenta de impuestos. Así usted pagará menos en primas y menos en impuestos, mientras su reserva para futuros gastos médicos crece libre de impuestos.

Busque un seguro de bajo costo. Busque una organización de afinidad —profesional, fraternal, de egresados o religiosa— que ofrezca un seguro médico colectivo para sus miembros, como AARP y su plan *Personal Health Insurance Plan*. Solicite ayuda para encontrar un plan barato a un agente de seguros independiente que venda planes grupales para una variedad de compañías. Si pronto será elegible para Medicare, busque un plan de seguro interino, válido por 60, 90 o 180 días.

Obtenga una garantía. Un fondo de seguro médico de emisión garantizada gestionado por el estado tal vez no sea su primera opción, ya que por lo general ofrecen la menor cobertura por el mayor costo posible, pero si usted está desesperado por tener seguro, póngase en contacto con el comisionado de seguros médicos de su estado.

Regrese a trabajar. Algunos jubilados vuelven a tomar un empleo únicamente por los beneficios. Incluso si usted no necesita el ingreso, si regresa a trabajar usted podría ahorrar cientos de dólares cada mes en seguro médico para usted y su pareja.

Consígalo gratis. Si todas las demás opciones fallan, no quiere decir que usted tenga que quedarse sin atención médica. El programa federal Hill-Burton brinda atención médica gratuita o a costo reducido para personas de pocos recursos a través de ciertos hospitales, hogares de ancianos y clínicas. Para encontrar una oficina de Hill-Burton cerca de usted vaya a *www.hrsa.gov/espanol*. Para obtener más información llame al 1-800-638-0742 (en Maryland llame al 1-800-492-0359).

Negocie para rebajar sus gastos médicos

Según una encuesta realizada recientemente, solo el 31 por ciento de los estadounidenses optaron por negociar con sus proveedores de atención médica. Eso es una pena ya que casi todos los que lo hicieron terminaron pagando menos. Siga el ejemplo de las propias compañías de seguro que, por lo general, negocian un descuento de alrededor del 60 por ciento de los costos hospitalarios. Usted probablemente no conseguirá ese tipo de descuento, pero tal vez obtenga una rebaja del 30 por ciento. Estos son algunos consejos para negociar con éxito y acabar con una cuenta de gastos médicos que usted sí pueda pagar:

Comuníquese con la persona adecuada. Hable con un trabajador social del hospital para revisar su cobertura y ver si usted es elegible para pagar menos. Logre que esa persona se ponga de su parte.

Haga la tarea. Averigüe lo que paga Medicare por su procedimiento y use esa cifra como un punto de partida razonable para empezar sus negociaciones. Lo que paga Medicare normalmente está por debajo de lo que pagan los seguros privados. Para saber cuál es el pago medio de Medicare para una enfermedad específica o para un determinado procedimiento quirúrgico, vaya a *http://es.medicare.gov/hospitalcompare*.

Adelántese. Consiga un buen precio antes de someterse al tratamiento. A veces se puede obtener un descuento si uno paga por adelantado. De hecho, para situaciones que no han sido clasificadas como emergencias médicas algunos hospitales solicitan que una porción significativa del pago se haga por adelantado. Si a usted le piden que efectúe un pago inicial considerable, ese es el momento de negociar.

Brinde su información. No dude en presentar sus archivos financieros y su calificación crediticia al departamento de facturación del hospital. Proporcionar esta información podría despejar el camino para llegar a un arreglo más beneficioso para usted.

Amplíe su poder de negociación. No se limite únicamente a los hospitales. Negocie también con su médico, con su dentista o con su quiropráctico. Si paga en efectivo, usted podría conseguir mejores términos, ya que el consultorio no tendría que enviarle una factura.

Viaje para sus tratamientos médicos y ahorre

El turismo médico o cruzar fronteras internacionales para obtener atención médica, puede ahorrarle dinero. Si usted no tiene los medios para tratarse en Estados Unidos, considere la posibilidad de hacerlo en un país donde los costos son bajos y la calidad de la atención es alta. Recuerde que usted no podrá utilizar los beneficios de Medicare fuera de Estados Unidos, salvo en circunstancias muy limitadas.

Viajar para recibir atención médica no es una nueva idea. En Canadá e Inglaterra muchas personas viajan a otros países en lugar de esperar a recibir tratamiento en casa. Esta práctica ahora se está difundiendo entre los estadounidenses, ya que muchos buscan una atención médica más asequible. El viaje puede valer la pena si usted logra ahorrar unos $10,000, por ejemplo, en una operación de rodilla. Entre los destinos populares están México, India, Tailandia y Singapur.

Vea el lado positivo. Recibir atención médica lejos de casa ofrece los siguientes beneficios:

- Menor costo. Viaje a un país donde el costo de vida sea mucho menor que en Estados Unidos — pero donde la calidad de la atención médica siga siendo alta— y usted fácilmente podría beneficiarse con un ahorro del 80 por ciento.

- Excelente servicio al cliente. Ciertos hospitales de destino son conocidos por sus magníficas habitaciones, personalizadas para el paciente occidental.

- Esperas más cortas. Pasará tiempo en el avión, es cierto, pero usted podrá programar sus citas médicas con mayor rapidez.

- Beneficios adicionales. Algunas compañías de seguros médicos contemplan el tratamiento en el extranjero. WellPoint, por ejemplo, cubre cirugías electivas en la India. Usted incluso podría obtener una bonificación de su compañía de seguros si está dispuesto a viajar.

- Vacaciones. Dependiendo de su estado de salud, usted podría hacer algo de turismo durante su visita a ese país. Pero no olvide que el principal objetivo de su viaje es recuperar su salud.

Haga preguntas. Tal como lo haría antes de internarse en un hospital del país, haga unas cuantas preguntas antes de hacerlo fuera del país:

- ¿Cuánto ahorrará al viajar a otro país? Incluya el costo del pasaje aéreo y de la estadía posterior para recuperarse, y no solamente el costo del procedimiento médico.

- ¿Está el hospital acreditado por la JCI? La Comisión Conjunta Internacional (JCI, en inglés) es una organización sin fines de lucro que certifica la seguridad de los hospitales.

- ¿Tiene usted la capacidad física para trasladarse grandes distancias para recibir tratamiento médico? ¿Está dispuesto a hacerlo? Un vuelo a la India puede durar 15 horas.

- ¿Qué médico continuará el tratamiento cuando regrese al país? Usted podría necesitar atención médica de seguimiento.

Compañías como WorldMed Assist, Premier MedEscape y Pacientes Sin Fronteras pueden ayudarle a planificar su viaje. Estas compañías pertenecen a Medical Tourism Association, asociación de turismo médico sin fines de lucro. Visite el sitio web de esa organización en *www.medicaltourismassociation.com* (en inglés).

Ahorre en tratamientos médicos fuera del país

¿Cuánto dinero puede usted ahorrar si viaja a otro país para recibir tratamiento médico? Estos son algunos ejemplos de lo que pagaría en Estados Unidos y en dos destinos populares de turismo médico:

Tratamiento	Precio en un hospital de Tailandia	Precio promedio en un hospital privado de Estados Unidos
Examen físico completo	$400	$2,000
Cirugía de próstata	$5,000–$7,000	$35,000–$40,000
Cirugía de columna	$6,000–$8,000	$50,000–$70,000
Endodoncia	$320	$900–$1,000
Reemplazo de cadera	$9,000	$40,000–$50,000
Tratamiento	Precio en un hospital de la India	Precio promedio en un hospital privado de Estados Unidos
Cirugía de revascularización coronaria (cirugía de *bypass*)	$10,000	$130,000
Angioplastia	$6,200	$57,000
Histerectomía	$3,000	$20,000
Transplante de hígado	$55,000	$350,000
Reemplazo de rodilla	$7,400	$40,000

EL SIGUIENTE PASO

Solicite ayuda de una agencia de viajes especializada en viajes por razones médicas. Estas agencias conocen el país que usted estará visitando y pueden guiarlo en este proceso. Entre las más conocidas están Med Journeys, visítelos en línea en *www.medjourneys.com* o llame al 888-633-5769, y WorldMed Assist, visítelos en línea en *www.worldmedassist.com* o llame al 866-999-3848.

Planifique sabiamente para evitar los impuestos

Usted puede ahorrar dinero libre de impuestos en una cuenta de gastos flexibles (FSA, en inglés) y luego usar ese dinero durante todo el año para pagar los gastos médicos que su seguro de salud no cubre. Una cuenta FSA —que es diferente a una cuenta de ahorros para la salud (HSA, en inglés)— permite retirar dinero de sus ingresos antes de impuestos y reservarlo para cubrir los gastos médicos no reembolsados.

El principal problema es que usted debe utilizar todo ese dinero en el mismo año en el que lo ahorró. Usted perderá todo el dinero que quede en la cuenta al final del año o al final del período de gracia de unos meses que algunas compañías otorgan. Esto significa que es mejor planificar conservadoramente para así evitar dejar mucho dinero sobre la mesa. Si el año está llegando a su fin, lo aconsejable es programar citas con sus médicos o comprar artículos médicos que usted necesitará más adelante. Estos son algunos de los sorprendentes artículos o servicios que usted puede adquirir con el dinero de su cuenta FSA:

- Limpieza dental, si no está cubierta por un plan dental.

- Servicios quiroprácticos y de acupuntura.

- Suplementos nutricionales, incluidos el calcio y la glucosamina con condroitina, si están relacionados con alguna dolencia y fueron recomendados por un médico.

- Chequeos médicos o vacunas antes de un viaje al exterior.

- Medicamentos para el resfriado, remedios para el malestar estomacal o analgésicos de venta sin receta.

- Equipos que su médico recomiende, como un equipo de hidromasaje para tratar una espalda adolorida.

- Lentes para leer, incluso lentes para leer sin receta médica.

- Botiquín de primeros auxilios.

- Removedores de pintura a base de plomo.

- Tratamientos para dejar de fumar.

- Programas para bajar de peso cuando son necesarios para tratar la obesidad o algunas enfermedades, como las cardíacas.

- La estadía de hotel, si es necesaria para obtener el tratamiento médico que usted necesita.

Consulte con su empleador para asegurarse de que la lista de gastos elegibles corresponda a la lista de gastos permitidos por el IRS. La lista de su plan puede ser más limitada.

El secreto mejor guardado de las HSA

Al igual que en una FSA, en una cuenta de ahorros para la salud (HSA, en inglés) usted ahorra dinero libre de impuestos. La gran diferencia es que usted solo puede depositar dinero en una HSA hasta los 65 años.

No todos pueden tener una HSA. Estas cuentas han sido concebidas para que las personas que tienen un seguro de salud con un deducible alto puedan pagar sus gastos médicos. Estas cuentas imponen límites a las contribuciones anuales: en 2009, por ejemplo, el límite era de $3,000 para un individuo o de $5,950 para una familia.

Pero lo mejor de las HSA es que, a diferencia de una cuenta de gastos flexibles, usted no pierde el dinero si no lo utiliza dentro de ese año. Es más, usted puede dejarlo en la cuenta y hacer que crezca año tras año. El dinero que usted tenga en su cuenta HSA al cumplir 65 años tampoco se pierde. Usted puede retirarlo y utilizarlo para cualquier fin. Sin embargo, si utiliza el dinero para algo que no sea un gasto médico, usted tendrá que pagar impuestos sobre ese dinero. Peor aún, si lo utiliza para hacer pagos de cuentas no médicas antes de cumplir 65 años, usted tendrá que pagar además una sanción del 10 por ciento.

Para evitar pagar impuestos, asegúrese de usar el dinero de una HSA para gastos calificados, esto es, gastos hechos para diagnosticar, curar, tratar o prevenir una enfermedad, como por ejemplo:

- Primas de seguro

- Visitas anuales al médico

- Medicamentos con receta médica

- Cuidados a largo plazo

No se preocupe si deposita demasiado dinero en su cuenta HSA. Usted no perderá ningún fondo adicional. Incluso si fallece y tiene dinero en la cuenta, sus ahorros irán directamente a su cónyuge.

La verdad sobre las tarjetas de descuento médico

Usted ha visto esos anuncios de tarjetas de descuento que prometen rebajas en los medicamentos recetados, las visitas al médico, la atención dental y mucho más. Desconfíe de estas campañas publicitarias. Estas tarjetas a menudo no conducen a un ahorro. Usted paga por la tarjeta, pero la tarjeta no paga por mucho de lo que usted necesita. Peor aún, es posible que su médico y su farmacia ni siquiera acepten la tarjeta.

Los costos varían, pero usted podría llegar a pagar entre $75 y $150 al año solo por el privilegio de tener una tarjeta de descuento. En los anuncios publicitarios se dice que con la tarjeta usted consigue precios bajos en las visitas médicas, las hospitalizaciones, los medicamentos, en fin, para todo lo que usted esperaría que cubra un seguro médico. Sin embargo, algunas tarjetas cobran un cargo administrativo que es más alto que cualquier descuento que le ofrecen, así que a la larga usted no sale ganando. Además, ninguna tarjeta puede sustituir su cobertura de seguro, debido a que no cubre los servicios y los artículos de alto precio.

Estos son los pasos que debe dar para comprobar si la tarjeta que usted piensa adquirir es legítima y es la tarjeta que usted necesita:

- Desconfíe si la publicidad promete que no hay límite de edad o que el plan acepta todas las enfermedades preexistentes.

- Esté atento a promesas de "ahorros de hasta el 70 por ciento". Es poco probable que usted vea ahorros de esa magnitud.

- Asegúrese de que el plan cubra los medicamentos genéricos y verifique si cubre los medicamentos y los servicios específicos que usted necesita. Llame también al consultorio de su médico para comprobar si aceptan la tarjeta.

- Averigüe si puede cancelar la tarjeta más adelante. La cuota de afiliación debería ser reembolsable.

- Póngase en contacto con el *Better Business Bureau* o con la oficina del comisionado de seguros de su estado para confirmar si la empresa emisora de la tarjeta es una empresa confiable.

No todas las tarjetas son estafas. Si su plan de seguro médico a través del trabajo ofrece una tarjeta de descuento gratuita, acéptela. Usted podría ahorrar alrededor del 20 por ciento, sin complicaciones.

Trucos para reducir el precio de los medicamentos

Un estudio determinó que más de la mitad del dinero de los gastos médicos de las personas mayores se iba en comprar medicamentos. Eso puede llegar a sumar varios miles de dólares al año. Reduzca sus gastos con muy poco esfuerzo utilizando los siguientes trucos:

Divida las pastillas. Usted podría reducir sus costos de medicamentos recetados a la mitad con solo partir sus pastillas en dos. Si funciona con el tipo de medicamentos que usted toma, usted podría comprar pastillas de dosis más altas por el mismo precio y luego fraccionarlas para ahorrar. Este consejo no funciona con todos los medicamentos, así que hable con su médico antes de probar este truquito.

Sustituya. Su médico puede sugerir otras maneras de ahorrar, como cambiarse a una dosis más baja o a un medicamento más barato, o tomar una dosis más alta con menos frecuencia. Pregúntele sobre la posibilidad de tomar un medicamento en su presentación antigua, que tal vez sea más barato que en su nueva presentación de lujo.

Opte por lo genérico. Esto podría significarle un ahorro de hasta un 80 por ciento. Averigüe si su medicamento de marca tiene una versión genérica en *www.fda.gov* o en *www.drugstore.com.*

Aliste al cartero. Utilice el servicio de pedidos por correo que ofrece su plan de seguro médico. Usted podría recibir medicamentos para 90 días por el precio de un suministro para 60 días, sin costos de envío. Esto funciona en el caso de las enfermedades crónicas, pero usted deberá planificar sus compras con antelación debido a la demora en los envíos.

Obtenga ayuda de las empresas. Averigüe sobre los programas de asistencia de las compañías farmacéuticas. Estos programas, dirigidos a personas de bajos recursos, suelen tomar en cuenta su nivel de ingresos. Sin embargo, para algunos programas el indicador es el porcentaje del ingreso que se destina al pago de medicamentos.

Compare precios. Usted pagó $90 por un medicamento en una tienda y luego lo vio a $6 en otra. ¿Qué fue lo que ocurrió? Compruebe si el medicamento que usted toma es uno de los genéricos que se venden a $4 el suministro para un mes en *Wal-Mart, Sam's Club, Target, Neighborhood Market Pharmacies* y otras tiendas. Los clubes de almacén, como *Sam's Club* o *Costco*, pueden tener mejores ofertas en genéricos que las farmacias como *Walgreens* y *CVS.* Eso se debe a que los clubes de almacén bajan el precio de los medicamentos de marca, en lugar de subir el precio de los genéricos.

Mire más allá del frasco. Los cambios de estilo de vida, como el ejercicio o la dieta, pueden ayudar a mejorar ciertas dolencias, como la artritis o la presión arterial alta.

Compare precios en línea

Utilice su computadora para encontrar versiones genéricas más baratas de los medicamentos que usted toma o para ver cuáles son sus precios en línea. Algunos sitios de verificación de precios se actualizan diariamente. Antes de comprar en una farmacia en línea, busque el sello de verificación de práctica farmacéutica VIPPS (siglas en inglés de *Verified Internet Pharmacy Practice Sites*) para asegurarse de que se trata de una farmacia estadounidense segura y con licencia.

Sitio web	Cómo funciona
www.drx.com	Buscador que brinda información sobre medicamentos, precios de muestra, posibles sustituciones y genéricos comparables. Compara precios entre las farmacias locales y las farmacias en línea. Los precios se actualizan a diario.
www.pharmacychecker.com	Buscador que permite comparar los precios de las farmacias en línea. Los precios se actualizan continuamente.
www.pillbot.com	Buscador que permite comparar los precios de las farmacias en línea. Los precios se actualizan diariamente.
www.pricescan.com	Buscador que cubre una variedad de categorías. Busque en la sección de salud y belleza *"Health and beauty"*. Los precios se actualizan diariamente.
www.crbestbuydrugs.org	Brinda información sobre medicamentos, variaciones de precios, posibles sustituciones y genéricos comparables.
www.fda.gov/cder	Este centro de la FDA le puede ayudar a encontrar genéricos equivalentes a los medicamentos de marca.
www.drugstore.com	Farmacia en línea autorizada para surtir recetas médicas en los 50 estados. Compare precios o averigüe si un medicamento de marca tiene una versión genérica.

Reciba asistencia en línea y ahorre al adquirir sus medicamentos recetados:

- *www.pparx.org/es* (en español): Complete una breve encuesta para recibir información sobre los programas de asistencia de la Alianza para la Asistencia con los Medicamentos Recetados.

- *www.rxassist.org* (en inglés): Busque por el nombre de su medicamento para los programas de asistencia que le ayudarán a conseguir medicamentos gratuitos o a muy bajo costo.

- *www.needymeds.com* (haga clic en "Español"): Programas para obtener medicamentos de manera gratuita o a precios reducidos.

Aprenda el 'abecedario' de Medicare

Con la edad llega la sabiduría y, a menudo, algunos costosos problemas de salud. Aprenda el 'abecedario' de Medicare para obtener la ayuda que usted necesita:

La Parte A cubre la atención hospitalaria. Pagará gastos como el cuidado en un hospital, en un centro de enfermería especializada o en una residencia para pacientes terminales. Usted no paga primas para la Parte A si ya pagó por el sistema de Medicare durante al menos 10 años mientras trabajaba. En ese caso, usted solo pagará un deducible anual y luego parte de los costos después de los primeros 60 días de atención.

La Parte B cubre la atención ambulatoria. Las visitas al médico, las vacunas contra la gripe y las pruebas de detección, como las mamografías o las colonoscopias, están incluidas en esta cobertura. Usted tendrá que pagar primas mensuales y un deducible anual. La Parte B de Medicare paga el 80 por ciento del costo de la mayoría de los conceptos cubiertos y usted paga el 20 por ciento restante.

La Parte C incluye los planes complementarios opcionales "Advantage". Estos planes tipo HMO y PPO, diseñados para cubrir los vacíos en la cobertura de Medicare, ayudan a cubrir los costos que Medicare normal no cubre. Un plan de cuidado administrado Medicare Advantage cubre todo lo que el Medicare tradicional cubre y algo más. Como con otras formas de cuidado administrado, usted paga menos pero también tiene menos opciones de atención médica. Si elige un plan Advantage recuerde que, en realidad, usted está dejando el sistema de Medicare en favor de un contratista privado. Medicare le paga al contratista para que se haga cargo de usted.

La Parte D ofrece cobertura para los medicamentos recetados. Con esta cobertura, usted puede elegir entre distintos planes de medicamentos, cada uno con distintos precios y distintas listas de medicamentos cubiertos. Cada año, a partir del momento en que usted cumple con el deducible de la Parte D, el plan paga por sus medicamentos hasta un cierto límite. A partir de ese momento se inicia el "período sin cobertura" de Medicare, que en inglés se conoce como *"doughnut hole"* (agujero de la rosquilla). Durante este período sin cobertura usted no recibe más ayuda hasta que sus gastos alcancen nuevamente otro límite, esta vez más alto. Pasado ese límite, la Parte D vuelve a pagar todas sus facturas por medicamentos.

Guía paso a paso para inscribirse

Obtener la cobertura de Medicare no es algo que ocurra de manera automática cuando usted cumple 65 años. Siga los siguientes pasos para evitar las multas y los cargos extra por no haberse inscrito a tiempo:

Elija el plan adecuado. Su primera decisión será si debe inscribirse en el Medicare tradicional de pagos por servicios (agregando tal vez una póliza de Medigap) o en un plan de cuidados administrados Medicare Advantage. El período de inscripción para Medicare se inicia tres meses antes de la fecha en que usted cumple 65 años y se cierra tres meses después. Si usted no llega a inscribirse en el plazo de esos seis meses, deberá esperar hasta el 1 de enero del año siguiente. Además, usted tendrá que pagar una multa por inscripción tardía.

- Si no cumple con el plazo de inscripción de la Parte B, usted tendrá que pagar una multa por inscripción tardía sobre sus primas mensuales de por vida. Las primas tendrán un recargo del 10 por ciento por cada año que usted tardó en inscribirse.

- Si no cumple con el plazo de inscripción de la Parte D, usted tendrá que pagar una multa del 1 por ciento sobre las primas mensuales por cada mes de tardanza.

Si no se inscribió por contar con la cobertura del seguro médico de su empleo, usted no pagará una multa si se inscribe en Medicare dentro de los ocho meses a partir de la fecha en que dejó el empleo.

Compruebe su seguro. Averigüe si su seguro médico actual continuará cubriéndolo después de que usted cumpla los 65 años. Por ley, las aseguradoras deben ofrecer a las persones mayores de 65 años los mismos tipos de planes que ofrecen a las personas más jóvenes. Usted puede mantener su cobertura, pero su costo podría subir cuando se jubile. Usted puede mantener su antiguo seguro y utilizarlo como un complemento de Medicare. O usted puede decidir que una mejor opción de cobertura sería elegir Medicare, más una póliza de Medigap.

No se olvide de Medicaid. Vea si usted es elegible para Medicaid u otra asistencia estatal para cubrir sus costos de Medicare.

Elija su cobertura de medicamentos. La Parte D de Medicare ofrece cobertura para los medicamentos recetados por su médico. Revise los formularios, que es como se llaman las listas de los medicamentos cubiertos, para ver si alguno se adecua a sus necesidades.

Aproveche su última oportunidad de un chequeo completo. Programe un examen físico de Medicare dentro de los seis primeros meses de inscripción. Luego de esa oportunidad, Medicare no pagará por este tipo de examen, que puede incluir las siguientes pruebas:

- Medición de estatura, de peso y de presión arterial

- Pruebas de detección de enfermedades cardíacas y de diabetes

- Evaluación de la visión y de la audición

- Pruebas de detección de depresión y de abuso de sustancias
- Pruebas de detección de aneurisma abdominal aórtico

EL SIGUIENTE PASO

Hay docenas de programas en su estado para ayudar a las personas mayores con sus pagos de medicamentos, de alquiler, de alimentos, de servicios públicos e, incluso, de impuestos. Obtenga todos los beneficios por los cuales usted ya pagó a través de sus impuestos. Haga una "verificación de beneficios" en *www.benefitscheckup.org*. Es gratis. Simplemente ingrese unos cuantos datos sobre usted y la dirección donde reside. Descubra qué tipo de ayuda puede recibir de Medicare, de Medicaid y de otros programas, como el de vivienda para personas mayores. Consiga todo lo que usted se merece. Es gratis.

Tres servicios gratuitos

Medicare cubrirá todos los gastos —el 100 por ciento— para ciertos servicios médicos. No deje de solicitar esos tratamientos, solo porque cree que tendrá que pagar por ellos. Son gratuitos.

- Las vacunas contra la gripe y contra la neumonía. Asegúrese de que el proveedor del tratamiento acepte la asignación de Medicare (es decir, la cantidad que Medicare ha fijado como pago justo). De lo contrario, usted podría tener que cubrir el 15 por ciento de la cuenta.

- Servicios de atención médica a domicilio. Estos pueden incluir los servicios de enfermeras y asistentes de salud en el hogar, la fisioterapia y la terapia del habla. Medicare cubre este tipo de atención si usted está confinado en casa, si el médico determina que usted necesita ese tipo de cuidado y si usted utiliza una agencia de atención médica a domicilio afiliada a Medicare.

- Los servicios y las pruebas de laboratorio clínico. Cubre las biopsias y los análisis de sangre y de orina, entre otros.

Medicare suele cubrir el 80 por ciento del costo una vez que usted paga el deducible anual. Usted cubre el otro 20 por ciento.

Ayuda al instante de Medicare

Llame al 800-MEDICARE (800-633-4227) y utilice las siguientes 'palabras clave' para no pasarse el día en el teléfono y resolver su problema al instante. Hable con claridad y tenga su tarjeta de Medicare a mano. Diga *"agent"* ("agente") en cualquier momento para hablar directamente con un representante del servicio al cliente.

Si llama por:	Diga (en inglés):	Diga (en español):
Cobertura de Medicare de medicamentos recetados	*"Drug coverage"*	"Cobertura de medicamentos"
Reclamaciones, asuntos de facturación o apelaciones	*"Claims"* o *"Billing"*	"Reclamaciones" o "Facturación"
Servicios preventivos	*"Preventive services"*	"Servicios preventivos"
Ayuda adicional para cubrir los gastos de salud o de medicamentos recetados	*"Limited income"*	"Ingresos limitados"
Formularios y publicaciones	*"Publications"*	"Publicaciones"
Números de teléfono de la oficina de Ayuda Médica de su estado (Medicaid)	*"Medicaid"*	"Medicaid"
Atención médica ambulatoria	*"Doctor service"*	"Servicio médico"
Visita al hospital o atención en la sala de emergencia	*"Hospital stay"*	"Estadía en el hospital"
Oxígeno, sillas de ruedas, caminadores o productos para diabéticos	*"Medical supplies"*	"Suministros médicos"
Información sobre el deducible de la Parte B	*"Deductible"*	"Deducible"
Servicios de hogar de ancianos	*"Nursing home"*	"Hogar de ancianos"

EL SIGUIENTE PASO

Antes de llamar a su compañía de seguros, vaya a *www.gethuman.com* y haga clic en "Español". Ahí le dirán cómo comunicarse más rápido con muchas compañías y cómo hablar con un representante y recibir ayuda en directo.

Cuídese de los estafadores

Hay mucho dinero involucrado en los pagos de Medicare. Los estafadores podrían tratar de sacarle dinero o podrían aprovecharse de usted para obtener el dinero de Medicare. Recuerde lo siguiente:

No se deje engañar por una llamada. No caiga víctima de alguien que le llama por teléfono para venderle un plan de Medicare. Usted es quien debe hacer la llamada para inscribirse en un plan. Los vendedores de un plan de Medicare no pueden pedirle por teléfono su número de tarjeta de crédito o su información bancaria, a menos que usted ya esté inscrito en ese plan.

Tómese su tiempo. No se deje presionar. Tómese unos días para analizar y estudiar sus opciones. Usted nunca debería firmar algo a menos que tenga la seguridad de que:

- El plan tiene las características que usted desea.

- Los médicos, los especialistas y los hospitales de su preferencia aceptan el plan. No se fíe de los vendedores que dicen que el plan "es aceptado en todas partes".

Si se confundió o le informaron mal cuando se inscribió en un plan Medicare Advantage, llame a la línea de ayuda de Medicare y solicite que lo vuelvan a inscribir en el Medicare tradicional o que lo pasen a otro plan Advantage.

Protéjase contra el robo de identidad. El robo de identidad ocurre cuando alguien utiliza su información personal sin su

290 Hablemos sin rodeos sobre los seguros de salud

consentimiento para cometer fraude u otro delito. La información personal incluye datos como su nombre completo y su número de Seguro Social, de Medicare o de tarjetas de crédito. Solo proporcione información personal a los médicos, a otros profesionales de la salud, a los representantes de los planes aprobados por Medicare y a personas de la comunidad que trabajan en los programas relacionados con Medicare, como el Seguro Social.

Verifique los antecedentes. Si no está seguro de que un proveedor cuenta con la aprobación de Medicare, llame a 800-MEDICARE (800-633-4227). O vaya a *www.medicare.gov* para obtener información imparcial sobre todas sus opciones: Medicare original, planes Medicare Advantage, planes de medicamentos recetados y Medigap.

Una recompensa contra el fraude de Medicare

Si usted cree que un proveedor de salud tomó dinero de Medicare indebidamente, denuncie el incidente. Usted podría recibir una recompensa de hasta $1,000. Primero, pida una explicación a su proveedor de salud. Si aún tiene dudas, llame a su contratista de Medicare. El número se encuentra en su estado de cuenta de Medicare. Si usted cree que se debe tomar alguna otra medida, llame a la línea directa de fraude de Medicare al 800-447-8477 (800-HHS-TIPS) y reporte el problema.

Resuelva con éxito sus problemas de Medicare

Usted contribuyó al sistema de Medicare durante los años en los que trabajaba y ahora ellos le niegan la cobertura de un tratamiento médico. Lo primero que debe hacer es revisar su estado de cuenta de Medicare para comprobar si no hay algún error de facturación (o fraude por parte de un proveedor de atención médica). Compare la factura con los servicios médicos que recibió y la cuenta de gastos del centro médico. Asegúrese de recordar todos los servicios, anotando cada procedimiento y examen que le hayan hecho. Si usted sabe que estará incapacitado durante un procedimiento, vaya con un amigo para que lleve la lista.

Cuando usted detecta una reclamación que fue denegada o que no fue pagada en su totalidad, consulte el formulario de explicación de los beneficios (*Explanation of Medicare Benefits*) o la descripción resumida del plan (*Medicare Summary Notice*) para obtener más detalles. Estos formularios, que se obtienen de su proveedor de Medicare, explican las razones por las cuales una reclamación no es cubierta y los pasos que usted deberá dar para apelar esa decisión:

- Presente un pedido de revisión ante la compañía de seguros de Medicare dentro de los seis meses siguientes.

- Solicite una audiencia formal si la demanda sigue siendo denegada y la cantidad en disputa es de $100 o más.

- Programe una audiencia con un juez de derecho administrativo de la Administración del Seguro Social si la demanda es nuevamente denegada y la cantidad es de $500 o más.

- Presente una apelación ante una corte federal si la demanda sigue siendo denegada y la cantidad es de $1,000 o más.

Los beneficios de Medicare son confusos y, en ocasiones, ciertos tratamientos son cubiertos en un lugar del país, pero no en otro. Por ejemplo, para el cáncer de próstata ahora se utiliza la radioterapia *CyberKnife*. Medicare la cubre en 33 estados, no así en los otros 17. Las decisiones sobre cobertura se toman a nivel regional y estatal, y a nivel estatal no se ha llegado a un acuerdo sobre la eficacia de *CyberKnife*.

¡ALERTA!

Si usted es elegible tanto para los beneficios de Medicare como para los de la Administración de Veteranos (VA, en inglés), debe elegir uno de ellos. Para cualquier tratamiento médico específico, usted puede obtener la cobertura de Medicare o la del sistema de la VA, pero no de ambos. Hay excepciones que permiten que un programa pague la porción no cubierta por el otro. Para saber si usted califica para los beneficios médicos de VA, vaya a *www.va.gov/health* o llame al 877-222-8387.

Super**ahorro**

Tienda un puente sobre la brecha de Medicare

Medicare no cubrirá todos sus gastos médicos, por lo que usted puede necesitar una póliza complementaria. La cobertura Medigap puede ayudarle a tapar esos vacíos dejados por las partes A y B de Medicare. Es mejor que una PPO o una HMO.

Un plan de Medigap es una póliza complementaria que se adquiere además del Medicare tradicional. Usted puede elegir entre una docena de planes Medigap estándar.

Incluso los planes más básicos y menos costosos deben cubrir los siguientes gastos, gastos que Medicare no cubre y que normalmente caerían sobre sus hombros:

- El coseguro de hospital de la Parte A de Medicare por cada día que pasa internado en un hospital a partir del día 61 hasta el día 90, por cada período de beneficios.

- 365 días de estadía hospitalaria después de que la cobertura de Medicare concluye.

- Parte o todos los costos de una transfusión de sangre. La parte A regular no cubre las tres primeras pintas de sangre.

- Parte o todo el coseguro de la parte B. Eso es el 20 por ciento de los gastos médicos que usted normalmente paga de su bolsillo, y esos gastos pueden ir sumando.

Más allá de eso, distintos planes de Medigap podrían pagar por servicios especializados de enfermería o de cuidados paliativos, por exámenes preventivos o por la atención médica mientras usted se encuentra de viaje fuera del país. Elija su plan en función de lo que usted cree serán sus necesidades.

HAGA QUE EL DINERO TRABAJE PARA USTED

Gladys y Rosa son dos buenas amigas. Las dos tienen diabetes. Las dos pagaron los impuestos de Medicare mientras trabajaban, por lo que ninguna de ellas tiene que pagar una prima de la Parte A de Medicare. En cambio, las dos pagan primas mensuales para la Parte B de $96.40.

Desafortunadamente para Gladys, ahí es donde acaban las similitudes. Gladys solo tiene el Medicare tradicional, mientras que Rosa optó por agregar Medigap F a su cobertura. Este plan cubre los cobros adicionales de los médicos que no aceptan el pago fijado por Medicare. Sin el Plan F, dichos honorarios podrían agregar hasta un 15 por ciento a su cuenta médica.

Rosa paga $17.33 adicionales al mes por el Plan F de Medigap. Rosa tiene más gastos debido a la cobertura adicional de Medigap, pero los recupera rápidamente. Según las estimaciones de Medicare, Gladys pagará entre $600 y $650 de su bolsillo en gastos médicos para tratar su diabetes. Rosa, en cambio, pagará solamente entre $550 y 600 mensuales. Eso significa que a Rosa le quedarán alrededor de $50 cada mes para gastar en lo que desee. Tal vez invite a su amiga a salir a almorzar a un buen restaurante.

Cuatro consejos para elegir una póliza de Medigap

Medicare solo paga alrededor de la mitad de los gastos médicos de las personas mayores de 65 años. Para cubrir los demás gastos, usted necesitará un plan Medigap. Sepa cómo elegir el que más le conviene:

Compruebe el precio. El gobierno federal regula los planes de Medigap y estos no pueden duplicar la cobertura con la que usted cuenta en los planes regulares de las partes A y B de Medicare. Usted podrá elegir entre varios planes de Medigap, cada uno con distintas coberturas. Los beneficios de los planes dentro de una misma categoría deben ser los mismos, pero los precios pueden variar. Vea las primas que se cobran y qué enfermedades preexistentes están excluidas del plan. Para una opción más barata, considere la posibilidad de optar por el plan SELECT, de Medicare. Funciona como una combinación de atención administrada y un programa de pago por servicios.

Pise en terreno seguro. Asegúrese de que la compañía que ofrece el seguro tenga buena reputación por su solidez financiera y su servicio al cliente. Usted puede preferir una compañía con buenos servicios, como la transferencia automática de reclamaciones por vía electrónica entre Medicare y el proveedor de Medigap, y así usted se ahorra el papeleo.

Obtenga ayuda. Pruebe estas herramientas para elegir el plan perfecto:

- Compare las pólizas ofrecidas por docenas de compañías en su comunidad en *www.insure.com/es*. Haga clic en "Seguro Médico", para obtener una cotización.

- Visite el sitio web de Medicare para ver lo que hay disponible en su comunidad. Vaya a *es.medicare.gov*, haga clic en el enlace "Compare planes de salud y pólizas de Medigap en su zona" y luego ingrese su código postal en el "Buscador de póliza de Medigap".

Compruebe si es a su medida. Usted tiene 30 días para probar el plan de Medigap. Si no se ajusta a sus necesidades, usted podrá recibir un reembolso completo por ese tiempo.

Medicare por lo general no cubre los exámenes físicos de rutina ni la medicina preventiva, aunque hay algunas excepciones, como las vacunas contra la gripe. Asegúrese de especificar sus síntomas cuando haga una cita para ver a su médico. De ese modo, el médico puede indicar que usted está recibiendo tratamiento para determinada enfermedad y la visita puede ser cubierta por Medicare. Si el historial dice que usted vio al medico para un examen físico de rutina, lo más probable es que Medicare no lo cubra.

Beneficios adicionales de Medicare Advantage

La Parte C de Medicare le dará una ventaja. Se la conoce como el plan Medicare Advantage y es un tipo de plan de atención médica administrada que puede que le cueste más que el Medicare tradicional, pero los beneficios bien pueden valer la pena.

Un plan Medicare Advantage ayuda a cubrir los gastos que el Medicare tradicional no cubre. Esto funciona mejor si hay un buen plan en su comunidad y si usted necesita los servicios que ellos ofrecen. Tenga en cuenta que los planes Advantage técnicamente no son planes de Medicare. Están gestionados por compañías privadas que son compensadas por Medicare. Como con otros planes de atención administrada, usted tendrá que utilizar los médicos y los servicios de la red de su plan.

Para ser elegible para un plan Advantage, usted debe estar inscrito en las partes A y B de Medicare y continuar pagando los copagos de la Parte B. Usted tiene que residir en el área de cobertura del plan y no puede tener insuficiencia renal en fase terminal. Si usted decide que no le agrada el plan Advantage, usted puede regresar a Medicare regular, pero su elección de planes puede ser limitada.

Parece complicado, pero muchos planes Advantage cubren los siguientes servicios que el Medicare tradicional no cubre:

- Medicamentos con receta médica. Si están cubiertos, usted no necesitará la cobertura de la Parte D.

- Cuidados asistenciales de corto plazo o ayuda para bañarse, vestirse y otras actividades de la vida cotidiana.

- Equipo médico, como sillas de ruedas y camas de hospital.

- Atención quiropráctica.

- Exámenes físicos de rutina.

- Atención de emergencia mientras viaja fuera del país.

- Pruebas de audición y audífonos.

- Atención dental y exámenes dentales.

- Asesoría y atención después del horario de atención del médico, ya sea por teléfono o en una clínica de horario extendido.

Póngase en contacto con el Programa Estatal de Asistencia sobre Seguros de Salud (SHIP, en inglés) para obtener ayuda para elegir un plan Medicare Advantage disponible localmente. En algunos lugares, se le conoce como Programa de Asesoría y Defensa sobre Seguros de Salud (HICAP, en inglés).

Ahorre una fortuna en medicamentos con receta

Se cuentan historias de horror sobre lo complicada que es la cobertura de medicamentos de la Parte D de Medicare. Puede ser confusa, pero le puede ahorrar mucho dinero. Un estudio reciente constató que los adultos mayores que utilizan la cobertura de la Parte D gastan significativamente menos en medicamentos, hasta un 17 por ciento menos. Tenga en cuenta estos consejos para despejar la confusión:

Elija sabiamente. Los planes de la Parte D están gestionados por aseguradoras privadas que cobran primas de hasta $70 mensuales. Usted podría verse tentado a optar por un plan con una prima baja, pero ese no siempre es el mejor camino.

Los expertos dicen que antes de tomar una decisión usted debe estudiar el formulario del plan, es decir la lista de los medicamentos específicos que están cubiertos. Asegúrese también de que la farmacia a la que le gusta ir participe en el plan. Más allá de la prima, los detalles de la Parte D pueden ser algo complicados. Estos son los beneficios:

- Deducible. La mayoría de los planes tienen un deducible anual. Hay un monto máximo que los planes de la Parte D pueden cobrar. En 2009 era de $295. Existen algunos planes de primas altas que eliminan ese deducible.

- Cobertura parcial. Una vez que usted alcanza su deducible —y antes de que se inicie el llamado "período sin cobertura"— el plan cubre alrededor del 75 por ciento de los costos y usted paga el 25 por ciento restante.

- Período sin cobertura. En inglés se le conoce como *"doughnut hole"* (agujero de la rosquilla). En el año 2009, por ejemplo, el temido "período sin cobertura" se iniciaba cuando los gastos totales en medicamentos sobrepasaban los $2,700 y concluía cuando los gastos de bolsillo del paciente alcanzaban los $4,350. Durante el "período sin cobertura" el paciente paga el costo total de sus medicamentos.

- Cobertura catastrófica. Si los gastos de su propio bolsillo en un año alcanzan cierto límite —$4,350 en 2009, por ejemplo— la Parte D cubre el 95 por ciento de todos los costos y usted paga el 5 por ciento restante.

Verifique los cambios. El período de inscripción para la Parte D cae en las seis últimas semanas de cada año. Asegúrese de revisar los planes disponibles y de comparar el precio de los medicamentos y el costo de las primas. Cámbiese de plan si consigue una mejor oferta. Para encontrar la mejor oferta, haga una lista de los medicamentos que toma y las dosis. Vaya a *es.medicare.gov* y haga clic en "Busque planes que ofrezcan cobertura de las recetas médicas".

Cuestione el formulario. Usted tiene dos maneras de enfrentarse al sistema si su medicamento no se encuentra en el formulario del plan:

- Solicite una excepción a la regla, para que se permita la cobertura de su medicamento. Por lo general, eso requiere que su médico diga que su uso es médicamente necesario.

- Apele la decisión del plan.

Tres razones para evitar la Parte D

La cobertura de la Parte D es excelente para personas que gastan mucho dinero en medicamentos. De otro lado, si usted pertenece a una de las siguientes categorías no necesita esta cobertura:

Personas de ingresos bajos. Usted gastará más en medicamentos utilizando la Parte D de Medicare que con uno de los programas estatales de Medicaid.

Empleados. Si usted ya cuenta con una cobertura de medicamentos subsidiada por el empleador que es mejor que la Parte D, utilícela en lugar de afiliarse a la Parte D.

Personas que trabajaron para el gobierno. Si su cobertura es del Departamento de Asuntos de Veteranos (VA, en inglés), del programa TRICARE del Departamento de Defensa o del Programa de Beneficios de Salud para Empleados Federales (FEHB, en inglés), usted no necesita inscribirse en la Parte D. Haga uso del programa gubernamental existente para medicamentos recetados. Los beneficios son similares, pero usted pagará menos.

Super**ahorro**

La Parte B de Medicare no cubre la vacuna contra el herpes zóster (*shingles,* en inglés), pero sí la Parte D. Pregunte a su medico cómo puede obtenerla. Zostavax, la vacuna contra el herpes zóster, es importante para su calidad de vida. Ayuda a prevenir los síntomas dolorosos y duraderos del herpes zóster. Usted necesita vacunarse una sola vez y puede hacerlo a partir de los 60 años.

Aclare la confusión entre Medicare y Medicaid

No se confunda por la similitud en los nombres de estos dos programas gubernamentales. Esto es lo que cada uno hace:

	Medicare	Medicaid
¿Qué es este programa?	Programa federal que ayuda a cubrir los gastos de atención médica, de las estadías de hospital y de los medicamentos recetados.	Programa estatal y federal que ayuda a cubrir los gastos médicos de personas en ciertos grupos de ingresos.
¿Quiénes pueden usarlo?	Los estadounidenses mayores de 65 años y las personas de todas las edades con ciertas incapacidades o con insuficiencia renal.	Los requisitos varían en cada estado según los ingresos, la edad y si la persona tiene alguna incapacidad, es ciega o está embarazada.
¿Cómo puede ayudarle?	La Parte A de Medicare cubre la atención básica hospitalaria y poshospitalaria. La Parte B, las visitas al médico, los exámenes de laboratorio y otros tratamientos como paciente externo. La Parte D, los medicamentos recetados.	Cubre los costos de ciertos servicios médicos y del cuidado a largo plazo. Los pagos son efectuados directamente al proveedor.
¿Cuánto le costará?	Usted paga un deducible anual por las Partes A, B y D, además de un copago para las estadías de hospital y los medicamentos. Usted también paga primas mensuales por las Partes B y D.	Tal vez deba pagar parte de los costos del tratamiento.
¿Cuáles son los límites importantes?	Medicare no suele pagar por tratamientos fuera de Estados Unidos. Durante el "período sin cobertura" de la Parte D usted paga por todos sus medicamentos.	No todas las personas necesitadas son elegibles.
Más información	800-633-4227 *www.medicare.gov*	*www.cms.hhs.gov*

Cuidados a largo plazo:

tome las riendas de su futuro

No pague en exceso por la asistencia para vivir

Cuando llegue el momento de mudarse, elija un tipo de vivienda que ofrezca el nivel de atención médica que usted necesita. Usted ahorrará dinero y disfrutará de la compañía de personas que están en su misma situación. Estas son las principales categorías de residencias para personas de edad, según el nivel de asistencia personal que ofrecen:

- Centros residenciales o comunidades de vida independiente. Usted tiene su propia casa o departamento dentro de un área protegida. Estos centros ofrecen actividades y programas, pero por lo general no proporcionan asistencia médica.

- Residencias de vida asistida. Usted vive en una habitación privada o en su propio departamento dentro de un centro residencial común, y puede recibir asistencia personal, ya sea para bañarse, para el aseo personal o para las comidas.

- Vivienda grupal. Llamada también "vivienda congregada", este tipo de vivienda en común ofrece más atención médica de la que usted recibiría en un centro de vida asistida.

- Residencias para el cuidado de adultos mayores o centros de enfermería especializada. Aquí se brindan cuidados las 24 horas para las personas con problemas médicos más graves.

Una comunidad de cuidados continuos para jubilados (CCRC, en inglés) es un complejo de casas o departamentos con todos los niveles de atención médica. De ese modo, los residentes pasan de un nivel a otro dentro de la misma comunidad, según sus necesidades médicas.

Servicios de salud a domicilio

Si usted no desea salir de su casa o no puede hacerlo, busque los servicios de atención médica a domicilio disponibles en su comunidad, como el programa de "Meals on Wheels" (comida sobre ruedas). Los centros de cuidados diurnos para adultos también son una opción cada vez más popular y asequible.

Las viviendas *Green House* son una alternativa a los hogares de ancianos tradicionales. Ofrecen atención personal y médica completa para seis a 10 adultos mayores, en un ambiente que se asemeja más a un hogar que a un hospital. Este nuevo estilo de vida es posible gracias a una subvención de la Fundación Robert Wood Johnson. Averigüe si hay una vivienda *Green House* cerca de usted en *www.thegreenhouseproject.org* (en inglés).

Los peligros que acechan en los hogares de ancianos

Es importante prestar atención a los costos del cuidado a largo plazo, ya que la estadía en un hogar de ancianos puede fácilmente costar entre $5,000 y $8,000 al mes. Estos son otros factores a tener en cuenta:

Licencia estatal y federal. Los centros de enfermería especializada deben tener normas y protocolos sobre el personal, la seguridad y las enfermedades infecciosas. Solicite una copia de estas normas al organismo estatal que otorga las licencias a estos centros.

Supervisión médica. Debe haber un médico en guardia y todo hogar para adultos mayores debe contar con un plan médico. Un comité de expertos médicos debe realizar visitas de inspección periódicas.

La administración. Debe haber un órgano rector responsable de las políticas a seguir y de nombrar a un buen administrador.

Recomendación de un médico. Medicare puede cubrir la atención recibida en un hogar para el cuidado de adultos mayores solamente si la admisión fue hecha por recomendación de un médico.

Traslados hospitalarios, medicamentos, servicios médicos y atención dental. Todos estos servicios deben estar disponibles.

Servicios sociales, alimentos y actividades. Los alimentos deben ser adecuados para las personas y los residentes deben recibir toda la ayuda que necesitan para realizar sus actividades diarias.

Antes de tomar una decisión, compare los asilos que ha seleccionado. Guíese por la calificación realizada por los Centros para Servicios de Medicare y Medicaid en *http://es.medicare.gov* (en español). Haga clic en el enlace "Buscar asilos de ancianos". O seleccione "*Nursing homes*" en *www.cms.hhs.gov/CertificationandComplianc* (en inglés).

No deje de visitar las residencias para adultos mayores que tiene en consideración. Hable con los visitantes y con los empleados para tener una idea general de si los residentes se sienten a gusto o no.

Super**ahorro**

Es posible que tenga que pagar más en un hogar de ancianos si usted necesita recibir alimentación por sonda, está conectado a un respirador o requiere servicios especializados de enfermería las 24 horas. Pero si solo necesita asistencia, digamos, una vez al día, ahorre su dinero ya que un centro de cuidados intermedios sería suficiente. Estos centros cuentan con servicios de enfermería, pero no las 24 horas.

Medicaid: obtenga ayuda para el cuidado a largo plazo

Medicaid puede ser la solución financiera que usted busca. Se trata de un programa estatal y federal que cubre ciertos servicios de salud y los cuidados en un hogar de ancianos, para las personas con ingresos bajos o recursos limitados. Si usted es elegible, Medicaid podría cubrir los cuidados a largo plazo en un asilo o, incluso, en su propia casa.

Pague mientras pueda. Medicaid está diseñado para ayudar a las personas que no cuentan con los medios para pagar los cuidados a largo plazo que necesitan. Cada estado fija la cantidad de bienes que usted puede conservar sin dejar de ser elegible para recibir esta ayuda: por lo general alrededor de $2,000. Además, sus ingresos deben ser menores que el costo de la atención que recibe. La buena noticia es que su cónyuge puede seguir viviendo en la casa, aun si Medicaid está cubriendo su estadía en un asilo. Los detalles sobre los activos que usted puede mantener mientras recibe los beneficios de Medicaid varían según el estado. Vaya a *www.cms.hhs.gov/MedicaidEligibility* (en inglés) para obtener información sobre las normas en su estado.

Una vez adentro ya no tendrá problemas. Si usted ingresa a un hogar de ancianos que le gusta y paga por su estadía, no lo echarán cuando ya no tenga dinero para seguir pagando. Eso es cierto para todas las instituciones que participan en Medicaid. Incluso si Medicaid paga al hogar de ancianos menos de lo que usted pagaba, usted podrá quedarse. Afíliese a Medicaid en cuanto sea elegible y su solicitud será procesada dentro de los 45 días siguientes. Así lo dicta la ley.

¡ALERTA!

Planifique con antelación una posible mudanza a una residencia para personas mayores. No asuma que podrá vender su casa rápidamente cuando decida hacerlo. Tenga en cuenta que los precios de las viviendas varían, así como la demanda de los compradores. Averigüe si la residencia a la que piensa ir ofrece ayuda con los detalles o el financiamiento de bienes raíces.

Estrategia secreta para no perderlo todo

Las reglas de Medicaid no le permiten repartir todos sus bienes —entre sus hijos, por ejemplo— e inmediatamente después solicitar ayuda para pagar su estadía en un hogar de ancianos o los cuidados de vida asistida. Hay un período de "revisión retrospectiva" de cinco años, durante el cual el estado verifica si usted efectuó alguna transferencia de bienes. Si la hizo, se determinará un período de sanción durante el cual usted no será elegible para Medicaid. El número de meses que debe esperar se calcula en función de la cantidad transferida dividida por el costo promedio del cuidado en un hogar de ancianos en su área. Ese número se suma a la fecha en la que usted solicitó Medicaid. Sin embargo, si usted sigue el método que en inglés se conoce como *"reverse half-a-loaf"*, podrá cumplir con las reglas de elegibilidad de Medicaid y a la vez transferir parte de sus bienes a sus seres queridos.

Digamos que usted transfiere todos sus bienes a alguien de confianza y de inmediato solicita beneficios de Medicaid. Usted será sancionado con un período de espera a partir de esa fecha. Su "persona de confianza" le devuelve luego la mitad de sus bienes, que usted usará para pagar los gastos del hogar de ancianos durante ese período de espera. Puede que usted deba pagar impuestos y que esta estrategia no funcione en todos los estados. Algunos prefieren las anualidades o los pagarés para mantener el control sobre una parte de sus bienes. Asesórese con un abogado a través de NAELA, la academia nacional de abogados que se especializan en derecho de personas mayores, en *www.naela.org* (en inglés).

Medicaid y la atención domiciliaria

La regla de Medicaid de revisión retrospectiva de cinco años no se aplica a la elegibilidad para la atención domiciliaria. Así que incluso si usted recientemente regaló todos sus bienes, Medicaid podría cubrir los servicios de cuidados a domicilio, ya sean asistenciales o médicos. Sólo asegúrese de que los cuidadores y la agencia que elija estén certificados por Medicaid.

Haga músculo para no tener que ir a un asilo

La pérdida de fuerza y masa muscular, o sarcopenia, es una de las razones más comunes por las que las personas mayores deben ir a un hogar de ancianos. Cerca del 60 por ciento de los adultos en los centros de cuidado a largo plazo padecen este mal debilitante que les impide levantarse de una silla o realizar actividades básicas. Haga ejercicios para evitar el deterioro muscular y para mantenerse independiente por más tiempo.

Cuatro preguntas clave sobre el seguro a largo plazo

Fácilmente se pueden gastar $70,000 en un solo año en una residencia para adultos mayores. Ese gasto —más el temor de no contar siquiera con la cobertura de Medicaid— lleva a muchas personas a comprar un seguro de cuidado a largo plazo. Tenga en cuenta lo siguiente antes de invertir su dinero en una póliza de este tipo.

¿Necesitará su cónyuge contar con sus activos? Incluso si usted ha logrado acumular una buena cantidad de ahorros para su jubilación, estos pueden reducirse a nada después de una larga estadía en un hogar de ancianos o en un centro de vida asistida. El seguro de cuidado a largo plazo protege su patrimonio y evita que todos sus ahorros se utilicen para pagar estos cuidados. Es distinto si usted no tiene herederos o alguien que dependa de sus ingresos de jubilación.

¿Qué antecedentes médicos tiene su familia? Si en su familia hay antecedentes de una enfermedad debilitante es aconsejable contar con un seguro de cuidado a largo plazo. Asegúrese de que la póliza no excluya trastornos como la enfermedad de Alzheimer.

¿Lo necesita ahora? Muchos expertos dicen que el mejor momento para adquirir este tipo de seguro es cuando se tiene entre 50 y 55 años. Si adquiere una póliza antes, acabará pagando más en primas en el largo plazo. Pero si espera demasiado, el precio de la cobertura podría ser muy alto y es posible que ya no sea elegible.

¿Cumple usted con los requisitos financieros? El Consejo Nacional sobre la Vejez (NCOA, en inglés) establece cuatro criterios:

- Poseer por lo menos $75,000 en activos, sin contar su vivienda o su automóvil.

- Tener entre $25,000 y $35,000 en ingresos anuales de jubilación si usted es soltero.

- Ser capaz de pagar las primas cómodamente.

- Ser capaz de asumir un incremento de la prima.

Cómo ahorrar dinero en el cuidado a largo plazo

Si usted decide adquirir un seguro de cuidado a largo plazo, siga estos consejos para elegir la póliza adecuada sin gastar un dineral:

- Adquiera la mejor póliza que usted pueda pagar sin tener que desembolsar más del 7 por ciento de sus ingresos en primas.

- Obtenga un plan con un período de espera de 90 días antes de que entren en vigencia sus beneficios. Esto mantendrá bajo el costo de las primas.

- Opte por un período de beneficios de entre tres y cinco años, en lugar de recibir pagos de por vida. Las estadísticas muestran que eso es todo lo que la mayoría de personas necesitan.

- Fíjese en la cláusula de ajuste por inflación para que los beneficios mantengan correspondencia con el aumento de los precios. Esto es especialmente importante si usted tiene menos de 70 años.

- Insista en que la cobertura incluya la atención a domicilio y el servicio de cuidadores sin licencia. Eso le dará la opción de pagar menos por ayudantes que no necesariamente tengan que ser de una agencia de asistencia médica autorizada.

- Incluya a su cónyuge en una póliza flexible de cuidado a largo plazo, que cubra a cualquiera de los dos o a los dos.

Nueve maneras inteligentes de pagar estos cuidados

Si usted tiene 65 años o más, la probabilidad de que vaya a necesitar algún tipo de cuidado prolongado es del 50 por ciento. ¿Cómo va usted a pagar por este cuidado si no puede adquirir un seguro de cuidado a largo plazo o si no desea hacerlo?

Ahorre, ahorre y ahorre. Es posible "autoasegurarse" y pagar por sus propios cuidados a largo plazo. Por ejemplo, en lugar de pagar $1,000 al año en un seguro, inviértalos. Más adelante usted podrá gastar ese dinero en cuidados médicos o podrá dejárselo a sus hijos.

Viaje al exterior. Usted puede encontrar gangas increíbles en residencias para adultos mayores si está dispuesto a vivir fuera de Estados Unidos. En países como México, Costa Rica y la India el costo de vida es más bajo. Esto significa que usted podría tener asistentes personales y cocineros a tiempo completo, recibir masajes y terapia física y contar con personal las 24 horas, mientras paga 75 por ciento menos que en Estados Unidos. Para ver más detalles lea *Viaje para sus tratamientos médicos y ahorre* en la página 276 del capítulo *Hablemos sin rodeos sobre los seguros de salud.*

Consiga un préstamo hipotecario revertido. Esta puede ser una buena opción para aquellas personas que, por un lado, no pueden pagar una póliza de cuidado a largo plazo y, por el otro, cuentan con demasiados bienes para ser elegibles para Medicaid.

Adquiera una anualidad. Algunas de estas herramientas de inversión incluyen beneficios de cuidado a largo plazo.

Considere la opción de una póliza grupal. Usted puede encontrar un seguro de cuidado a largo plazo más económico si lo adquiere a través de su empleador. Los beneficios pueden ser menores que con un plan individual típico, pero suelen ser adecuados.

Aproveche los beneficios para veteranos. La Administración de Veteranos (VA, en inglés) le ayuda a ahorrar $1,000 o más al año en costos a través de un fondo especial de pensiones. Además, la VA cubre los cuidados en un hogar de ancianos y otros servicios de asistencia a largo plazo, incluida la atención médica diurna para adultos, el servicio de relevo del cuidador y el cuidado primario en casa. Para obtener más información y detalles sobre la elegibilidad, vaya a *www.va.gov/health.*

Deje que sus hijos paguen y se beneficien por hacerlo. Si un hijo adulto paga más de la mitad de los cuidados que usted necesita, ese hijo puede declararlo a usted como dependiente y obtener una deducción fiscal. Él también puede usar los ahorros antes de impuestos que tenga en una cuenta de gastos flexibles para pagar por sus cuidados.

Explore la caridad. Su centro de cuidados a largo plazo puede ofrecer programas de ayuda para pagar sus gastos si usted se quedara sin fondos.

Diríjase a Medicaid. Si usted agota sus propios recursos en cuidados, este programa financiado a nivel federal podría cubrir sus gastos.

Atención de relevo: un descanso para los cuidadores

El cuidado de un familiar con discapacidad física o mental tiene sus recompensas, pero también es bastante agotador. El cuidado de relevo brinda a los cuidadores la oportunidad de descansar. Este tipo de cuidado puede costar una fortuna. El servicio de relevo diurno para adultos en un centro de Wisconsin cuesta entre $45 y $60 al día, mientras que las estadías nocturnas llegan a $230, dependiendo del tipo de cuidados que se necesiten.

La buena noticia es que usted puede recibir una subvención para cubrir los servicios de un cuidador profesional o de algún familiar que pueda asistirle. Usted también puede obtener una estadía gratuita para su familiar en una residencia de adultos mayores, ya sea durante el día o para pasar la noche. Póngase en contacto con los siguientes grupos para averiguar el tipo de ayuda que hay disponible:

- El Programa Nacional de Apoyo a Cuidadores de Familia (NFCSP, en inglés). Obtenga más información en *www.aoa.gov.*

- El Departamento de Asuntos de Veteranos.

- Las agencias sin fines de lucro que se ocupan de una enfermedad específica. Por ejemplo, si su ser querido padece Alzheimer, usted podría recibir una subvención para el cuidado de relevo de la Asociación de Alzheimer.

- El localizador de cuidado para adultos en *www.eldercare.gov.*

¡ALERTA!

Formalice un contrato —llamado un contrato de cuidador— si usted le está pagando a un familiar para que lo atienda. Esta es una buena medida para probar que usted está gastando y reduciendo su patrimonio con miras a recibir los beneficios de Medicaid.

Seguros y anualidades

El dinero o la vida: ¿cuánto sabe sobre los seguros?

La esperanza de vida se ha incrementado y los expertos en hacer cálculos lo han notado. Eso significa que el costo del seguro de vida ha sufrido una caída considerable en la última década. Analice su póliza, usted tal vez pueda conseguir una mejor oferta. Estos son los dos tipos básicos de póliza: el seguro a término y el seguro permanente.

El seguro a término es temporal. El seguro de vida a término provee cobertura por determinado período, que puede ser de 10, 20 o 30 años. El costo adicional para una cobertura más extendida suele ser mínimo, de modo que vale la pena adquirir una póliza de 30 años.

Este tipo de seguro es una buena opción si lo que usted busca es tener cobertura temporal, por ejemplo, solo hasta que sus hijos hayan terminado sus estudios superiores. De ese modo, usted estaría adquiriendo un seguro para garantizar que sus hijos puedan concluir su educación en caso de que usted muera de manera inesperada.

El seguro permanente dura toda la vida. El seguro permanente provee cobertura hasta su muerte. También es conocido como seguro de vida con valor en efectivo (*"cash value life insurance"*, en inglés). Este tipo de seguro incluye un componente de inversión, debido a que una parte de su dinero va a una cuenta de inversiones —llamada el valor en efectivo—, mientras que otra parte va a una cuenta para la porción del seguro. Usted puede renunciar a la póliza cuando lo desee y aun así conservar el valor en efectivo.

El seguro permanente es una buena opción si usted necesita una cobertura por más de 30 años, si sus herederos necesitarán el seguro para pagar gastos como los impuestos a la herencia o si su cónyuge no recibirá ningún otro beneficio financiero cuando usted fallezca. Sin embargo, es mucho más costoso que un seguro a término.

La opinión generalizada es que uno debería adquirir una póliza de seguro que pague entre cinco a 10 veces la cantidad de ingresos anuales. Usted puede determinar cuánta cobertura necesita con la calculadora que encontrará en *www.foresters.com* (en inglés).

He aquí una manera de ahorrar con un seguro de vida a término y, aun así, dejar suficiente dinero para sus seres queridos. Digamos que una persona de 30 años puede ya sea:

- Pagar $100 al mes por un seguro de vida permanente que le daría $125,000.

- O pagar $7 al mes por un seguro a término por un plazo de 20 años e invertir, cada mes, los $93 restantes en un buen fondo mutuo de crecimiento. Si la rentabilidad sobre su inversión en 30 años es del 8 por ciento, acabará con más de $136,000, sin tomar en cuenta la inflación. Eso es más de los $125,000 que pagaría la otra póliza. Además, mientras que la póliza a término esté vigente, usted estará doblemente asegurado.

Problema de salud no es obstáculo para primas bajas

No asuma que solo porque usted no está 100 por ciento saludable no podrá obtener un seguro de vida o tendrá que pagar primas excesivamente altas. Los tiempos han cambiado y, hoy en día, las aseguradoras toman en cuenta las situaciones individuales en lugar de rechazar automáticamente a todas las personas con diabetes, asma o una enfermedad del corazón.

La diabetes ya no es un factor decisivo. Si no es dependiente de la insulina y su diabetes puede ser controlada mediante dieta o medicamentos, usted podrá obtener cobertura, con frecuencia a una tarifa más baja que en el pasado.

El cáncer no siempre es una complicación. Si han pasado entre tres y cinco años desde su último tratamiento, es tiempo de solicitar una nueva cotización de seguro. Los hombres que han tenido cáncer de próstata pueden obtener un seguro estándar si tienen ciertos puntajes de Gleason y de PSA. Las mujeres que han recibido tratamiento para las etapas iniciales de cáncer de mama pueden no tener que pagar más.

Las enfermedades del corazón ya no significan "no". Incluso si ha sufrido un ataque al corazón, usted ahora puede obtener una cobertura asequible. Pero no la solicite inmediatamente después de sufrir un ataque. Espere uno o dos años. Tal vez su médico tenga que brindar al seguro información detallada sobre su estado de salud.

Consejos inteligentes para reducir la prima aún más. Usted puede reducir las tarifas con estos trucos:

- Baje de peso si necesita hacerlo para estar en una categoría más saludable.

- Deje de fumar, entre uno y cinco años antes.

- Baje sus niveles de colesterol y controle su presión arterial.

- Mejore su historial de conducción tres años como mínimo antes de solicitar la cobertura.

- Busque una póliza justo antes de su cumpleaños o seis meses después de su cumpleaños, dado que las tarifas suben con la edad.

- Cancele sus primas anuales con un solo pago y no mediante pagos mensuales.

- Realice sus pagos a través de un débito automático.

Ahorre en grande cambiándose de póliza

Los tiempos cambian. Lo mismo ocurre con sus necesidades de seguro. Al iniciar una nueva etapa en su vida, tal vez sería mejor cambiar su póliza de seguro de vida o, incluso, deshacerse de ella.

Cuando deja su empleo, ¿debe también dejar la póliza?
El seguro de vida tiene por finalidad sustituir los ingresos que se perderían cuando usted ya no esté aquí. De modo que cuando usted

deja de trabajar, usted podría ahorrar dinero si cancela su póliza. Pero antes, piense en las otras razones por las cuales debería conservar esta póliza de seguros, como, por ejemplo, la sustitución del ingreso perdido del Seguro Social en beneficio de su cónyuge o el cuidado de un padre o de un hijo discapacitado.

Cámbiese de un seguro a término a uno con valor en efectivo. Si usted ya pagó los gastos más importantes de la vida —sus hijos ya acabaron la escuela, su vivienda está pagada, no tiene deudas y tiene suficiente dinero ahorrado para su jubilación— entonces es hora de reconsiderar su seguro de vida a término. Usted podría cancelar ese seguro y ahorrar dinero. Otra opción sería convertirlo en un seguro de vida con valor en efectivo. De ese modo, usted podría extender la cobertura sin tener que volver a completar los cuestionarios ni tener que pasar por nuevos exámenes físicos.

Seis maneras fáciles de pagar menos

Todos los seguros de vida no son iguales. Tenga en cuenta los siguientes factores cuando compare pólizas:

Verifique las calificaciones. Usted necesita la tranquilidad de saber que su compañía de seguros seguirá activa cuando usted la necesite en el futuro, muchas décadas más tarde. Una serie de agencias analizan las compañías de seguros y las califican según su solidez financiera. Busque las que tengan las calificaciones más altas en:

- Fitch Ratings: *www.fitchratings.com* (en inglés)

- Moody's: *www.moodys.com* (en inglés)

- A.M. Best: *www.ambest.com* (en inglés y en español)

- Standard & Poor's: *www.standardandpoors.com* (en inglés y en español)

- Weiss Ratings: *www.weissratings.com* (en inglés)

Únase al club. Considere la posibilidad de tener un seguro de vida grupal a través de su empleador. Aun si tiene que pagar parte del costo, el seguro de grupo suele ser más barato que una póliza individual. Pero no asuma que el plan grupal que su empleador ofrece como parte del paquete de beneficios es suficiente cobertura. Por lo general no lo es.

Adquiéralo antes de necesitarlo. Las personas mayores y las personas en mal estado de salud son las que terminan pagando las tarifas más altas de seguro de vida. Es por esa razón que usted debe procurar adquirir un seguro cuando aún está saludable y relativamente joven.

Compare antes de comprar. Varias compañías de seguros tienen criterios diferentes para fijar los precios de pólizas similares y tienen reglas diferentes para asignar las tarifas más bajas. Es por esa razón que vale la pena buscar la ayuda de un corredor o de un agente de seguros que trabaje con varias compañías a la vez.

Vaya por los descuentos. No asuma que a más cobertura usted tendrá que pagar automáticamente una prima más alta. A veces, las compañías ofrecen un descuento una vez que se alcanza cierto nivel. Por ejemplo, usted podría asegurarse por $250,000 por menos de lo que pagaría por un plan de $200,000.

Lea la letra pequeña. Pagar el seguro a través de cuotas a lo largo del año —fraccionamiento de prima— puede ser cómodo. Pero asegúrese de no estar pagando un sobrecargo por este privilegio.

EL SIGUIENTE PASO

Usted puede conseguir en línea un seguro de vida a un costo menor, pero para que la cotización sea fiable asegúrese de ir a un sitio web, como los de más abajo, que haga preguntas detalladas sobre su salud y sus antecedentes familiares. De lo contrario, usted acabará pagando más al finalizar el proceso de solicitud y el examen físico.

- *www.insure.com/es* (en español)
- *www.insweb.com*   • *www.accuquote.com*

Tres razones válidas para tener un seguro de vida

Si sus hijos ya son grandes, su casa ya está pagada y su cónyuge puede contar con sus inversiones, su pensión y la continuación de su Seguro Social, ¿por qué necesitaría usted un seguro de vida? ¿Qué es lo que le puede dar un seguro que justificaría su costo? Estas son tres razones:

Ayude a sus herederos a pagar impuestos. Para poder pagar los impuestos sobre la herencia, sus herederos podrían verse forzados a deshacerse de parte de sus activos, como vender una propiedad a pérdida o liquidar un plan 401k. Pero si cuentan con los fondos de una póliza de seguro para pagar dichos impuestos, ellos podrían conservar todos sus activos sin enfrentar problemas financieros. La buena noticia es que sus herederos no tendrán que pagar impuestos a la renta sobre los beneficios por fallecimiento que reciban de su seguro de vida.

Estire su pensión. A esto se le llama "estrategia de maximización de la pensión". Si el plan de pensiones de su empleador le obliga a elegir entre recibir una pensión mayor solo durante su propia vida o una pensión menor, que continúe para su cónyuge si usted fallece, tal vez sea mejor elegir la pensión mayor. Usted luego puede cubrir las necesidades de su cónyuge con su propia póliza de seguro de vida. Haga los cálculos para determinar qué opción le conviene más.

Dé el regalo de la independencia. Para sus hijos o nietos el beneficio de un seguro de vida va más allá de solo recibir el dinero, también significa la posibilidad de vivir con mayor independencia financiera.

Tras la pista de una póliza de seguro extraviada

Si usted no encuentra la póliza de seguro de vida de un ser querido que ha fallecido, el Instituto de Información sobre Seguros (III, en inglés), que es una organización sin fines de lucro, sugiere dar estos pasos para encontrar la póliza perdida:

- Busque la póliza en las cajas de seguridad que la persona fallecida tenía en el banco.

- Revise los archivos personales, las cuentas bancarias y los cheques cancelados para encontrar el nombre y la dirección de un posible asegurador.

- Póngase en contacto con el asesor financiero del difunto, ya que este pudo haberle ayudado a elegir y establecer la póliza.

- Examine las solicitudes que presentó para obtener otras pólizas de seguro. Estas pueden hacer referencia a seguros adquiridos anteriormente.

- Verifique la base de datos de los reguladores de seguros de vida de su estado mantenida por la Asociación Nacional de Comisionados de Seguros (NAIC, en inglés) en *www.naic.org*.

- Si tiene la certeza de que existe una póliza que lo beneficiará, contrate a una firma privada de búsqueda, como MIB Group, Inc. El precio que usted pagará por la búsqueda —alrededor de $75— bien puede valer la pena.

EL SIGUIENTE PASO

Los precios elevados de los pasajes y el temor de que la aerolínea o el hotel se vayan a la quiebra, hace que muchos viajeros compren un seguro de viajes. Estas pólizas pagan una indemnización si el equipaje se pierde, la aerolínea se declara en bancarrota o usted necesita atención médica en el extranjero. El sitio *www.InsureMyTrip.com* le permite encontrar la mejor oferta para la cobertura que usted necesita. Ingrese los detalles de su viaje y obtendrá cotizaciones de hasta 19 compañías de seguros.

Dele un mordisco a los costos de atención dental

Se podría pensar que al pagar las primas del seguro médico se está pagando la cobertura de todas las partes del cuerpo. Con frecuencia esto no es así. Muchos planes de seguro médico no cubren la atención dental o le exigen que pague un costo adicional para el cuidado de sus dientes. Si usted tiene la opción de adquirir esta cobertura adicional, probablemente valga la pena hacerlo. Así usted se ahorrará tener gastos y dolores más adelante, ya que el seguro dental ayuda a evitar que pequeños problemas dentales se hagan más grandes en el futuro.

No crea que la vida se hace más fácil una vez que usted tiene derecho a solicitar los beneficios de Medicare. Medicare no suele cubrir los tratamientos dentales a menos que estén relacionados con un problema médico o un procedimiento ya cubierto. ¿Cómo, entonces, puede usted pagar el cuidado dental si Medicare o su seguro médico no lo cubren?

Regrese a la escuela. Reciba atención a precios cómodos de estudiantes en una escuela de odontología cerca de usted. La atención puede tomar más tiempo, pero usted tal vez ahorrará hasta el 40 por ciento del costo normal. Encuentre un listado de estas escuelas en la Asociación Dental Estadounidense (ADA, en inglés), en *www.ada.org*.

Solicite una mejor oferta. Algunos dentistas le darán descuentos de entre 5 y 10 por ciento si usted paga en efectivo, es adulto mayor o simplemente si no cuenta con un seguro. Asegúrese de negociar un buen precio antes de ser atendido.

Obtenga un plan Medicare Advantage. Algunas de estas opciones privadas incluyen la atención dental. Calcule los costos para determinar si se trata de una buena oferta para usted.

Pida una tarjeta de descuento. Los planes dentales de descuento ofrecen tarifas más bajas en los centros odontológicos participantes a cambio de una cuota de afiliación. Si usted tiene un dentista favorito, solo asegúrese de que pertenezca al plan.

Ahorre con una cuenta libre de impuestos. Con una cuenta de gastos flexibles (FSA, en inglés) o una cuenta de ahorros para la salud (HSA, en inglés) usted puede reservar ingresos antes de impuestos para pagar más adelante los gastos médicos o dentales no reembolsados. Para obtener más información sobre cómo ahorrar con estas cuentas, vea el capítulo *Hablemos sin rodeos sobre los seguros de salud*.

Estrategias para tener la mejor cobertura por lesiones

El seguro por incapacidad paga parte de su sueldo si usted tiene que dejar de trabajar debido a una enfermedad o una lesión. Eso suena bien y muchos se apresuran a adquirir ese seguro. Antes de hacerlo, sin embargo, tenga en cuenta estos cuatro puntos críticos:

- Las tarifas son bastante altas, tal vez $2,000 al año o más.

- Muchos planes no garantizan el pago de beneficios hasta que usted cumpla 65 años, cuando ya es elegible para Medicare y, probablemente, para recibir los beneficios del Seguro Social.

- Los pagos por incapacidad no equivalen a la totalidad de los ingresos que dejó de percibir. Por lo general, estos no cubren más del 70 u 80 por ciento, debido a que las aseguradoras quieren que usted tenga un incentivo para volver a trabajar.

- Existen normas estrictas que regulan el pago de indemnizaciones. Su elegibilidad puede depender de la gravedad de la discapacidad, de si usted no puede desempeñar el trabajo que tenía ni ningún otro tipo de trabajo, entre otros criterios.

Claro que no todas las coberturas por incapacidad son una pérdida de dinero. En 1999, unos 14 millones de estadounidenses se encontraban incapacitados, por lo general debido a una enfermedad crónica, como la artritis, la diabetes o una enfermedad del corazón. Si usted decide que la necesita, elija una póliza con las siguientes características:

- Que sea no cancelable y que sea de renovación garantizada. Eso significa que la compañía de seguros no puede rescindir su contrato o incrementar las tarifas de manera inesperada.

- Que le garantice la "asegurabilidad" futura. Esta característica significa que usted podrá incrementar su cobertura en el futuro para reflejar el incremento de su salario, sin tener que pasar por otro examen físico.

- Que el período de espera antes de que se activen los beneficios sea el adecuado para usted. Usted querrá que este período de espera sea lo suficientemente largo para así obtener una tarifa baja, pero no tan largo para evitar quedarse sin dinero antes de recibir su primer cheque.

- Que tenga un período de beneficios lo suficientemente largo para satisfacer sus necesidades. Uno que dure hasta que usted cumpla los 65 años sería ideal, pero le costará más.

- Que incluya una cláusula de costo de vida para que la inflación no sabotee su futuro. Dicha cláusula podría incrementar sus primas en hasta un 25 por ciento.

- Que tenga una cláusula de indisputabilidad (*"incontestable clause"*, en inglés). De ese modo, la aseguradora no puede cancelar su póliza más tarde si se establece que usted tenía una enfermedad preexistente.

- Que incluya una cláusula de exención de prima (*"waiver of premium clause"*, en inglés), para que usted no tenga que seguir haciendo pagos si queda incapacitado.

Super**ahorro**

Si compró un seguro de incapacidad mientras trabajaba, usted puede ahorrar dinero de forma segura si cancela la cobertura después de jubilarse.

Obtenga protección extra bajo la cobertura "paraguas"

La cobertura de responsabilidad civil en exceso —o póliza "paraguas"— es más útil cuanto más activos se posean. Cuantos más años haya trabajado usted y más ahorros haya acumulado para su jubilación, más tendrá que perder con una demanda de responsabilidad civil.

Incremente su cobertura para propietarios de vivienda. La cobertura de responsabilidad civil es importante para evitar perder hasta la camisa en caso de una demanda. Por descabellado que parezca, eso podría suceder si alguien se lastima durante una fiesta en su casa o un mensajero se tropieza al hacer una entrega a su domicilio. Su póliza de propietario de vivienda puede cubrir hasta $300,000 en daños, pero eso podría no ser suficiente. Una demanda podría, por ejemplo, tomar en cuenta los ingresos futuros de la persona lesionada.

Si bien los expertos sostienen que adquirir una póliza "paraguas" tiene sentido cuando el valor combinado de su vivienda, sus inversiones y de sus otros activos e ingresos futuros equivale a $1 millón o más, esta cobertura no es solamente para los ricos. Una póliza "paraguas" también puede ser necesaria, si usted:

- Organiza fiestas y reuniones en casa con frecuencia.

- Es dueño de un barco o algún tipo de embarcación de recreo.

- Tiene un perro que puede morder.

- Tiene una piscina.

Protéjase cuando alquila. Tener una póliza "paraguas" puede ser más económico cuando alquila un coche que otras opciones de cobertura, que implican ya sea contar con un seguro de responsabilidad civil a través de la póliza normal del seguro de su auto o adquirir un seguro de responsabilidad civil complementario al momento de alquilar el coche, lo que le costaría entre $7 y $14 al día.

Póliza "paraguas". Conocida también como **cobertura de responsabilidad civil en exceso**, este tipo de cobertura funciona como un paraguas sobre el seguro para propietarios de vivienda y el seguro de automóvil, brindando cobertura de responsabilidad civil adicional, que le protege de pérdidas por encima del nivel que dichos seguros cubrirían.

Cubra a su hijo adolescente. Si usted incluye un hijo que conduce en su póliza de seguro de automóvil, la póliza "paraguas" puede ofrecerle protección adicional contra lo inesperado. Además es una póliza económica: por unos pocos cientos de dólares al año, usted puede adquirir una póliza de entre $1 a $5 millones, dependiendo de dónde resida usted y de los bienes o activos que posea. Su costo típico está entre $200 y $300 al año por el primer millón de dólares de cobertura y otros $50 a $100 por cada millón de dólares adicional.

Ponga un alto a la compra de demasiados seguros

Algunos tipos de seguros son importantes para protegerse. Otros, sin embargo, son innecesarios y un despilfarro de dinero. Ahorre dinero evitando las siguientes trampas:

Seguro de indemnización hospitalaria. Este tipo de póliza paga una cantidad por cada día de permanencia en un hospital. Aunque son relativamente económicas, estas pólizas no pagan lo que usted necesitará si alguna vez tiene que internarse en un hospital. Mejor cerciórese de que su seguro médico cubre las estadías hospitalarias.

Seguro de enfermedades graves. Estas pólizas ofrecen cobertura para una enfermedad específica, a menudo cáncer. Muchas son una pérdida de dinero, debido a que duplican la cobertura que usted ya tiene a través de su seguro médico. Además, si ya presenta un alto riesgo de cierta enfermedad —como cáncer, si es fumador— usted, para empezar, no podrá adquirir esa póliza. En su lugar, asegúrese de contar con la cobertura de una buena póliza de seguro médico.

Seguro de vida para un niño. Perder a un hijo es triste. Sin embargo, usted no estaría dejando de percibir un ingreso si eso llegara a suceder. No malgaste su dinero comprando este seguro.

Seguro adicional de alquiler de auto. No tire su dinero duplicando la cobertura que ya tiene a través del seguro de su propio auto o de su tarjeta de crédito. Revise su póliza antes de alquilar un coche.

Protección contra pérdida de tarjetas de crédito. Si un ladrón le roba su tarjeta de crédito y se va de compras, según la Comisión Federal de Comercio, su responsabilidad por cargos no autorizados está limitada a $50. Este seguro es, a todas luces, un despilfarro.

Seguro hipotecario. Este tipo de póliza acabaría de pagar su hipoteca en caso de fallecimiento repentino. Pero es más barato simplemente adquirir suficiente seguro de vida para cubrir la hipoteca. Usted pagaría tres veces más para obtener la misma cobertura a través de un plan específico de seguro hipotecario.

Razones de peso para pensarlo dos veces

Las anualidades parecen una buena idea, pero las apariencias pueden ser engañosas. Las anualidades, que generalmente se adquieren a través de una compañía de seguros, garantizan ya sea un pago único global o un ingreso mensual, dependiendo del tipo que usted elija. Sin embargo, estos productos no son la mejor opción para la mayoría de los adultos mayores. Otras inversiones ofrecen mayores beneficios con menores costos y menos complicaciones. Los expertos dicen que solo se debe comprar una anualidad en los siguientes casos:

- Si ya ahorró la máxima cantidad posible en cuentas como la 401k, la IRA o la IRA Roth. Estas cuentas de ahorros para la jubilación ofrecen mejores condiciones, mayor flexibilidad y costos más bajos que las anualidades. Además, los intereses generados por estas cuentas son gravados a una tasa menor.

- Si planea conservar la anualidad durante por lo menos 10 años. Ese es el tiempo necesario para que los beneficios tributarios de incluso una anualidad barata compensen los gastos.

- Si no piensa dejarla como herencia. Los herederos no reciben un incentivo fiscal sobre las anualidades, como sí ocurre con las acciones, los bonos, los fondos mutuos o los bienes raíces.

- Si tiene otras fuentes de ingresos para la jubilación. No coloque más del 25 por ciento de sus ahorros en una anualidad, ya que muchas no le permiten acceder a ese dinero en una emergencia.

En lugar de una anualidad, considere la posibilidad de guardar su dinero en una cuenta de jubilación, como una IRA o una 401k, e invertir en una combinación segura de bonos y fondos mutuos. Es más sencillo dejar dichos activos a su cónyuge o sus herederos. Además, usted por lo general puede acceder a dichos fondos sin sufrir sanciones después de cumplir 59 años y medio. Haga lo que haga, no adquiera una anualidad a través de su 401k o su IRA. En esas cuentas su dinero se acumula con impuestos diferidos, por lo que tener una anualidad con impuestos diferidos en una de ellas no hace sino generar más cargos y comisiones a pagar.

Muchas personas también deben evitar las anualidades variables. Sus comisiones son dos veces más altas que las del fondo mutuo promedio. En algunos casos, estas comisiones cancelan cualquier ahorro en los impuestos.

Conozca las anualidades

Las anualidades son básicamente de dos tipos:

- Las anualidades fijas garantizan cierta rentabilidad de su dinero durante un período de entre uno y 10 años. Lamentablemente, la tasa de rentabilidad es más baja que la que usted obtendría de las acciones, debido a los altos cargos y comisiones.

- Con las anualidades variables los pagos que usted recibe dependen del comportamiento del mercado de valores. El saldo de su cuenta puede crecer o desplomarse. Además, usted pagará comisiones más altas que con una anualidad fija.

Consejos para aprovechar la mejor oferta

Las anualidades y las compañías que las venden no son todas iguales. Si no tiene cuidado podría perder parte de sus ahorros de toda la vida. Esta es una guía sencilla para elegir la que más le conviene:

No se deje deslumbrar. Las anualidades ofrecen una serie de adiciones que pueden marear a cualquiera, desde un seguro de muerte accidental hasta la opción de recibir los beneficios en vida. Lamentablemente, cuantos más beneficios agregue a su contrato, más comisiones deberá pagar. Tan solo los beneficios por fallecimiento pueden duplicar las comisiones, mientras que la opción de beneficios en vida puede significar un incremento de otro 20 por ciento.

Elija productos con comisiones bajas. Aunque las anualidades son productos con impuestos diferidos, se necesitan muchos años para que ese ahorro compense todas las comisiones que usted tuvo que ir pagando. Acelere el proceso. Adquiera una anualidad con comisiones bajas de un corredor de descuento, como TIAA-CREF, Fidelity, Vanguard o T. Rowe Price, y evite a los planificadores financieros que trabajan a comisión. De lo contrario, gran parte del precio de compra de su anualidad acabará en el bolsillo de un planificador.

Busque la estabilidad. Verifique las finanzas de la compañía que otorga la anualidad antes de adquirirla. Si la compañía enfrenta problemas financieros, como una bancarrota, los pagos de la anualidad podrían suspenderse o, incluso, pasar a los acreedores. Solo compre anualidades de una compañía de seguros con una calificación mínima de A+ otorgada por A.M. Best, empresa que ofrece servicios de calificación a través de *www.ambest.com* (en inglés y español).

Diga no a los cargos por rescate. En la mayoría de los casos, no se puede rescindir un contrato hasta después de por lo menos un par de años. Si quiere salirse o necesita retirar el dinero antes de tiempo para una emergencia inesperada, usted tendrá que pagar un cargo por rescate muy alto, de hasta el 15 por ciento. Solicite al vendedor que le explique este cargo y asegúrese de saber cuándo deja de tener vigencia.

Detecte las ofertas turbias. No compre anualidades fijas que prometen altas tasas de rentabilidad como incentivo. Cuando esas tasas expiren, la tasa corriente puede ser insignificante. Asimismo, desconfíe de los "créditos de bonificación". La aseguradora le podrá prometer dinero gratuito, pero usted acabará pagando comisiones más altas por esas anualidades, que si las adquiere sin estas bonificaciones.

Super**ahorro**

Si menciona sus problemas médicos al comprar una anualidad, tal vez consiga una mejor oferta. Tener problemas de salud que reducen su esperanza de vida podría hacer que el pago mensual que usted reciba sea mayor. Así que no olvide mencionar su estado de salud para negociar una mejor oferta. Usted necesitará su historial médico para probar su estado.

Líbrese de una mala anualidad

Como en un matrimonio, las anualidades establecen un contrato vinculante, solo que es más difícil salirse de él. Pruebe estos trucos si busca librarse de uno de estos contratos:

Dele una mirada. En la mayoría de los estados se establece que las anualidades deben ofrecer un período de prueba de 10 días o más, llamado "mirada gratuita", durante el cual usted puede cancelar el contrato sin ser objeto de sanciones y solicitar la devolución de su dinero. Pregunte si en su estado existe este período y aprovéchelo al máximo.

Lea la letra pequeña. Algunas anualidades le permiten retirar entre el 10 y el 15 por ciento del capital sin cargar con sanciones en caso de incapacidad, de necesitar ingresar a un hogar para adultos mayores o de desarrollar una enfermedad terminal, entre otras circunstancias.

Cambie sus inversiones. Una anualidad variable le permite elegir la manera como la compañía debe invertir su dinero. Si usted no está satisfecho con la rentabilidad de su dinero, cambie la manera como se invierten sus inversiones. Puede ser más barato y más fácil que tratar de salirse por completo de la anualidad.

Haga la prueba de un intercambio "1035". Esta operación le permite mover el dinero de una anualidad a otra sin deber impuestos, y le puede ayudar a cambiar una anualidad que no le conviene por una mejor, con comisiones más bajas, con distintas opciones de pago o con una variedad más amplia de opciones de inversión. Asegúrese de que usted ha sido dueño de la primera anualidad el tiempo suficiente para evitar los cargos por rescate.

Tenga en cuenta que con la nueva anualidad se dará inicio a un nuevo "período de rescate", de modo que usted deberá esperar años antes de poder retirar su dinero. Por esa razón, a veces es mejor conservar la anualidad antigua, a menos que tenga pensado conservar la nueva anualidad durante mucho tiempo. Además, haga que un profesional en finanzas o en impuestos estudie el intercambio que va a hacer para estar seguro de no tener que pagar impuestos sobre el dinero que transferirá.

Detecte las estafas antes de caer víctima de ellas

Los adultos mayores son el blanco preferido de vendedores deshonestos de anualidades costosas y de alto riesgo. Defiéndase con la ayuda de estos consejos:

- Resístase a los argumentos y a las tácticas de venta a presión. Ciérreles la puerta a los agentes agresivos que sostienen que la oferta es válida "solo por tiempo limitado".

- Fíjese en la letra pequeña. Lea el contrato atentamente antes de comprar una anualidad. Los detalles, los términos y las comisiones varían según el contrato. Tome todo el tiempo que necesite para analizar el contrato o para explorar otras opciones.

- Haga preguntas. Solicite al agente que le explique los términos del contrato que le parezcan confusos o cualquier detalle que no entienda del todo, por ejemplo, la estructura de las comisiones.

- No caiga presa del miedo a un litigio. Los vendedores suelen presentar a las anualidades como una forma de proteger sus ahorros de la quiebra o de un juicio. Sin embargo, hay maneras mucho más económicas de lograr lo mismo. Con comprar una póliza "paraguas" o con mantener sus ahorros en una cuenta de jubilación, como una 401k o una IRA, usted conseguirá los mismos resultados por mucho menos dinero.

- Compruebe la licencia. Llame al comisionado de seguros de su estado para averiguar si la compañía de seguros tiene licencia para vender en su estado. Además, exija al agente de ventas que le muestre su licencia y sus credenciales.

- Mantenga un registro detallado. Tome notas durante las reuniones con el agente y guárdelas en un lugar seguro junto con la correspondencia, los comprobantes de pago, los contratos y cualquier documento que usted haya firmado.

Si usted cree que ha sido víctima de una estafa o si el agente o la compañía de seguros no resuelven sus dudas relacionadas con una anualidad, llame de inmediato a la oficina estatal de seguros.

Planificación patrimonial:

proteja el futuro de su familia

Planifique para su propia tranquilidad

La planificación patrimonial no es algo que solo deba preocupar a los ricos. La elaboración de un plan de sucesión significa que usted tomará algunas decisiones difíciles para que quienes le sobrevivan no tengan que hacerlo. Esta es una manera de asegurarse de que sus bienes vayan a las personas u organizaciones de su elección y de reducir al mínimo los impuestos o las posibles interferencias judiciales al momento de disponer de su patrimonio. Un plan de sucesión consta de varios elementos. Nos referiremos a cada uno más adelante.

Haga un inventario. El primer paso es hacer un inventario de sus activos, lo que incluye las inversiones, las cuentas de jubilación, las pólizas de seguro, los bienes raíces y los intereses comerciales. Luego piense en quiénes quisiera usted que hereden esos activos. También piense en quién quisiera usted que tome las decisiones financieras o médicas si usted llegase a quedar incapacitado.

Organícese. Haga que sea fácil para sus familiares respetar sus deseos:

- Haga una lista de los nombres y direcciones importantes. Incluya a su abogado, a las personas a las que usted ha otorgado un poder de representación, a las personas a las que usted cuida y apoya económicamente y que dependen de usted, y a cualquiera que usted desee que sea notificado si algo le llegara a suceder.

- Lleve un registro de sus documentos más importantes, como el testamento, los poderes de representación que ha otorgado, su historial médico, las disposiciones para su funeral, sus pólizas de seguro, su certificado de nacimiento o constancias de ciudadanía, su pasaporte, actas de matrimonio o de divorcio, y los títulos, escrituras y registros de su vivienda, de su auto y de cualquier otra propiedad que usted tenga.

- Haga una lista de sus cuentas financieras, incluidos los préstamos, las tarjetas de crédito, las cuentas corrientes, las cuentas de ahorros, las inversiones, las cuentas de jubilación y las hipotecas. Anote dónde se encuentran sus declaraciones de impuestos y el nombre de su contador, si cuenta con uno.

Archive todo de manera segura.
Haga copias de todos los documentos importantes. Guarde los originales en una caja fuerte a prueba de fuego o en una caja de seguridad de un banco, y entregue la llave adicional a su cónyuge o a una persona de confianza. Asegúrese de que su abogado y sus familiares sepan dónde encontrar todo.

> Un **testamento vital** es un documento legal que establece el tipo de intervenciones médicas para la prolongación de la vida que usted desea, o no desea, si llegara a tener una enfermedad terminal y no pudiera comunicarse.

Si tiene alguna duda, busque ayuda profesional. Los abogados, los contadores públicos certificados, los agentes de seguros de vida, los funcionarios bancarios a cargo de fideicomisos, los planificadores financieros, los administradores personales y los asesores de pensiones le pueden ayudar con los detalles de un plan de sucesión.

Sepa cómo dividir su propiedad

Cuando haga un inventario de sus bienes, usted deberá tener en cuenta los distintos tipos de propiedad.

Propiedad inmobiliaria. Estos son los bienes inmuebles, como los terrenos. Si usted tiene una escritura, un contrato de alquiler o una hipoteca quiere decir que usted posee bienes inmuebles. Las estructuras construidas sobre un terreno son parte de los bienes raíces y, por lo tanto, parte de sus propiedades inmobiliarias.

Propiedad personal. Estas se dividen en dos categorías:

- La propiedad personal intangible o bienes que no tiene valor en sí mismos, pero que representan un derecho a algo más, como una canción con derechos de autor, un pagaré o las acciones.

- La propiedad personal tangible o bienes que se pueden mover o tocar, y que tienen un valor inherente, como un auto o un barco o como los muebles, las joyas, la ropa y los cuadros. Para fines patrimoniales, una colección de objetos cuenta como un solo objeto.

Su propiedad también se puede dividir en otras dos categorías: testamentaria y no testamentaria.

Propiedad testamentaria. Cualquier bien que usted posea al momento de su muerte.

- Si usted tiene la copropiedad de un bien inmueble bajo la modalidad de la tenencia en común, su participación deberá ser incluida entre los bienes sujetos a su testamento.

- Si usted está involucrado en un litigio antes de fallecer, los beneficios formarán parte de su patrimonio. Si su muerte fue causada por negligencia, el ejecutor testamentario puede iniciar un juicio por homicidio culposo. Parte de los beneficios podrían estar sujetos a un proceso de validación testamentaria.

- Si usted tiene participación en una sociedad, esta forma parte de su patrimonio.

- El seguro de vida pagadero a su patrimonio es propiedad testamentaria. También lo es cualquier póliza que usted tenga y que cubra a terceros (la póliza en sí, más no los beneficios).

Propiedad no testamentaria. Cualquier bien que usted posea y que no sea parte de su caudal hereditario. Por ejemplo, no se puede disponer del contenido de un testamento vital a través de un testamento.

Si le preocupa dejar bienes a un niño que es demasiado pequeño como para administrarlos, usted puede nombrar en su testamento a un guardián de la propiedad. Otras estrategias incluyen establecer una custodia o un fideicomiso. Estas opciones le permiten nombrar a un pariente o a un amigo de confianza para que se encargue de administrar la propiedad hasta que el niño alcance determinada edad.

El mejor lugar para guardar sus objetos preciados

En lugar de esconder sus objetos de valor bajo el colchón o de coserlos en el dobladillo de las cortinas, guárdelos en una caja de seguridad en un banco de su comunidad. El contenido de una caja de seguridad es privado, de modo que nadie salvo usted sabrá lo que ahí tiene. El costo depende del tamaño y usted puede deducirlo en su declaración anual de impuestos. Estas son algunas sugerencias de lo que usted puede guardar en una caja de seguridad:

- Documentos importantes, como pasaportes, certificados de nacimiento o una hipoteca

- Lingotes de oro o plata y joyas costosas

- Coleccionables, como monedas, sellos o tarjetas de béisbol

No guarde su testamento o sus planes funerarios en una caja de seguridad. Será demasiado difícil para sus seres queridos encontrar estos importantes documentos si usted fallece. Procure que la tarjeta de acceso también contenga la firma de alguien de confianza —como su cónyuge o un hijo adulto— para que pueda retirar el contenido si algo le llegara a suceder. Hable con su banco sobre las tarifas y los reglamentos que tienen para estas cajas de seguridad.

Cómo redactar un testamento

A falta de un testamento, el estado decide quién se queda con qué. Además de asegurar la distribución de sus bienes, un testamento le permite nombrar a un tutor para sus hijos menores y a un albacea para disponer de su patrimonio. Sorprendentemente, un estudio realizado por AARP encontró que 41 por ciento de las personas mayores de 45 años no tenían un testamento. Millones de personas mueren cada año sin testamento, lo que resulta en complicaciones y costos legales innecesarios para los sobrevivientes.

Actúe ahora. ¿Qué está esperando? Redacte su testamento lo antes posible. A nadie le gusta pensar en la muerte, pero dilatar esta tarea no le hará bien a nadie. Haga su testamento no porque le preocupa la muerte, sino porque desea planificar el futuro de su familia.

Actualícelo. Los cambios en su estilo de vida o su situación económica pueden repercutir en su testamento. Si pierde el empleo o recibe un ascenso, si se casa o se divorcia, si tiene un hijo o adquiere otros bienes o activos, usted debería actualizar su testamento. También debe asegurarse de que la persona que usted nombró como albacea sigue dispuesto y con la capacidad para asumir esa responsabilidad.

Tenga en cuenta el costo. Con la ayuda de un abogado, un testamento sencillo y reducido a lo esencial debería costar no más de $100. Si se incluyen otras herramientas de planificación patrimonial, como un poder legal financiero, un poder para atención médica y un testamento vital, el costo puede llegar a $200 o $300. Si su patrimonio es complejo y de gran tamaño, probablemente valga la pena pagar más.

Evalúe sus opciones. Establezca disposiciones especiales para asegurarse de que su última voluntad sea respetada. Por ejemplo:

- Prevenga la impugnación del testamento agregando una cláusula de no impugnación. Si un heredero impugna el testamento y pierde, automáticamente queda privado de toda la herencia que le fue asignada.

- Deshérede a un hijo. Usted no tiene que dejarle algo a un hijo, pero sí debería dejar claro que la omisión es intencional. Asegúrese de mencionar a todos sus hijos en su testamento, ya sea que les deje algo en herencia o no. Y recuerde: usted no puede desheredar a su cónyuge.

- Haga un legado condicional. Usted puede imponer una condición a cualquier legado, siempre y cuando sea legal, no sea contraria a políticas públicas y sea posible de llevar a cabo. Por ejemplo, usted puede desalentar a un heredero a contraer matrimonio, puede prohibir a un heredero cambiarse de religión, puede insistir en que un heredero abandone un mal hábito o una adicción, o puede exigir a un heredero a que se vista de cierta manera, siga determinada carrera, mantenga un apellido o evite hablar con un familiar determinado.

- Done todo su patrimonio a una organización caritativa. La mayoría de los estados lo permiten, aunque algunos limitan la cantidad del donativo. En la mayoría de los estados esta opción no está permitida si usted tiene un cónyuge.

Conozca los límites. Los testamentos tienen algunas limitaciones. No importa qué tan actualizado esté, un testamento no puede modificar las disposiciones establecidas en otros documentos, como el beneficiario en su póliza de seguro de vida. Tampoco son garantía de que se evitará un juicio testamentario. Este proceso administrativo, aunque complicado y costoso, no siempre es tan malo como se ha hecho creer.

Aunque parezca romántico, no redacte un testamento conjunto con su cónyuge. Esto puede resultar en complicaciones y disputas legales largas y costosas.

No incluya directivas funerarias especiales en su testamento. Hágalo en un documento por separado. El testamento suele ser leído después del funeral, de modo que sus herederos podrían enterarse de que usted quería ser cremado justo después de haber sido enterrado.

Hágalo usted mismo y ahorre dinero

Redacte usted mismo un testamento que sea válido ante los tribunales. En lugar de pagar una fortuna a los abogados, pague únicamente $40 por un programa de computadora o por herramientas en línea que pueden guiarle a través del proceso de elaboración de un testamento.

Un recurso valioso es la editorial legal Nolo, que tiene un programa para la creación de testamentos llamado *Quicken WillMaker Plus*, así como un servicio interactivo en línea en *www.nolo.com*. También puede probar otros recursos en línea, como BuildaWill en *www.buildawill.com* o LegalZoom en *www.legalzoom.com*. No gastará mucho dinero ni tiempo, y al final tendrá un testamento legalmente válido. También hay libros que le ayudarán a redactar un testamento. Solo asegúrese de que el recurso que vaya a utilizar tenga en cuenta las leyes de su estado.

Estos testamentos sencillos funcionan mejor para personas que gozan de buena salud, que no esperan deber impuestos sobre el patrimonio y que poseen bienes y activos típicos, tales como una casa, un auto, ahorros e inversiones, especialmente si tienen pensado dejar todo su patrimonio, sin condiciones, a uno o dos herederos.

Sin embargo, los testamentos hechos por uno mismo no funcionan para todos. Por ejemplo, si el valor de sus activos es superior a $2 millones, su patrimonio estará sujeto a impuestos federales. En ese caso usted debería asesorarse sobre posibles estrategias de ahorro fiscal.

Si su familia es compleja o si posee bienes raíces en más de un estado, sería mejor que contrate a un abogado. También debería hacerlo si necesita establecer un fideicomiso para algún hijo con necesidades especiales o si anticipa que alguien pueda impugnar su última voluntad.

Cinco claves para proteger su patrimonio

Según los expertos en planificación patrimonial estos son los cinco documentos más importantes:

- El testamento

- El testamento vital, también conocido como directivas médicas o voluntades anticipadas

- El fideicomiso revocable o fideicomiso en vida

- El poder legal durable para temas financieros

- El poder legal durable para temas de salud, también conocido como poder legal para atención médica o *health care proxy*, en inglés.

Cuatro buenas razones para actualizar su testamento

Puede que todo el mundo sepa que usted nunca quiso dejarle nada a su excónyuge, pero si no actualiza su testamento acabará haciendo todo lo contrario. Estas son las razones para cambiar su testamento:

- Cuando ocurre un cambio importante en la familia, como un matrimonio, un divorcio o el nacimiento de un hijo o un nieto.

- Cuando usted adquiere propiedades o activos adicionales o cuando se deshace de ellos.

- Cuando el banco ejecutor de sus bienes sucesorios es adquirido por otra entidad. Averigüe qué entidad será su nuevo ejecutor, asegúrese de que sea confiable y verifique si modificará las comisiones para los trámites testamentarios.

- Cuando cambia la ley federal de exención tributaria para bienes sucesorios. Una exención más alta significa que usted puede dejar más dinero a sus herederos sin pagar impuestos.

Cuando modifique su testamento, no haga borrones ni marcas sobre el documento original. Eso podría no tener validez en un juicio testamentario. Para las revisiones menores, haga una enmienda escrita, conocida como codicilo, que debe ser atestiguada y firmada con las mismas formalidades de un testamento. Para cambios sustanciales, los expertos recomiendan redactar un nuevo testamento.

Proteja a sus herederos con fideicomisos

Evite que el Tío Sam se quede con más de lo que le corresponde de su patrimonio. Asegúrese de que sus herederos reciban lo que usted quiere que reciban. Muchos creen que los fideicomisos son solo para los ricos, sin embargo son muy útiles para proteger sus bienes.

Con un fideicomiso, usted establece las condiciones de cómo y cuándo se distribuyen sus bienes. También evita el juicio testamentario y reduce los impuestos al patrimonio. Si bien un fideicomiso es más costoso que un testamento, en el largo plazo significa un ahorro ya que, más adelante, no será necesario pagar los costos de validación testamentaria.

Tipos de fideicomisos. Los fideicomisos pueden ser complejos y de muchos tipos. Hable con un abogado de planificación patrimonial antes de decidirse por uno. Estas son algunas opciones útiles:

- Fideicomiso de desvío (*bypass trust,* en inglés). También conocido como fideicomiso con refugio tributario (*credit shelter trust*) o fideicomiso AB (*AB trust*), esta opción permite a un matrimonio evitar parte de los impuestos sucesorios. Ambos cónyuges colocan sus propiedades en un fideicomiso. Cuando uno de ellos, digamos el esposo, fallece, su mitad de la propiedad pasa a los beneficiarios nombrados en el fideicomiso, a menudo los hijos. La condición es que la esposa pueda usufructuar esa propiedad de por vida, incluidos los ingresos que genere. Cuando ella muere, esa parte de la propiedad va directamente a los hijos exenta de impuestos. Eso significa que el patrimonio imponible de la esposa es la mitad de lo que hubiera sido de haber heredado directamente de su esposo.

- Fideicomiso con salto generacional (*dynasty trust,* en inglés). Esta opción le permite transferir dinero libre de impuestos a beneficiarios que sean por lo menos dos generaciones más jóvenes que usted. Es una gran manera de ayudar a los nietos. Usted puede especificar que debe ser utilizado para cubrir gastos de atención médica, de vivienda o de matrículas.

- Fideicomiso de propiedad de interés terminable calificado. Esta opción, conocida como QTIP por sus siglas en inglés, protege tanto al cónyuge actual como a los hijos de compromisos anteriores. Usted decide qué bienes pasan a un fideicomiso QTIP después de su muerte. Esto le dará al cónyuge sobreviviente un ingreso de por vida y, al fallecer, el capital pasará a los hijos.

- Fideicomiso de seguro de vida irrevocable. Esta opción separa el seguro de vida del resto de su patrimonio, lo que hace que ya no esté sujeto a impuestos sucesorios. Usted debe renunciar a sus derechos como propietario del seguro, es decir ya no podrá utilizarlo como aval para pedir un préstamo ni podrá cambiar a los beneficiarios. Sin embargo, los beneficios de la póliza pasarán a los beneficiarios como ingresos exentos de impuestos.

Nombre a un administrador de confianza. Usted tendrá que encontrar a una persona que pueda administrar el fideicomiso. Al principio esa persona puede ser usted mismo, pero deberá nombrar a un sucesor para que se encargue de esa tarea después de su muerte. Puede ser su cónyuge, un hijo adulto, un amigo o su asesor financiero. Solo asegúrese de que la persona elegida sea honesta, organizada y capaz de asumir esa responsabilidad. Usted también puede optar por un fideicomisario profesional, como un banco o una compañía fiduciaria.

Recuerde, los títulos de cada uno de sus bienes deben pasar a nombre del fideicomiso, para que queden protegidos. De lo contrario, podrían acabar en un tribunal testamentario y no en manos de los herederos que usted pensó. Si usted tiene un fideicomiso en vida —el tipo de fideicomiso que abarca la mayoría de sus bienes— también debería incluir una provisión complementaria en su testamento. De ese modo, cualquier propiedad no mencionada en su testamento automáticamente pasa a ser parte del fideicomiso y así se evita el proceso judicial.

No se olvide de las mascotas

Usted ama a sus mascotas, pero, ¿qué ocurrirá con ellas si le sobreviven? Calcule primero cuánto costaría su cuidado. Tome en cuenta el costo promedio de los alimentos, la arena higiénica, los juguetes y los honorarios del veterinario, así como la expectativa de vida de sus mascotas. Deje esa cantidad a una persona de confianza que acepte ser el guardián de sus mascotas. En el testamento también tendrá que dejar las mascotas como herencia al guardián, ya que a las mascotas se las considera como propiedad.

Cinco consejos para redactar un testamento vital

Un testamento vital es un documento de directivas médicas o voluntades anticipadas que establece a qué tipo de intervenciones de prolongación de vida usted desea o no desea someterse si llegara a padecer una enfermedad terminal y no pudiera comunicarse.

Usted puede pensar que sus seres queridos ya conocen sus deseos y que se encargarán de que estos sean respetados, pero es mejor si usted los deja en claro. Recuerde el caso de Terri Schiavo, en Florida. Su esposo y sus padres discutieron públicamente sobre si debía o no ser mantenida con vida por medios artificiales. Evite ese dolor a su familia y siga estos consejos para redactar su testamento vital:

Sea específico. Indique claramente cuáles son sus deseos y no olvide incluir en su testamento vital estos tres puntos:

- Respiración artificial. Si le cuesta trabajo respirar o si dejó de respirar, ¿desea usted que lo mantengan con vida mediante un ventilador o aparato de respiración artificial?

- Alimentación intravenosa. Si no puede comer, ¿desea que le inserten un tubo de alimentación o una vía intravenosa? ¿O prefiere ya no continuar recibiendo alimentos y agua? ¿Desea que lo sometan a otros tratamientos para prolongarle la vida?

- Alivio del dolor. ¿Desea recibir analgésicos? De ser así, ¿con qué frecuencia?

Indique claramente lo que usted piensa sobre la reanimación cardíaca, las intervenciones quirúrgicas mayores, las transfusiones de sangre y el uso de antibióticos para tratar infecciones potencialmente mortales. Asimismo, defina las circunstancias en que usted desea que se tomen determinadas medidas de emergencia. Por ejemplo, usted puede indicar que el hospital solo podrá utilizar todos los medios posibles para revivirlo mientras haya una esperanza de supervivencia. O puede pedir que lo sometan a ciertos tratamientos solo por un tiempo especificado y los suspendan si usted no muestra mejoría alguna.

Otorgue poder. Obtenga protección adicional con un poder para atención médica (*health care proxy*, en inglés). Este documento legal permite designar a alguien para tomar decisiones médicas en su nombre cuando usted no pueda hacerlo. Esa persona debe poder entender la información médica y, en situaciones de estrés, debe poder tomar decisiones difíciles que respeten sus deseos y privilegien sus intereses.

Distribúyalo. Asegúrese de que su testamento vital sea fácil de ubicar. Entregue una copia a sus familiares cercanos, a su médico de cabecera y al hospital donde usted cree que será tratado. Incluso puede llevar una copia en su billetera o dejar una en el coche en caso de emergencia.

Convérselo. No se limite a entregar este documento legal a sus familiares, a sus médicos y a la persona a quien le otorgó un poder para atención médica. Explíqueles el razonamiento detrás de sus decisiones y asegúrese de que ellos las respetarán, aun si no están de acuerdo con usted.

Busque ayuda profesional. Los requisitos para los testamentos vitales varían de estado a estado, por lo que tal vez necesite a un abogado. Muchos abogados especializados en planificación patrimonial elaborarán un testamento vital y un poder de atención médica como parte del plan de sucesión. Usted también puede hablar con su médico acerca de los distintos tratamientos para prolongar la vida, para así saber en qué consiste cada uno.

EL SIGUIENTE PASO

Para obtener más información y descargar formularios póngase en contacto con el registro de testamentos vitales de Estados Unidos. Vaya a *www.uslivingwillregistry.com* (en inglés), llame al 800-548-9455 o solicite más información escribiendo a:

U.S. Living Will Registry
523 Westfield Ave., P.O. Box 2789
Westfield, NJ 07091-2789

Por qué contar con un poder de representación

Usted puede decidir quién tomará todas las decisiones financieras importantes en su nombre cuando usted no pueda hacerlo. El poder de representación, un documento oficial reconocido en los 50 estados, es una importante herramienta de la planificación patrimonial.

Elija el mejor. Existen dos tipos de poder de representación. Consulte con un abogado para decidir cuál sería el mejor para usted:

- El poder legal condicional entra en vigor solamente cuando usted queda discapacitado o incapacitado por una enfermedad. Usted debe especificar las circunstancias en que entraría en vigor, por ejemplo, cuando usted sea admitido en un hogar de ancianos. A menudo, su médico debe declarar por escrito que usted no tiene la capacidad para manejar sus propios asuntos.

● El poder legal durable entra en vigor inmediatamente. El apoderado no tiene que demostrar que usted se encuentra incapacitado para firmar su propio nombre.

Nombre a un apoderado. Un poder de representación le permite designar a un apoderado, o agente, para que actúe en su nombre y pueda llevar a cabo las siguientes funciones:

● Firmar cheques, celebrar contratos de servicios que usted necesita y comprar o vender bienes, como su casa o su auto.

● Depositar o retirar fondos de sus cuentas y acceder a sus cajas de seguridad.

● Administrar su negocio y crear fideicomisos para usted.

● Tomar decisiones financieras y hacer donaciones u otras transferencias de propiedad.

Debido al enorme poder que esto significa usted debe nombrar a alguien de absoluta confianza. Un apoderado inescrupuloso podría dejarlo en la ruina. Usted puede elegir a su cónyuge, a un hijo adulto, a un familiar o a un amigo de confianza. Usted también puede otorgar este poder a un banco o a un abogado, pero deberá negociar una compensación. Si usted queda incapacitado y no cuenta con un poder de representación, el tribunal le asignará un tutor. Esto puede ser costoso y puede que la persona asignada no sea la que usted hubiera elegido.

Establezca medidas protectoras. Además de otorgar el poder a una persona de confianza, usted puede tener un coapoderado como medida de protección. Esto le dará más control debido a que para cada transacción se necesitarán dos firmas. Usted también puede solicitar al apoderado que proporcione estados contables periódicos a su familia o a su abogado. Especifique claramente los poderes que usted le otorga, para así mantener a salvo su dinero. Otra opción es establecer lo que se llama un fideicomiso testamentario y designar a alguien para su gestión.

Si su familia sospecha que su apoderado está jugando sucio, puede solicitar al tribunal que nombre a un guardián. El guardián puede demandar al apoderado para recuperar los fondos. Cualquier delito debe ser reportado a la oficina del fiscal del distrito.

Las leyes y las normas que regulan los poderes legales varían de estado a estado, así que asegúrese de consultar con un abogado antes de firmar cualquier documento.

Proteja su patrimonio de los estafadores

Las personas mayores son las principales víctimas del 70 por ciento de las estafas. Una vez que el estafador logra ganarse su confianza, las consecuencias podrían ser desastrosas para sus finanzas. Es posible que le pida "dinero prestado", que haga uso de sus tarjetas de crédito o que, sencillamente, acabe con sus ahorros. Un estafador puede, incluso, convencerlo para que modifique su testamento o para que lo ponga a cargo de sus finanzas. Probablemente, durante todo ese tiempo tratará de aislarlo de sus amigos y familiares que podrían protegerle.

Tenga cuidado con una persona varias décadas más joven que muestra un interés romántico en usted. Puede ser muy halagador, pero también puede tratarse de un engaño. Para cuando usted se dé cuenta, puede que sea demasiado tarde y que le de vergüenza contárselo a alguien. Deje de lado su orgullo y denuncie el hecho de inmediato para que las autoridades puedan atrapar al timador.

Esté atento con los cuidadores, ya que algunos pueden querer tomar ventaja de una persona mayor. Verifique sus antecedentes antes de contratar a un cuidador y evite a cualquier persona con un historial de problemas financieros. No permita que los cuidadores se encarguen de sus cuentas. Elija a un familiar de confianza en su lugar. Claro que usted tampoco puede confiar en todos sus familiares. Es posible que hasta su propio hijo o hija puedan querer aprovecharse de usted con ánimo de lucro.

Proteja a las personas mayores manteniéndose en contacto con ellas. Denuncie cualquier sospecha de fraude inmediatamente.

Seis pasos para mantener la paz

Su testamento no debe incluir sorpresas desagradables. Evite posibles conflictos y resuelva las diferencias con los herederos antes de redactarlo. Padres e hijos suelen no hablar de temas de dinero con la anticipación debida. Hacerlo puede ayudar a sus hijos a planificar sus propios patrimonios. Tome medidas concretas para asegurarse de que sus deseos serán respetados y de que sus hijos se quedarán con buenos recuerdos.

Repártalas ahora. Una opción es dividir sus pertenencias ahora, al menos verbalmente. Deje que cada uno de sus hijos le pida las cosas que más desea. Evite los favoritismos. En lugar de que el hijo mayor tenga la primera elección, decida el orden al azar. Una vez que todos hayan elegido su primer objeto, invierta el orden o vuelva a cambiar el orden al azar para la siguiente ronda.

Sea justo. Si bien es sumamente difícil dividir todo por igual, trate de mantener un sentido de equidad. Si un hijo recibe algo que vale mucho más dinero que lo que recibió otro hijo, cubra la diferencia con dinero contante y sonante.

Sea creativo. Usted podría organizar una subasta familiar, sobre todo si posee muchos objetos de valor. Estos deben ser tasados de antemano. Sume el valor total y divídalo por el número de hijos o de "postores". Celebre una reunión familiar y dele a cada heredero o "postor" la misma cantidad de "dinero" para pujar por estos objetos.

Pregunte antes de dar. Usted piensa dejarle la vajilla que heredó de su madre a su hija mayor. ¿Y si ella no la quiere, pero la hija menor sí? Pregunte a cada uno si le gustaría recibir lo que usted le piensa dejar en herencia. Si decide dejar regalos específicos a personas específicas, haga que un abogado revise sus directivas para asegurarse de que estas son legalmente vinculantes.

Dé explicaciones. Hágalo ahora o a través de un mensaje póstumo. Explique a sus herederos sus deseos y las decisiones que tomó a través de un video o una nota personal. Esto ayudará a apaciguar los sentimientos heridos y a evitar las disputas legales.

Hágase cargo de los objetos impugnados. Las disputas entre hermanos son frecuentes, no importa la edad que tengan. Coloque de lado aquellos objetos sobre los que sus herederos no se ponen de acuerdo, hasta que se enfríen los ánimos. Si eso no funciona, considere la posibilidad de venderlos y de donar el dinero a una organización caritativa o de dividirlo entre sus herederos.

Ayude a salvar vidas

Algunos de sus activos más valiosos no se encuentran en un banco o en su cartera de valores, sino en su propio cuerpo. Conviértase en un donante de órganos y ayude a salvar una vida después de perder la suya. No se preocupe por ser demasiado viejo o estar demasiado enfermo como para ser un donante. Personas de todas las edades y con los historiales médicos más diversos pueden donar sus órganos de manera exitosa y dar a otra persona una segunda posibilidad de vida.

La clave está en dar a conocer sus deseos para que los médicos no pierdan tiempo valioso tratando de establecer cuáles son sus directivas. Cada estado tiene requisitos distintos para la donación de órganos. Estas son tres maneras de dar el regalo de la vida:

- Inscríbase como donante de órganos cuando solicite o renueve su licencia de conducir o su tarjeta de identificación estatal. Llame al Departamento de Vehículos Motorizados para comprobar si su estado participa en este programa.

- Inscríbase en línea para convertirse en un donante de órganos. Más de la mitad de los estados cuentan con un registro en línea de donantes de órganos.

- Incluya la donación de órganos en su plan de sucesión. Declare su decisión de donar órganos en una carta y entréguesela a su ejecutor testamentario y a sus familiares más cercanos. Muchos hospitales exigen que un pariente firme un formulario de consentimiento autorizando la donación de órganos, por lo que es importante que ellos sepan cuál es su posición al respecto.

EL SIGUIENTE PASO

Para obtener más información sobre la donación de órganos, visite el sitio web de Donate Life America: *www.donatelife.net* (en inglés) o *www.donevida.org* (en español). Llame al 804-782-4920 o escriba a la siguiente dirección:

Donate Life America
700 N. Fourth Street
Richmond, VA 23219

Consejos valiosos para los ejecutores

Tal vez usted deba servir como ejecutor de los bienes sucesorios de un familiar o de un amigo, o tal vez usted necesite nombrar a uno. Sepa cuáles son las responsabilidades de un ejecutor testamentario:

- Notificar el fallecimiento de la persona a los familiares, a los amigos, a los religiosos y a profesionales como los asesores financieros o los agentes de seguros.

- Encargarse de todos los arreglos físicos y financieros de los dependientes.

- Hacerse cargo de los planes funerarios y de cualquier petición especial incluida en el testamento.

- Ubicar los documentos importantes de la persona fallecida y obtener un certificado de defunción.

- Presentar el testamento al tribunal testamentario.

- Elaborar una lista de los bienes y activos de la persona fallecida y contratar a un tasador para valorarlos.

- Cancelar todas las cuentas de la persona fallecida, como las facturas de servicios públicos, los impuestos sobre el patrimonio, las tarjetas de crédito, los fondos de pensiones, el seguro de vida, los pagos del Seguro Social y los impuestos sobre la renta.

- Mantener seguros los bienes hasta su distribución y evitar que algún familiar se apropie de ellos indebidamente.

Estas obligaciones son muy importantes. Siga los consejos mencionados a continuación para cumplirlas sin más complicaciones:

No mezcle su propio dinero con el del patrimonio. Tan pronto asuma sus funciones, abra una cuenta corriente separada, transfiera todos los fondos de la persona fallecida y cierre todas las cuentas antiguas. Pague todas las deudas del patrimonio con los fondos de esa cuenta: los impuestos sobre la propiedad, los pagos de las tarjetas de crédito y así sucesivamente. Conserve un recibo por cada transacción.

No pague cuentas de su propio bolsillo. El ejecutor no es responsable de las deudas de la persona fallecida, incluso si el patrimonio se queda sin dinero.

No olvide pagarse a sí mismo. Los ejecutores tienen derecho a cerca del 2.5 por ciento del dinero que recaudan y redistribuyen a cargo del patrimonio, aunque este porcentaje varía según el estado.

No se apresure a contratar a un abogado. Es posible ejecutar un testamento sin la ayuda de uno, más aún si el tribunal testamentario le entrega las instrucciones para los ejecutores testamentarios.

Manténgase fuerte. Los ejecutores deben permanecer objetivos y cuidarse de no tomar decisiones emocionales, aun si eran muy cercanos al difunto.

> Un **ejecutor** o **albacea testamentario** es la persona responsable de presentar el testamento del difunto al tribunal, de hacer un inventario de los bienes sucesorios, de pagar todas sus deudas y de repartir lo que queda según las instrucciones del testamento.

Dele más a sus hijos y menos al Tío Sam

No espere a morir para ayudar económicamente a sus hijos o a sus nietos. Hágalo ahora aprovechando los vacíos legales que hoy existen en el sistema tributario. Eso sí, no los ayude demasiado.

Por ejemplo, en el año 2009, un individuo podía regalar hasta $13,000 por beneficiario a cualquier número de personas sin tener que pagar impuestos sobre estas donaciones. Las parejas podían dar hasta $26,000 por beneficiario. Lo mejor de todo era que los beneficiarios no tenían que pagar impuestos sobre el dinero recibido. Para más información sobre lo que usted puede dar hoy en día, vaya a *www.irs.gov* (en inglés) o a *www.irs.gov/Spanish* (en español) o llame al 800-829-1040.

Si usted necesita repartir más dinero que lo que permiten los límites establecidos, puede hacerlo siempre y cuando lo destine a pagar gastos actuales, no futuros, de matrículas o de servicios médicos. También puede dar dinero a sus herederos a través de fideicomisos, como el fideicomiso irrevocable de seguro de vida o el fideicomiso caritativo de anualidad. Hable con un profesional financiero para más información.

Sin embargo, tenga cuidado. Ayudar a los hijos adultos a pagar la cuota inicial de una casa, el saldo de sus tarjetas de crédito o su préstamo estudiantil puede ser algo bueno, pero muchos expertos financieros sostienen que dar demasiado impide que los hijos lleguen a ser financieramente independientes. Es más, los regalos en efectivo que usted hace a sus hijos podrían disminuir la disponibilidad de dinero para financiar su propia jubilación. Gracias a una mayor esperanza de vida, su jubilación podría durar más tiempo y costarle más de lo que usted esperaba. Tenga esto en cuenta a la hora de planificar la entrega de donaciones en efectivo a sus herederos.

¡ALERTA!

Si desea consultar a un experto en planes de sucesión, preste atención. Muchos ofrecen servicios de planificación patrimonial, pero podrían sólo estar detrás de su dinero. Algunos se hacen llamar "especialistas en fideicomisos" o "planificadores certificados", pero en realidad solo quieren venderle anualidades y otros productos a comisión. Fíjese en sus calificaciones y desconfíe de las tácticas de presión. No se sienta presionado a comprarles ningún producto o servicio, ni a brindarles información sobre sus bienes o sus finanzas.

Lo que sus herederos no deben hacer

¿Qué sucede si cuando usted muere le debe dinero a la compañía de su tarjeta de crédito? ¿Tendrá su familia que pagar sus deudas? Sin duda eso es lo que quisieran las compañías de tarjetas de crédito, que hasta podrían presionar a sus sobrevivientes mediante llamadas telefónicas. Sin embargo, sus herederos no tienen la obligación legal de pagar sus deudas.

A pesar de eso, sus herederos podrían verse afectados debido a que antes de que sus bienes sucesorios puedan ser repartidos entre ellos, es necesario pagar a los acreedores. Si los activos de su patrimonio no son suficientes para cancelar todas las deudas que usted dejó, su patrimonio será declarado insolvente y sus cuentas permanecerán sin pagar.

Si un familiar suyo muere dejando una deuda, tenga mucho cuidado con las tácticas poco transparentes de los acreedores y las agencias de cobro. No permita que lo engatusen y lo presionen para que usted pague esa deuda. Tratarán de persuadirlo con declaraciones engañosas o simples mentiras para conseguir ese dinero. No llegue a ningún acuerdo ni efectúe pago alguno sin antes consultar con un abogado.

Planifique su funeral y descanse en paz

Es buena idea hacer sus propios arreglos funerarios como parte de la elaboración de un plan de sucesión. Eso significa que sus sobrevivientes sabrán exactamente lo que usted quiere y no acabarán gastando dinero en servicios fúnebres adicionales que a usted no le interesan.

Usted incluso puede pagar su funeral por adelantado con un seguro de entierro prepago o de anticipo de necesidad (*pre-need insurance*, en inglés). Este seguro le permite planificar y pagar su funeral con anticipación. Usted y el agente de seguros de anticipo de necesidad, a menudo el director de una funeraria, pueden juntos diseñar una póliza que incluya detalles como el lote para su sepultura, el ataúd, el revestimiento de la tumba, la lápida, las flores e, incluso, los cargos por excavar, cubrir y cerrar la tumba. Esto puede ser costoso, así que tenga en cuenta los siguientes consejos para ahorrar dinero y evitar ser estafado:

- Asegúrese de que la póliza sea bastante detallada. Debe especificar el estilo, el tipo y el material de la lápida, así como la ubicación de la tumba por sección, fila y número.

- Averigüe si tendrá que pagar una multa si usted obtiene la lápida o el ataúd de otro vendedor. Por ejemplo, usted podría comprar un ataúd con descuento a través de las Páginas Amarillas. Si usted es veterano, también puede ponerse en contacto con el Departamento de Asuntos de Veteranos y recibir una lápida gratuita.

- Conozca las leyes de su estado que regulan el seguro de anticipo de necesidad y verifique la licencia de la compañía, del director de la funeraria o del agente que prepara su póliza.

EL SIGUIENTE PASO

Visite el sitio de la Alianza para Consumidores de Funerarias en *www.funerals.org* (en inglés) para obtener asesoría fiable sobre los precios de los funerales y las opciones para un funeral asequible.

Proteja su funeral prepago contra las estafas

Dicen que se obtiene lo que se paga. Sin embargo, cuando se trata de un plan funerario prepago, eso no siempre es así. Se supone que las pólizas prepago, o de anticipo de necesidad, le permiten elegir y pagar con anticipación los servicios funerarios y su lote en el cementerio.

Cuando estas pólizas funcionan, su dinero es invertido en fondos fiduciarios mientras no se necesite. Sin embargo, cada vez existen más pólizas funerarias que no cumplen con todo lo que prometen o que simplemente no cumplen con nada. Las compañías no cumplen con los contratos ya sea porque han cambiado de dueño, se han declarado en bancarrota o porque hicieron uso de los fondos fiduciarios. Tome las siguientes precauciones si decide firmar este tipo de contrato:

- Lea el contrato atentamente para saber exactamente qué partes del servicio funerario están incluidas y cuáles no.

- Pregunte si la póliza puede ser cancelada o transferida a otra funeraria. Establezca si en ese caso le devolverán su dinero o le exigirán que pague una multa.

- Establezca cómo va a invertir la funeraria su dinero y si se trata de una inversión de riesgo.

- Pregunte qué sucederá con su póliza si la funeraria cambia de dueño.

- Averigüe cómo es la política de sustituciones si un componente del servicio funerario que usted eligió ya no está disponible.

- Firme el contrato solo después de que su abogado lo haya revisado.

Super**ahorro**

No olvide estas tácticas poco conocidas para limitar los gastos de un entierro o un funeral.

- Los veteranos y sus cónyuges tienen derecho a lotes gratuitos en cualquier cementerio nacional. Póngase en contacto con el Departamento de Asuntos de Veteranos llamando al 800-827-1000 o vaya a *www.va.gov* para conocer más detalles.

- Contribuya al avance de la ciencia médica. Haga arreglos para donar sus restos a una escuela de medicina.

Ocho errores comunes de la planificación patrimonial

Nadie es perfecto. Sin embargo, si a usted le preocupa el bienestar de su familia y de sus amigos, procure evitar este tipo de errores:

- No tener un testamento. Si usted fallece sin un testamento, sus bienes se repartirán entre sus herederos según lo establece la ley del estado. Esa repartición podría no reflejar lo que habría sido su última voluntad.

- No actualizar los documentos importantes. Revise y actualice tanto su testamento como los beneficiarios de sus pólizas de seguro, cuentas de jubilación, cuentas de "pagar al morir" y otros documentos de su plan de sucesión, una vez cada tres años. Además, procure actualizarlos después de nacimientos, defunciones, divorcios y al comprar o vender una propiedad.

- Centrarse únicamente en los impuestos. Tome medidas para evitar las disputas familiares y los gastos elevados del proceso de certificación testamentaria.

- No organizar sus papeles. Organice sus documentos personales, como las pólizas de seguros de vida o su documentación financiera, para que el albacea pueda pagar sus cuentas y disponer de sus bienes sucesorios sin complicaciones.

- Poner a su hijo en el título de su casa. Su hijo deberá declarar la casa como un regalo, pagar impuestos sobre su porción del valor de la casa y, posiblemente, pagar impuestos adicionales si llega a venderse la casa.

- Hacer que uno de sus herederos sea también copropietario de sus cuentas bancarias o de corretaje. Esto podría impedir que otros herederos reciban su parte, independientemente de lo que diga su testamento. En su lugar, utilice un poder legal durable.

- Asumir que su patrimonio es pequeño. La propiedad de una vivienda, los seguros de vida y las cuentas de jubilación pueden incrementar su caudal hereditario, obligando a sus herederos a pagar impuestos. Determine el tamaño de su patrimonio para poder planificar maneras de reducir estos impuestos.

- No hacer que sus asesores coordinen entre ellos. Si emplea a un asesor de impuestos, a un planificador financiero, a un abogado de planificación patrimonial o a profesionales similares, asegúrese de que se conozcan y de que trabajen juntos.

Estire su presupuesto de jubilación

Tres maneras de ahorrar más para el futuro

Si usted cree que no podrá ahorrar lo suficiente para su jubilación, no se angustie. Estas son tres opciones adicionales a tener en cuenta:

Trabaje un poco más de tiempo. Si aún no se ha jubilado y su salud es buena, considere la posibilidad de trabajar unos cuantos años más. Así usted evita tocar sus fondos de jubilación y continúa ahorrando.

Retrase el Seguro Social. Usted recibirá un cheque más grande en el futuro si posterga el cobro de los beneficios del Seguro Social. Usted puede posponer su solicitud de beneficios hasta cumplir 70 años.

Reajuste sus gastos. Considere la posibilidad de mudarse a una casa menos costosa. Si utiliza el dinero que recibe por la venta de su vivienda actual para adquirir una vivienda más económica, usted podría pagar la hipoteca en poco tiempo. Esto liberará dinero que usted podrá ahorrar o, por lo menos, reducirá sus gastos durante la jubilación.

Super**ahorro**

Si se muda a una vivienda más pequeña, pero quiere tener las mismas comodidades que antes, como la barra de granito o la bañera de *jacuzzi,* usted pagará una fuerte suma al inicio. En el largo plazo, sin embargo, ahorrará en gastos de mantenimiento, energía e impuestos por vivir en un espacio más pequeño. Simplifique para ahorrar al máximo.

Mejore su vida como jubilado mientras se divierte

Uno puede jubilarse con un presupuesto ajustado y aun así divertirse ganando dinero, ya sea con un pasatiempo o trabajando a medio tiempo. Si usted siempre soñó con hacer joyas, aprender a coser o ser un golfista profesional, tal vez ha llegado el momento de hacer realidad esos sueños.

Muchos adultos mayores están encantados de poder jubilarse a medias, es decir, de dejar de trabajar a tiempo completo en sus empleos de toda la vida, para dedicarse a trabajar en algo que realmente disfrutan. No se sienta limitado por lo que hizo en el pasado. Usted puede trabajar a tiempo parcial en su antiguo empleo, buscar un nuevo empleo, trabajar de manera independiente, empezar un negocio en casa, ofrecer servicios de consultoría o, incluso, puede trabajar para una agencia de empleos temporales.

Los retos planteados por estas nuevas actividades harán que sus días sean más divertidos e interesantes después de jubilarse. Ahora usted puede dedicar todo su tiempo a algo que antes solo era un pasatiempo de los fines de semana y puede beneficiarse de tener más actividades sociales y una rutina diaria más intensa. Mejor aún, usted evitará quedarse sin dinero antes de tiempo durante la jubilación.

Cuatro buenas razones para seguir trabajando

Incluso si usted no necesita el dinero, hay muchas otras buenas razones para seguir trabajando más allá de la edad tradicional de jubilación.

Mantenerse activo y en contacto. ¿Cuántas horas de golf se pueden jugar, cuántos peces se pueden pescar, cuantos comederos de pájaros se pueden construir? A la larga, sus pasatiempos no llenarán ni su tiempo libre ni su vida. Pronto empezará a extrañar a las personas interesantes con las que solía trabajar. A nadie le gusta pasarse el día solo y en casa.

Mantenerse ocupado. Si le gusta su trabajo, este le hará falta cuando renuncie a él. Sin algo que lo mantenga ocupado, sus días podrían reducirse a largas horas de aburrimiento.

Mantener su seguro médico. La jubilación anticipada parece buena idea, pero no lo es si usted tiene que cubrir los altos costos de la atención médica hasta cumplir 65 años y ser elegible para Medicare. Incluso si su antiguo empleador le ofrece la cobertura de un seguro médico hasta que usted cumpla 65 años, usted podría tener que pagar alrededor de $10,000 al año por una familia o $3,600 por persona.

Algunas compañías, como *Target, Lowe's, J.C. Penney, Barnes & Noble* y *Starbucks,* ofrecen seguro médico a sus empleados a tiempo parcial, generalmente a quienes trabajan por lo menos 20 horas a la semana.

Mantenerse saludable. Usted puede conservar su salud por más tiempo si sigue trabajando. Un estudio reciente encontró que las personas que se jubilan a los 55 años tienen una probabilidad 89 por ciento mayor de morir en los primeros 10 años de jubilación que las personas que esperan a cumplir los 65 años para jubilarse. Las personas que se jubilan anticipadamente tienden a la depresión. Así que hágales un favor a su cuerpo y a su cerebro, deje la mecedora y regrese a trabajar.

HAGA QUE EL DINERO TRABAJE PARA USTED

Este es un ejemplo del beneficio de continuar trabajando a tiempo parcial después de la fecha oficial de jubilación:

Digamos que usted ahorró $150,000 para su jubilación y que espera recibir otros $4,000 al año en beneficios del Seguro Social. Divida $150,000 por 30 años de jubilación y obtendrá alrededor de $5,000 al año. Aun si agrega lo del Seguro Social, eso sería solo $9,000 al año, lo que no es mucho para vivir.

Pero si usted trabaja a tiempo parcial durante los cinco primeros años de su jubilación en un empleo que paga $12,000 al año, usted podría evitar tocar sus ahorros. Esto podría dar a sus inversiones de jubilación la oportunidad de seguir creciendo. Si sus $150,000 crecen a una tasa del 6 por ciento, podrían llegar a $202,327 al finalizar esos primeros cinco años. Eso le daría $6,744 anuales durante 30 años o $8,093 anuales durante 25 años.

De recibir los $4,000 al año del Seguro Social, el total sería de $10,744 durante 30 años o de $12,093 durante 25 años. Es más, si usted sigue trabajando y pospone los beneficios del Seguro Social, su cheque mensual de beneficios podría ser más alto.

EL SIGUIENTE PASO

¿Se destaca en alguna habilidad, pero no sabe cómo aprovecharla después de jubilarse? Usted podría dedicarse al voluntariado a través de National Executive Service Corps. Esta asociación relaciona a ejecutivos y profesionales experimentados con grupos sin fines de lucro que necesitan asesoría. Usted tendrá el placer de ayudar a su comunidad, mientras que estos grupos se benefician de su experiencia. Obtenga más información en *www.nesc.org*.

Deje que AARP le abra las puertas a un nuevo empleo

Una cabeza cana puede abrirle las puertas a un nuevo e interesante empleo, siempre y cuando usted encuentre al empleador que aprecie sus años de experiencia. Muchas compañías buscan desesperadamente a personas mayores con experiencia. Incluso el empleador más grande del país, el gobierno federal, está ansioso por contratarlas. Si usted es un adulto mayor en busca de empleo, está con suerte.

La asociación estadounidense de jubilados AARP, por sus siglas en inglés, entrevista a empresas para determinar su disposición a contratar a trabajadores mayores. AARP les pregunta sobre sus prácticas de contratación, los beneficios que ofrecen, los tipos de puestos disponibles, las horas de trabajo, etc. Las empresas que se muestran más que dispuestas a contratar a trabajadores de una edad mayor que la promedio pasan a formar parte del Equipo Nacional de Empleadores de AARP.

Usted puede ver la lista de estos empleadores en el sitio web de AARP en *www.aarp.org/work* (en inglés) o *www.aarp.org/espanol/trabajo*. Aquí usted también encontrará ayuda para buscar trabajo en los sectores de salud, comunicaciones, finanzas y turismo, entre otros, así como ofertas de empleo del gobierno federal. El Tío Sam está contratando a personal para el IRS, la Oficina de Asistencia en Casos de Desastres (ODA, en inglés) y el Cuerpo de Paz. Recuerde, a los trabajadores del Cuerpo de Paz se les llama voluntarios, pero en realidad reciben un pequeño salario, más una cantidad fija para cubrir gastos básicos. Y no hay edad límite por lo que el 5 por ciento de sus trabajadores son mayores de 50 años.

EL SIGUIENTE PASO

Los siguientes sitios web en inglés ofrecen ayuda valiosa para encontrar empleo:

- *www.experienceworks.org* — Ayuda a capacitar a los adultos mayores en nuevas competencias.

- *www.workforce50.com* — Proporciona asesoría y un listado de empleos.

- *www.dinosaur-exchange.com* — Presenta oportunidades de empleo alrededor del mundo.

- *www.seniors4hire.org* — Muestra ofertas laborales para personas mayores de 50 años.

- *www.retiredbrains.com* — Brinda asesoría e incluye herramientas de búsqueda.

Comience una nueva carrera

Está listo para dejar su trabajo de toda la vida, pero no está dispuesto a retirarse del mundo laboral. Considere la posibilidad de un cambio de carrera. Elija una de estas 10 carreras "tardías" y podrá ganar desde unos pocos miles de dólares hasta $200,000 al año. Muchas exigen poca o ninguna capacitación, y algunas se pueden realizar en la comodidad de su hogar.

- Vendedor en eBay. Haga buen dinero vendiendo todo tipo de artículos a través *www.eBay.com*. Pero antes échele un vistazo al video de capacitación de una hora de duración, disponible a través de la Universidad de eBay. Encontrará el video en la sección de ayuda de este sitio web.

- Recaudador de fondos. Las organizaciones benéficas necesitan a una persona con iniciativa que pueda recaudar fondos para una buena causa. Elija la organización sin fines de lucro que más le guste y sentirá que está haciendo una buena obra cada día de la semana.

- Bibliotecario. Estos técnicos de la información se han unido a la era electrónica. Ahora colaboran en las escuelas, en las universidades, en los museos y en las corporaciones, así como en las librerías públicas.

- Auxiliar de enfermería a domicilio. Usted tal vez necesite una licencia estatal en la forma de un título médico asociado. Podría ganar $20,000 al año trabajando a tiempo parcial para una agencia o directamente con los clientes.

- Diseñador gráfico. Trabaje en la comodidad de su hogar ganando más de $35,000 al año. Usted podría necesitar un título y de hecho necesitará algo de experiencia.

- Chef personal. Cocine únicamente para unos cuantos clientes. Usted necesitará credenciales de una escuela culinaria.

- Trabajador social. Las personas que elijen esta carrera llena de satisfacciones sienten que la realización personal compensa de lejos una posible reducción de sus ingresos.

- Terapeuta de masaje. Antes de empezar a ayudar a las personas a mejorar su bienestar, usted deberá obtener la licencia o el certificado que su estado exige para desempeñar este trabajo.

- Maestro. Trabaje y disfrute de su tiempo libre durante el verano. Si usted es un profesional en otro campo, podría empezar a enseñar rápidamente a través de programas especiales como *Teach for America*. Su actual empleador hasta podría pagar el costo de estos programas.

- Guardia en cruces escolares. Este empleo requiere muy poca capacitación, pero muy buena voluntad, y es una elección común entre los adultos mayores.

Si usted considera que ha sido discriminado debido a su edad, puede ponerse en contacto con la Comisión para la Igualdad de Oportunidades en el Empleo (EEOC, en inglés). Llame al 800-669-4000 o vaya a *www.eeoc.gov/spanish*. Según la Ley contra la Discriminación por Edad en el Empleo de 1967 es ilegal para una empresa despedir, negarse a contratar o discriminar a alguien por motivos de edad.

Rehaga su hoja de vida para reflejar su nuevo yo

Si usted decide buscar trabajo en un nuevo campo, entonces tendrá que elaborar una nueva hoja de vida o currículum vitae. Usted deberá demostrar que tiene las competencias necesarias para este nuevo trabajo, incluso si nunca antes lo ha hecho. Puede contratar los servicios de un profesional para actualizar su currículum. O puede hacerlo usted mismo siguiendo estos consejos de un especialista en orientación profesional:

- Incluya solo los puntos más destacados de su historia laboral. Deje los detalles menores para una entrevista.

- Muestre la relevancia de su experiencia. Si está cambiando de sector laboral, demuestre cómo su experiencia es útil y pertinente para el nuevo puesto.

- Elija las palabras clave adecuadas para la actividad laboral que busca desempeñar. Muchas veces las empresas organizan las hojas de vida electrónicamente, antes de que alguien las revise. Su currículum no será seleccionado si no contiene las palabras y frases específicas que el empleador considera importantes para el empleo.

- Elabore distintas versiones de su currículum, una para cada tipo de trabajo que le interesa tener. Con una computadora es fácil actualizar y modificar estos documentos.

- No incluya un listado con los detalles de su educación, a menos que sea realmente impresionante o relevante. Solo deje aquellos que sí están relacionados con el trabajo que busca.

- Busque la perfección. Evite los errores tipográficos, ortográficos y gramaticales que pueden dar una impresión de descuido.

EL SIGUIENTE PASO

Usted puede recibir capacitación laboral gratuita si es mayor de 55 años y tiene bajos ingresos. El Programa de Empleo para Personas Mayores en Servicios a la Comunidad o SCSEP, por sus siglas en inglés, paga a las personas mayores mientras se capacitan en actividades laborales que ayuden a una organización sin fines de lucro o a un grupo de servicios comunitarios. Entérese de lo que ofrece el programa del Departamento de Trabajo en su comunidad en *www.doleta.gov/SENIORS*.

¿Le gustaría que le paguen por ir de compras?

Se estima que un millón de estadounidenses ganan dinero extra como compradores incógnitos, también conocidos como "clientes secretos" o "compradores misteriosos". Muchas empresas y tiendas contratan a agencias de marketing para averiguar cómo les está yendo. Y esa es precisamente la tarea de los "cliente secretos".

Los "clientes secretos" son como agentes secretos que van a comprar a las tiendas, se alojan en hoteles o comen en restaurantes. Las agencias de marketing los contratan y luego preparan un informe para sus clientes. Redactar informes y realizar encuestas es parte del trabajo.

No se hará rico con este empleo, pero podría ganar entre $10 y $50 por proyecto. También podría comer gratis en restaurantes y recibir mercancía gratuita si le reembolsan por las compras que debe hacer.

Respete las reglas. Para tener éxito como "cliente secreto" usted debe seguir ciertas reglas:

Usted debe:

- Obtener los nombres y las descripciones a medida que hace su trabajo, en lugar de tratar de recordar los detalles más tarde.

- Dar a los empleados y vendedores la oportunidad de hacer bien su trabajo. No les tienda trampas.

- Ser exhaustivo, justo y preciso al redactar su informe.

Usted no debe:

- Tener miedo de ingresar a una tienda o a un restaurante.

- Apresurarse o saltarse pasos importantes del trabajo.

- Anunciar que usted es un "cliente secreto" o dejar que lo descubran tomando notas.

- Incumplir con sus plazos de entrega.

- Ser descuidado en su trabajo.

No se deje engañar. Desconfíe de las ofertas para trabajar como "cliente secreto" que parezcan demasiado buenas para ser ciertas. No es necesario afiliarse ni pagar una cuota por capacitación, a menos que quiera obtener la certificación otorgada por la asociación de proveedores de compradores incógnitos, conocida como MSPA por sus siglas en inglés. Sin embargo, esta credencial no es indispensable para trabajar. Por último, asegúrese de hacerlo para una agencia de marketing reconocida, como *BARE International* o *Market Force Information*.

Cómo disfrutar del trabajo de sus sueños

Antes de jubilarse a usted le gustaba su trabajo, pero no le gustaba tener que responder a un jefe. Ahora usted puede convertirse en su propio jefe. Tener su propio negocio puede ser una aventura arriesgada, pero también podría traerle grandes satisfacciones.

Conozca las ventajas y las desventajas. Una ventaja de trabajar por cuenta propia es la de ser su propio jefe y de poder tomar sus propias decisiones. Otra ventaja es la oportunidad de gozar de independencia financiera, algo tal vez difícil de lograr mientras se trabaja para otra persona. Lo mejor de todo, sin embargo, es la posibilidad de dedicarse a lo que realmente le gusta, ya sea probando suerte con su antigua carrera, solo que esta vez de manera independiente, o convirtiendo su pasatiempo favorito en un negocio.

Sin embargo, tener un negocio propio no es todo vino y rosas. Las empresas nuevas tienen un alto índice de fracaso. Alrededor del 20 por ciento cierra dentro del primer año, mientras que otro 20 por ciento se van a la quiebra durante el segundo año. Entre las razones del fracaso empresarial están la mala planificación, la mala gestión, muy poco capital y la falta de marketing, especialmente en el caso de los empresarios propietarios sin experiencia.

Planifique con anticipación. Antes de decidirse a trabajar por cuenta propia, tenga en cuenta sus respuestas a las siguientes preguntas:

- ¿Cómo obtendrá financiación? Una opción podría ser un microcrédito de la Administración de la Pequeña Empresa (*Small Business Administration* o SBA en inglés) para cubrir sus costos iniciales. El límite máximo para este tipo de préstamos es de $35,000.

- ¿Cuál es su "nicho" en el mercado? ¿Quiénes serán sus clientes? Usted puede tener un producto o un servicio excelente, pero su negocio fallará si nadie está dispuesto a pagar por él.

- ¿Cuánto tiempo y energía le dedicará al proyecto? Es probable que deba dedicarle mucho más tiempo y energía de lo que cree.

- ¿Tiene las habilidades empresariales básicas necesarias?

- ¿Durante cuánto tiempo intentará sacar adelante el negocio antes de tirar la toalla? Es bueno ser perseverante, pero no deje que una empresa fallida consuma todos los ahorros que acumuló para su jubilación.

EL SIGUIENTE PASO

La Administración de la Pequeña Empresa (SBA, en inglés) ofrece asesoría, recursos e, incluso, cursos gratuitos de capacitación en línea para las personas que desean tener una pequeña empresa. Vaya a *www.sba.gov* o llame al Centro de Respuestas de la SBA al 1-800-827-5722.

Lo que debe saber sobre el trabajo y el Seguro Social

Una gran razón para continuar trabajando después de haberse jubilado oficialmente es postergar la solicitud de beneficios del Seguro Social. Esta medida podría incrementar el monto del cheque que recibirá del Seguro Social cuando finalmente solicite sus beneficios, que deberá ser antes de cumplir 70 años. Sin embargo, si ya empezó a recibir dichos beneficios, el Tío Sam no será tan generoso.

Prepárese para una reducción en su cheque. Trabajar después de jubilarse afecta de dos maneras los beneficios del Seguro Social:

- El monto de sus cheques de beneficios. Si usted empezó a recibir beneficios del Seguro Social antes de la edad de jubilación plena (entre 65 y 67 años, dependiendo de su año de nacimiento), su cheque se reducirá en $1 por cada $2 que haga. Sin embargo, una vez que alcance la edad de jubilación plena, usted podrá tener otros ingresos sin perder los beneficios del Seguro Social.

- Impuestos. Si sus ingresos, más lo que recibe del Seguro Social, suman una cantidad por encima de cierto nivel, usted tendrá que pagar impuestos sobre los beneficios del Seguro Social.

Para conocer otros detalles sobre cómo el trabajo puede afectar los beneficios del Seguro Social lea el capítulo *El Seguro Social simplificado*.

Aproveche Medicare al máximo. Lo bueno es que tener ingresos por un empleo no afectará directamente los beneficios de Medicare.

Sin embargo, si usted todavía no es elegible para Medicare, es posible que deba continuar trabajando o deba conseguir un nuevo empleo para prolongar su seguro médico.

Tenga cuidado con las hipotecas revertidas

Si usted ha oído decir que una hipoteca revertida le permitirá vivir en su casa y recibir un préstamo para pagar sus cuentas, no se apresure a dar ese salto. Antes de solicitarla tenga en cuenta lo siguiente:

Entienda lo básico. Con una hipoteca revertida usted recibe dinero a cambio de parte o de todo el valor acumulado de su vivienda. Ese dinero lo podrá recibir en la forma de cuotas mensuales, como un pago único o como una línea de crédito. Usted podrá permanecer en su casa hasta que decida venderla o hasta su muerte. Sus herederos la podrán vender para pagar la deuda. La opción más segura es la llamada hipoteca de conversión del valor acumulado de la vivienda (HECM, en inglés), que está asegurada por el gobierno de Estados Unidos.

Conozca las reglas. Solo los propietarios de 62 años o más tienen derecho a una hipoteca revertida. La casa debe ser su residencia principal y debe estar pagada o casi pagada. La hipoteca revertida puede ser una opción beneficiosa para las personas con ingresos bajos, pero con mucho capital acumulado en sus viviendas. También puede ser una buena opción para los propietarios de vivienda que tengan más de 70 u 80 años. En cambio, alguien de solo sesenta y tantos años podría sobrevivir al dinero que reciba de una hipoteca revertida.

Tenga mucho cuidado. Una hipoteca revertida no es para todos. Estos son algunos inconvenientes a tener en cuenta antes de firmar:

- Los altos costos de cierre pueden llegar fácilmente a $15,000 o más. Solo valdrá la pena si usted permanece en su casa durante por lo menos cinco años más.

- Si opta por recibir una suma mayor al inicio tendrá que pagar más en intereses. Solo tome lo que necesita y pida recibir el resto como una línea de crédito o en pagos mensuales.

- Usted tendrá que seguir viviendo en esa casa. Piense en lo que sucedería si sus hijos se mudan a otro estado o su cónyuge debe ir a una residencia para adultos mayores.

- Habrá muy poco o ningún capital acumulado en la vivienda para dejar a sus herederos.

Asesórese bien. La ley federal requiere que usted consulte con un asesor aprobado por HUD antes de obtener una hipoteca revertida. Eso esta bien, ya que le ayudará a entender mejor las ventajas y los costos de esta transacción.

Aproveche el valor de su casa para tener dinero extra

Una hipoteca revertida puede no ser una buena opción para usted. Hay otras maneras de conseguir dinero en efectivo a partir del capital acumulado de su casa. Todo propietario de una vivienda puede reunir los requisitos para un préstamo o una línea de crédito sobre el valor líquido de su vivienda. Pero antes, conozca cuáles son los riesgos.

Sopese los riesgos. Estos préstamos están respaldados por el capital acumulado de su vivienda. Por ejemplo, si su casa vale $250,000 y usted aún debe $100,000 de su hipoteca, el capital acumulado es de $150,000. Usted puede hacer uso de hasta el 80 por ciento del valor de su casa o $120,000 en este caso.

Esto implica, obviamente, una reducción considerable del valor líquido de su vivienda. Si los tiempos se ponen difíciles y usted no puede cumplir con los pagos del préstamo, entonces corre el riesgo de perder su casa. Obtener estos préstamos y líneas de crédito era una decisión popular cuando el valor de las viviendas estaba en constante aumento. Sin embargo, esta estrategia puede hoy

El **préstamo sobre el valor líquido de la vivienda** es un préstamo para propietarios de vivienda en función de la cantidad de capital que han acumulado en su vivienda. Su casa es la garantía del préstamo.

De manera similar, la **línea de crédito sobre el valor líquido de la vivienda** (HELOC, en inglés) es una línea de crédito a la que usted puede acceder según sea necesario.

ser peligrosa debido a la inestabilidad del mercado inmobiliario. Usted podría querer vender su casa y comprobar que debe más de lo que vale.

Peor aún es la idea de tomar un préstamo con garantía inmobiliaria para pagar el saldo de una tarjeta de crédito. Puede que parezca una solución sencilla a un gran problema, pero lo cierto es que podría resultar en una deuda mucho mayor. A menudo las personas pagan su tarjeta de crédito con el dinero de un préstamo y luego siguen utilizando la tarjeta. Un año más tarde, no solo tienen que pagar el préstamo, también tienen una nueva deuda con la compañía de su tarjeta de crédito.

Evalúe sus opciones. Un préstamo sobre el valor líquido de su vivienda puede ser la decisión correcta en ciertos casos. Si tiene deudas con un tipo de interés muy alto, usted puede saldar esas deudas con un préstamo que tenga intereses más bajos. Es más, los intereses podrían ser deducibles de impuestos. Y si usted utiliza este préstamo para consolidar sus deudas, su calificación crediticia de FICO podría mejorar. También puede aprovechar el dinero de este préstamo para hacer mejoras que incrementarán el valor de su vivienda.

Planifique el mantenimiento de su casa

Usted trabajó duro, pagó la hipoteca y ahora la casa es suya. Eso está muy bien, excepto que aún no ha terminado de pagarla. Usted ahora debe contar con un presupuesto para hacer constantes mejoras o reemplazar ciertos elementos que empiezan a desgastarse, como el piso de linóleo de la cocina o el calentador de agua. Planifique con anticipación para no acabar con una casa en ruinas y sin dinero para detener su deterioro.

Uno de los principales bancos que ofrecen préstamos sobre el valor líquido de la vivienda llevó a cabo un estudio para averiguar el tiempo que deben durar los artículos de una casa. El promedio de vida útil puede variar debido a las diferencias en el uso, la calidad de los materiales y el clima, entre otros factores. Además de eso, los propietarios a veces cambian los gabinetes de la cocina o los accesorios del baño solo para estar al día con las nuevas tendencias decorativas. Esta es la expectativa de vida de algunos de los artículos en su hogar.

Vida útil	Artículo del hogar
Entre 6 y 10 años	Horno microondas, lavavajillas Compactador de basura Alfombras Calentador de agua eléctrico o a gas Detectores de humo, sistemas de seguridad
Entre 15 y 20 años	Llaves de agua, accesorios Mamparas de baño Estufa de gas Horno de gas o eléctrico Ventanas de aluminio Puerta de garaje Pintura interior y exterior Terraza con piso de madera Camino de entrada de asfalto
20 años o más	Inodoros Gabinetes del baño y de la cocina Pisos de madera, linóleo o granito Ventanas de madera Paredes, techos y puertas Materiales para techos

Consejo práctico para ayudar a pagar la hipoteca

En la película *¡Qué bello es vivir!* (*It's a Wonderful Life*), la madre de George Bailey decide convertir la casa familiar en una casa de huéspedes para poder subsistir. Fue uno de los momentos más desgarradores de este clásico del cine. Sin embargo, tener inquilinos no tiene por qué ser una pesadilla.

Con algo de dinero, energía y ambición, usted puede comprar una casa o un dúplex para alquilar. Convertirse en un arrendador puede ser una buena inversión siempre y cuando se tenga un buen plan. Los propietarios con más experiencia aconsejan comprar una propiedad barata, puede incluso ser una casa que necesite arreglos, pero en un vecindario prometedor. Por último, obtenga ayuda de los expertos, como un buen agente inmobiliario, una empresa administradora de inmuebles, un banco o un abogado.

Un plan más sencillo sería utilizar lo que ya tiene y alquilar un espacio dentro de su propia casa. El alquiler de una habitación amoblada puede significar un ingreso adicional de entre $400 y $550 mensuales. No es poca cosa. Si usted vive solo, ahora puede disfrutar de la compañía de alguien más en la casa. Hasta es posible incluir el cuidado del jardín o la limpieza de la casa como parte del contrato de alquiler. Además, siempre habrá alguien para ayudarle si usted se enferma o sufre una caída.

Siga estos tres pasos para tener éxito:

Remodele. Usted podría convertir parte de su casa en un departamento, ya sea utilizando el sótano o convirtiendo su casa en casa dúplex. Consulte las normas de zonificación en su área para saber si puede hacer los cambios que tiene pensado. Busque un contratista con licencia para este trabajo y asegúrese de que este cuente con los permisos de trabajo necesarios. La instalación de un medidor de servicios separado para el nuevo departamento puede evitar disputas.

Encuentre el inquilino ideal. Busque un inquilino que sea estable financieramente y que tenga suficientes ingresos y un empleo fijo. De ser posible, pase por su actual vivienda para ver cómo la mantiene. Si ya encontró un buen inquilino, lo más importante es mantenerlo. Usted puede lograrlo dándole mantenimiento al espacio que alquila para que sea un lugar acogedor. Considere la posibilidad de ofrecer un descuento después de un año de pagos puntuales del alquiler.

Póngalo por escrito. Un contrato de alquiler sólido es el que sigue las leyes estatales y el que no deja dudas sobre los detalles del acuerdo. Obtenga información de contacto para conocer más acerca de las leyes de su estado, en *www.espanol.hud.gov* (en español) o *www.hud.gov/local* (en inglés). La empresa que administra su inmueble también podría ayudarle a elaborar un buen contrato.

Por último, usted tiene que determinar el alquiler. Usted necesita cobrar lo suficiente para que valga la pena, pero no demasiado. Jody Kell, agente inmobiliario en Atlanta, recomienda averiguar cuáles son los precios de alquiler en su comunidad para saber cuánto cobrar.

Anuncie las habitaciones que desea alquilar a través de uno de estos servicios en línea:

- www.homestore.com
- www.apartments.com
- www.rent.com
- www.apartmentguide.com

También puede recibir ayuda para buscar un inquilino en www.nationalsharedhousing.org (en inglés).

Mantenga el jardín sin gastar un dineral

La jardinería no solo puede aumentar el valor de su casa, también es una afición muy saludable. Pruebe estos trucos para gastar menos en diseñar y cuidar su jardín:

Divida y multiplique. No compre nuevas plantas. Divida las plantas perennes que ya tiene y busque una nueva ubicación para ellas. Esto ayuda a las plantas que tienden a volverse densas y abarrotadas a mantenerse saludables. Esta estrategia funciona bien con las hostas y los lirios. La mejor época para hacer esta división es la primavera.

Haga su propio acidificante. Conserve el líquido de los frascos de encurtidos, agregue agua y vierta alrededor de los arbustos. Esto aumentará la acidez de la tierra y hará que las plantas florezcan.

Marque las hileras. Gaste solo algunos centavos comprando viejas cucharas y espátulas de madera en los mercados callejeros. Usted puede escribir en ellas los nombres de las flores o de las verduras que cultiva y luego utilizarlas para marcar las hileras en su jardín.

Comience a pequeña escala. Compre los paquetes de seis plantas pequeñas, en lugar de una sola planta grande. Pagará menos y aumentará el verdor de su jardín seis veces más, dependiendo, claro está, de si tiene buena mano para la jardinería. Y si tiene mucha paciencia, empiece con semillas y gastará aun menos.

Mendigue por el mantillo. No pague una fortuna por el mantillo de astillas de madera tan necesario en la jardinería. Es posible que usted pueda conseguirlo en forma gratuita de un podador de árboles o del departamento de obras públicas de la ciudad.

Invente su propio sistema de riego por goteo. A las plantas les encanta este tipo de sistema de riego lento y profundo, pero su instalación es costosa. En su lugar, haga un agujero en la parte inferior de las botellas de plástico de dos litros. Llénelas de agua y coloque una botella de pie al lado de cada planta que necesita agua.

Ahorre en el césped. Compre restos irregulares de los extremos de los rollos de césped. Tomará algún tiempo para que estos cubran su jardín de manera uniforme, pero usted habrá ahorrado dinero. Y si le gustan los rompecabezas, se divertirá tratando de encajar las piezas.

Ahorre en grande en productos de limpieza

No tire su dinero en productos especiales de limpieza. Pruebe estos productos sencillos para mantener la casa reluciente:

No compre esto:	Utilice esto:	Ejemplo de uso:
Limpiador de plata	Bicarbonato de sodio	Forre por dentro un tazón de vidrio o de plástico con papel aluminio, coloque los utensilios de plata empañados, espolvoree bicarbonato de sodio y vierta agua caliente. Una reacción química transfiere las manchas de la plata al papel aluminio.
Limpiador de cocina	Bicarbonato de sodio	Disuelva media taza de bicarbonato de sodio en medio galón de agua tibia. Utilice una esponja para limpiar y desodorizar las superficies.

No compre esto:	Utilice esto:	Ejemplo de uso:
Removedor de moho en aerosol (como *X-14*)	Lejía o cloro	Llene la bañera con agua fría, agregue la lejía y coloque la cortina adentro. Mantenga la cortina bajo el agua colocando un peso para impedir que flote. Déjela en remojo durante la noche y luego enjuague.
Limpiador abrasivo de lavabos	Lejía o cloro	Llene el lavabo de porcelana manchado con agua tibia. Agregue unas cuantas onzas de lejía, espere una hora y enjuague.
Limpiador de horno	Amoníaco	Caliente el horno. Apáguelo. Coloque un tazón pequeño con amoníaco dentro del horno y cierre. Deje toda la noche. Limpie el horno con un paño.
Limpiador en aerosol (como *Formula 409*)	Amoníaco	Borre las marcas de crayón de las paredes con un paño empapado en amoníaco.
Quitamanchas	Vinagre blanco destilado	Elimine las manchas de los pisos alfombrados o de madera con una solución de agua y vinagre.
Limpiador de inodoros	Vinagre blanco destilado	Eche una taza de vinagre blanco sin diluir en el inodoro, espere cinco minutos y tire la cadena.
Limpiador de pisos	Lavavajillas líquido	Agregue lavavajillas y una taza de jugo de limón a un balde de agua caliente. Utilice esta mezcla para fregar los pisos con un trapeador.
Removedor de grasa	Lavavajillas líquido	Remoje las herramientas grasientas en agua tibia con el detergente líquido para vajilla. El detergente cortará la grasa.

Super**ahorro**

Gratis es mejor que barato. Consiga todo lo que usted necesita sin pagar un centavo en:

- *www.freecycle.org* — Únase a Freecycle y recibirá un aviso cuando alguien en su área esté regalando algo que ya no quiere. Todo lo que usted tiene que hacer es solicitar el artículo e ir a recogerlo.

- *www.heyitsfree.com* — Uno de los mejores sitios. Se actualiza diariamente con ofertas, muestras gratis, descuentos por envío y mucho más.

Ahorre miles de dólares con estos sitios web

Antes se solía malgastar mucho tiempo, energía y dinero en gasolina para encontrar los mejores precios en los artículos para la casa. Ya no es así. Ahora usted puede aprovechar las gangas desde la comodidad de su propia casa. Si es bueno en la computadora, usted conseguirá mejores ofertas comprando en línea que en las tiendas. Estos son algunos consejos para ahorrar dinero en su siguiente compra:

Lea los comentarios. Antes que nada, vaya a un sitio web como *www.buzzillions.com* y lea los comentarios sobre el artículo que usted quiere comprar. Estas son opiniones hechas por los propios consumidores sobre sus experiencias con los artículos que compraron. Una buena estrategia es empezar por leer al usuario que le asignó la calificación más baja al producto. De ese modo, usted sabrá qué modelos no comprar.

Compare precios. Usted puede visitar los distintos sitios web de las tiendas, para comparar los precios de esa cafetera que quiere comprar. Pero eso lleva tiempo y probablemente pierda la mejor oferta. Mejor deje que un buscador especial haga el trabajo por usted. En sitios como *www.pricegrabber.com* y *www.bizrate.com* usted encontrará una lista de las tiendas que tienen la cafetera y los precios en cada una.

Vaya a las tiendas de descuento. Para aparatos electrónicos y computadoras, vaya a sitios como *www.tigerdirect.com* y *www.newegg.com*. Es probable que ahí encuentre precios más bajos que los que se ofrecen en los sitios de venta no especializados. Estos dos sitios tienen un excelente historial de confiabilidad entre los compradores.

Pero si necesita comprar muebles o artículos para el hogar, pruebe *www.overstock.com* y haga clic en "Español" o *www.graveyardmall.com*. En estos sitios se ofrecen artículos en liquidación de otras tiendas. Si tienen lo que usted busca, se lo podrá llevar a precio de ganga.

Evite pagar más. No permita que los altos costos del envío anulen el ahorro que consiguió de las ofertas en línea.

- Obtenga ayuda. En vez de buscar el mejor precio, busque quiénes le ofrecen el envío más barato en *www.freeshipping.org*. Seleccione el tipo de producto que busca, por ejemplo "muebles", y vea la lista con más de 800 comerciantes minoristas que ofrecen envíos gratuitos o con descuentos.

- Compre según la temporada. Con frecuencia usted encontrará ofertas de envío gratuito durante la temporada de las compras navideñas, cuando los comercios están particularmente ansiosos por atraer a más clientes.

- Haga amistades. Si encuentra una tienda en línea con el servicio y los productos que le agradan, quédese con ella. Por ejemplo, la tienda de calzado en línea *www.zappos.com* siempre ofrece envío gratuito, tanto el envío de compras como el de las devoluciones. En *www.overstock.com* el costo del envío es de $2.95 por compra. Y *www.amazon.com* ofrece envío gratuito para pedidos de $25 o más. Algunas tiendas ofrecen el envío gratuito únicamente a los clientes frecuentes que se inscriben para recibir ofertas por correo electrónico.

Usted podría incluso evitar pagar el impuesto sobre las ventas en las compras que haga en línea. Las leyes cambian, pero hoy las empresas pueden no cobrar ese impuesto sobre una compra hecha en línea, siempre y cuando no cuenten con una tienda física en su estado.

Soluciones creativas para la vivienda:

aprenda a vivir con menos

Tome medidas para envejecer en casa

A nadie le agrada la idea de renunciar a su hogar, pero a medida que uno envejece puede que la vida en casa se haga cada vez más difícil. Escaleras empinadas, estantes difíciles de alcanzar y bañeras resbaladizas son algunos de los obstáculos a superar. En lugar de mudarse, haga cambios en su casa. "Envejecer en casa" es un concepto que propone hacer desde unos cuantos cambios sencillos hasta grandes proyectos de remodelación en las viviendas de las personas mayores.

Asegúrese de tomar en cuenta el costo y los recursos que usted puede destinar a este proyecto. Tal vez para usted sea más sensato mudarse. Además, consulte con un especialista certificado en "envejecimiento en el hogar" (*Certified Aging-in-Place Specialist*, en inglés). Estos constructores o remodeladores están capacitados para hacer cualquier tipo de mejoras en las viviendas de las personas mayores. Antes de contratar a uno, obtenga recomendaciones de amigos, verifique las credenciales de la compañía y solicite un presupuesto por escrito.

Esta es una lista de las modificaciones que harán de su hogar un lugar seguro para las personas mayores:

- Instale pasamanos en las escaleras o agregue rampas.

- Asegure las alfombras con cinta adhesiva de doble cara.

- Coloque tiras antideslizantes en los peldaños.

- Remplace las perillas de las puertas por manijas de palanca.

- Utilice interruptores de gran tamaño para las lámparas.

- Modifique las ventanas para que las manijas y cerrojos sean fáciles de manipular y de alcanzar.

- Ajuste la altura de la barra de la cocina.

- Mejore el acceso a los gabinetes altos o a los cajones bajos con estantes ajustables o móviles.

- Instale un cabezal de ducha ajustable.

- Instale barras de soporte dentro de la bañera y cerca de la ducha y del inodoro.

- Eleve el inodoro con un asiento portátil o un pedestal.

- Coloque tiras antideslizantes en la bañera o la ducha.

- Instale una barandilla lateral en la cama y utilice sillas con apoyabrazos.

- Instale luces, barras y anaqueles ajustables en los closets.

- Conecte una luz intermitente o un amplificador de sonido al timbre de la puerta si tiene problemas de visión o de audición.

- Mude su dormitorio y su baño a la planta baja.

- Instale un ascensor.

Las estrategias para envejecer en el hogar no se limitan a las renovaciones. ¿Necesita usted ayuda en su casa? Basta con tomar el teléfono y llamar al 800-677-1116 para recibir un servicio gratuito de mantenimiento de casa. Este es el número del buscador de cuidados para personas mayores *Eldercare Locator*, un servicio público de la Administración para Asuntos de Envejecimiento de Estados Unidos.

Usted también puede enterarse de otros recursos disponibles en su comunidad en *www.eldercare.gov* (en inglés). Ahí encontrará todo tipo de servicios, incluida la reparación de viviendas. Los voluntarios van a su casa para reparar los techos con goteras y la plomería defectuosa o para aislar las paredes con corriente de aire. Su misión es ayudar a las personas mayores a mantener sus hogares en buenas condiciones.

Usted también encontrará información acerca de programas locales, estatales, federales y de voluntarios que ofrecen subvenciones, préstamos y otro tipo de ayuda para la modificación de viviendas. Averigüe si hay programas en su área que ayuden a las personas mayores a permanecer en sus hogares. Pregunte si ofrecen asistencia para el transporte al supermercado, el acceso a la atención médica, la entrega de alimentos a domicilio, entre otros servicios.

EL SIGUIENTE PASO

Para obtener más información sobre las estrategias y los programas para envejecer en casa, póngase en contacto con estas organizaciones:

National Association of Home Builders
1201 15th Street NW
Washington, DC 20005
800-368-5242 / *www.nahb.org*

Rebuilding Together, Inc.
1899 L Street NW, Suite 1000
Washington, DC 20036
800-473-4229 / *www.rebuildingtogether.org*

Siéntase seguro en su propia casa

Las renovaciones y las modificaciones no solo hacen que su antiguo hogar se vuelva más cómodo y acogedor. También lo hacen más seguro al reducir el riesgo de caídas. Sin embargo, hay otras medidas que usted puede tomar para sentirse seguro, sobre todo si vive solo.

Conozca a sus vecinos. Es importante contar con personas cerca de usted que le puedan ayudar en caso de emergencia. Después de que centenares de personas murieran en Chicago durante la ola de calor de 1995, los expertos concluyeron que una razón por la cual murió tanta gente fue el aislamiento de las personas mayores en algunos vecindarios. Nadie fue a ver las condiciones en que vivían esas personas y muchas no podían refrescar sus viviendas. Las personas que tenían menos amigos y parientes cerca de ellas tenían más probabilidades de sufrir o de morir.

Por supuesto, tener a sus amigos cerca también hace la vida más divertida. Vaya al centro para el adulto mayor de su vecindario. Este es un buen lugar para conocer a otra gente y participar en actividades, como ir de compras, jugar boliche, participar en talleres de escritura creativa o aprender un nuevo baile. También se ofrecen exámenes médicos gratuitos, clases de nutrición y otros servicios.

Cuide su salud. Aunque nadie le diga que debe comer verduras y salir a dar un paseo, hágalo. Si se cuida, es más probable que goce de una vida más larga y saludable. Siga una dieta sana, haga ejercicios con regularidad, duerma lo suficiente y tome sus medicamentos.

Organícese. Tal vez usted no tenga a nadie que le recuerde que debe tomar sus pastillas o que tiene una cita con el médico, pero eso no quiere decir que no tenga apoyo. Organícese con la ayuda de una agenda, un pastillero y alarmas para llevar un registro de sus actividades diarias.

Abastézcase de artículos esenciales para casos de emergencia. Tenga a mano linternas, baterías, mantas, velas y fósforos. Son útiles durante los apagones. Usted puede quedarse en casa durante una tormenta de invierno y en casos de mal tiempo, si además de tener la nevera bien surtida, usted tiene productos enlatados, productos de papel y botellas de agua.

Aumente la seguridad. No olvide las medidas de seguridad básicas, como cambiar las baterías de los detectores de humo, instalar cerraduras confiables o contar con un sistema de seguridad. Averigüe sobre los servicios de vigilancia para personas mayores. Muchos adultos mayores también llevan un collar de alerta que se activa para pedir ayuda externa en caso de una caída o cuando necesitan ayuda médica.

No es posible eliminar todos los riesgos para las personas mayores que viven solas, pero sí se pueden atenuar. Usted podrá seguir viviendo en su casa si se mantiene saludable, organizado, seguro y en contacto con otras personas. Envejecer en casa también significa pasar menos tiempo —y gastar menos dinero— en centros de vida asistida y otras residencias de cuidado para adultos mayores.

Estire sus ahorros mediante reajustes

Si se muda a una casa o a un departamento más pequeño, su hipoteca será menor y gastará menos en seguros, impuestos y mantenimiento. Puede que no tenga tanto espacio cuando le visiten sus nietos, pero tendrá mucho más dinero para destinar a su jubilación.

Cámbiese a un condominio. En un condominio usted recibe más por su dinero debido a todos los extras que ofrece, como el club, el gimnasio, la piscina, el *jacuzzi*, las canchas de tenis y, a veces, hasta un campo de golf. Claro, usted tendrá que pagar las cuotas de mantenimiento. Aun así, es mucho más económico y cómodo que ser propietario de una casa. Incluso hay condominios solo para personas mayores de 55 años.

Decídase por un departamento. Un departamento ofrece comodidad, flexibilidad, ahorro y la libertad de viajar sin tener que preocuparse por nada. Si vende su casa y alquila un departamento usted contará con más capital para invertir. Además, ya no tendrá que ocuparse de las tareas de mantenimiento y de jardinería.

Hay departamentos para todos los presupuestos que son exclusivos para personas mayores. Algunos incluyen las comidas y los servicios de transporte. Si se muda a uno de estos complejos, fíjese en el estacionamiento, la iluminación, los depósitos, las escaleras, la seguridad, la administración, los servicios, así como la distancia a su centro de atención médica, a las tiendas y a la casa de sus familiares.

Usted no tiene que limitarse a estos departamentos para personas mayores. También puede alquilar un departamento o una casa que no tenga restricciones de edad. No tendrá problemas en hacerlo. Los propietarios suelen preferir a los inquilinos mayores porque son más fiables y tienden a cuidar mejor el lugar.

¡ALERTA!

Los nuevos condominios cuentan con flamantes instalaciones y equipamiento, pero también vienen con cuotas de mantenimiento impredecibles. Si se confía en las estimaciones del promotor inmobiliario o del corredor, puede esperarle una sorpresa desagradable y costosa cuando le llegue la primera factura. Tal vez prefiera mudarse a un condominio de unos años de antigüedad. Las cuotas de mantenimiento serán más predecibles y estables.

Visítelos permanentemente. Como última salida usted siempre puede ir a vivir con uno de sus hijos adultos. Según las estadísticas esto ocurre cada vez más. De hecho, el número de padres que viven con un hijo adulto aumentó en 67 por ciento entre 2000 y 2007. Además de ahorrar dinero, esta opción le permite pasar más tiempo con sus hijos y nietos. Y no estará solo en caso de una emergencia. Pero para que funcione, todos necesitan algo de privacidad. También es necesario establecer ciertas reglas, límites, tareas domésticas y gastos.

Evite los costos y los problemas de la casa propia

Sea un propietario en una cooperativa para personas mayores o *co-op*, en inglés. Estas cooperativas son como corporaciones, donde los residentes son propietarios de las acciones. El tamaño de las viviendas determina el valor de las acciones. Al igual que en una corporación, la cooperativa elige una junta directiva para tomar decisiones normativas. Cada unidad de estas cooperativas es de propiedad individual.

Estas cooperativas cuentan con instalaciones colectivas y organizan eventos para todos los residentes, por lo que usted puede disfrutar lo mejor de dos mundos, vivir solo y vivir en comunidad. Aunque algunas cooperativas incluyen la limpieza del hogar o el servicio de comidas, lo más probable es que usted deba encargarse de la limpieza de su propia casa y de preparar sus propias comidas.

Las cooperativas para personas mayores tienen requisitos de edad. Generalmente hay que tener por lo menos 55 años o estar casado con alguien que tenga esa edad. Algunas cooperativas están concebidas específicamente para las personas mayores de bajos ingresos, mientras que otras son considerablemente más caras. Normalmente están entre $50,000 y $180,000, con cuotas mensuales de entre $300 y $2,000, dependiendo de la antigüedad del edificio, el tamaño de la unidad y el tipo de financiamiento. Considere esta alternativa antes de alquilar o mudarse a una costosa residencia de vida asistida.

Algunos residentes dicen que las cooperativas combinan lo mejor de ser inquilinos con lo mejor de ser propietarios. Por ejemplo, usted obtiene ventajas fiscales como propietario de vivienda, ya que puede deducir los intereses hipotecarios y los impuestos inmobiliarios de sus impuestos estatales y federales. También goza de la ventaja de cuotas de mantenimiento más bajas, de una comunidad de apoyo en la que se puede sentir seguro, de actividades sociales y de servicios, tales como jardinería, limpieza, transporte y ayuda para ir a comprar.

Aun cuando las cooperativas para las personas mayores parecen ser una buena idea, es posible que usted tenga problemas para encontrar una. Son muy comunes en Minnesota y otras partes del Medio Oeste, como Iowa, Michigan y Wisconsin. Sin embargo, por ahora hay muy pocas cooperativas en otras partes del país.

EL SIGUIENTE PASO

Para conocer más información acerca de las cooperativas para personas mayores póngase en contacto con:

Senior Cooperative Foundation
909B Selby Avenue
St. Paul, MN 55104
651-310-0225 / *www.seniorcoops.org*

Vivienda asequible que merece la pena considerar

Existe una oportunidad que es ideal para quienes desean estar cerca de sus hijos adultos, pero les molesta la idea de ser una carga o de perder su privacidad. Se trata de ECHO, las siglas en inglés de *Elder Cottage Housing Opportunities*, un concepto único que comenzó en Australia y que ofrece la posibilidad de permanecer cerca de la familia y, al mismo tiempo, de mantener la privacidad.

Una unidad de vivienda ECHO es una casita prefabricada que se puede ubicar en la propiedad de algún miembro de la familia. Las unidades son pequeñas —700 pies cuadrados o menos— y de dos tipos: un estudio o una unidad habitacional de un dormitorio. Aunque los precios varían dependiendo del lugar, una unidad de 500 metros cuadrados y de un dormitorio puede costar alrededor de $25,000. Si usted tiene casa propia, podría alquilarla para financiar una unidad de vivienda ECHO. También es posible alquilar una de estas unidades.

Al igual que cualquier otra opción de vivienda, ECHO tiene sus ventajas y desventajas. Entre las ventajas encontrará que las unidades habitacionales de ECHO están diseñadas para ser temporales. Es fácil recibir ayuda en caso de emergencia, ya que su familia está cerca. Usted tendrá la oportunidad de pasar más tiempo con sus nietos y evitar —o por lo menos postergar— tener que mudarse a una residencia de vida asistida o a un hogar para adultos mayores. Al tener cerca a su familia, usted estará más protegido de los delincuentes y de los estafadores.

Pero hay algunos inconvenientes. En primer lugar, los códigos de zonificación podrían prohibir instalar una unidad de vivienda ECHO en su área. O tal vez pueda hacerlo solo si está adosada a la casa y no como una vivienda independiente. Incluso si es legal, a los vecinos de su familia podría molestarles ver una casa móvil en su patio.

También está el problema del espacio y del costo. Una unidad ECHO podría ser demasiado pequeña para usted, especialmente si siempre ha vivido en una casa grande o podría no haber suficiente espacio en la propiedad de su familia para una vivienda adicional. Si bien estas unidades son económicas, hay que tener en cuenta el costo de las conexiones a los servicios públicos y de los cimientos que la soportarán.

Reduzca a la mitad sus gastos de vivienda

¿No quisiera tener que mudarse, pero no sabe cómo hacer para que el dinero le alcance hasta fin de mes? Una solución es compartir su vivienda, es decir, invitar a alguien a vivir con usted y cobrarle por el alojamiento. En un arreglo de este tipo, cada persona tiene una habitación privada y la mayor parte de la casa o del apartamento, incluida la cocina, la sala de estar y el comedor, se convierte en un espacio compartido.

Fíjese en los beneficios. Compartir una vivienda significa compartir los gastos. Ese es el principal beneficio. Usted podrá reducir a la mitad sus pagos mensuales de hipoteca y de servicios públicos. Estos son otros beneficios de tener un compañero de casa:

- Menos soledad. Usted pasará menos tiempo solo.

- Más mantenimiento. Otro par de manos para ayudar con la limpieza, la cocina, la jardinería y las reparaciones de la casa.

- Compense sus debilidades. Si no le gusta cocinar, busque a alguien que lo haga.

- Redoble la seguridad. Con alguien más en la casa usted se sentirá más seguro.

- Despliegue sus alas. Su compañero de casa puede ofrecerle transporte, si usted ya no conduce.

Haga que funcione. No todos pueden compartir un espacio con otra persona. Para que funcione hay que ser firmes y flexibles a la vez. También está el tema de las finanzas. Usted puede llegar a un acuerdo de dividir todo por la mitad o su compañero de casa puede pagar menos a cambio de servicios, como mantener el jardín o servirle de chofer.

Usted también puede establecer un período de prueba, para comprobar si son compatibles. Lo más importante, sin embargo, es evaluar antes a sus potenciales compañeros de casa.

Encuentre al compañero ideal. Una buena manera de encontrar a un compañero de casa es a través del Centro Nacional de Recursos de Vivienda Compartida, en *www.nationalsharedhousing.org* (en inglés). Este sitio web tiene un directorio por cada estado para facilitar su búsqueda. Además del listado de proveedores de alojamiento y del listado de solicitantes de alojamiento, hay también un listado de residencias de vida compartida. Estas son residencias espaciosas en las que viven varias personas en cooperación, como una gran familia sin lazos de sangre. Usted también puede buscar un compañero de casa a través de los grupos comunitarios o de la iglesia, así como en el centro del adulto mayor de su zona.

Una alternativa menos costosa

La "covivienda" o vivienda colectiva es un tipo de alojamiento semicomunitario que se originó en Dinamarca a principios de 1970. Aunque son relativamente nuevas en Estados Unidos, actualmente usted podrá encontrar estas comunidades de vivienda colectiva en 19 estados. Son más comunes en California, Colorado y Massachusetts.

La covivienda es una alternativa menos costosa a las residencias de vida asistida o a los hogares de cuidados para adultos mayores. Estas comunidades están compuestas por unidades habitacionales separadas y de propiedad individual, dispuestas alrededor de una "casa común". La casa común, por lo general, cuenta con una cocina, un comedor y un espacio para reuniones y actividades. También puede incluir una biblioteca, un gimnasio, una lavandería y un taller. De menor tamaño que otros tipos de viviendas compartidas, una covivienda suele tener entre 20 y 40 unidades, que se pueden comprar o alquilar.

La idea detrás de la covivienda es fomentar un verdadero sentido de comunidad. Los residentes comparten las comidas y las tareas, y ayudan a aquellos residentes que se encuentran enfermos o lesionados. Al igual que en una cooperativa, los residentes de estas comunidades se reúnen para tomar decisiones colectivas. No hay líderes electos y las decisiones se toman por consenso y no por votación. Los residentes también participan en el diseño de su propia comunidad.

EL SIGUIENTE PASO

Para obtener más información sobre las opciones de covivienda, póngase en contacto con la Asociación de Vivienda Colectiva de Estados Unidos:

Coho/US, #1445
22833 Bothell-Everett Highway, #110
Bothell, WA 98021
866-758-3942 / *www.cohousing.org*

Cuatro puntos a tener en cuenta antes de mudarse

Vale la pena contemplar la posibilidad de mudarse a una zona con un costo de vida menor. No solo le sacará más provecho a su dinero, lo que ahorre será de gran ayuda en caso de una enfermedad inesperada u otra emergencia. Tenga en cuenta lo siguiente antes de decidirse:

Calcule los costos. Usted obviamente necesitará un lugar para vivir. No se fije únicamente en los precios inmobiliarios y los impuestos sobre la propiedad a la hora de calcular el costo de vida en una nueva ciudad. Incluya el costo de los alimentos, del transporte y de la calefacción y refrigeración, así como el impuesto sobre las ventas.

Busque en línea las herramientas que le ayudarán a comparar el costo de vida en distintas ciudades. Póngase en contacto con las cámaras de comercio, las oficinas de turismo y de vivienda y otras organizaciones de la zona. Lea los periódicos locales en línea. Llame a las compañías de servicios públicos para conocer sus tarifas.

Fíjese en el estilo de vida. La vida en algunos lugares puede ser muy barata por una sencilla razón: que nadie quiere vivir ahí. Cuando busque un nuevo lugar de residencia, no se fije solamente en los costos. Tenga en cuenta otros factores, como el clima, la tasa de delincuencia, la calidad de la atención médica, los servicios y la cultura.

Amplíe sus horizontes. Cambiar su lugar de residencia no significa necesariamente mudarse a una comunidad de jubilados en Florida o Arizona. Piense de manera creativa dónde pasar sus años dorados.

- Las ciudades universitarias no son solamente para los estudiantes universitarios. Como jubilado, usted podrá disfrutar de las bibliotecas y de los conciertos y eventos deportivos a bajos precios. Usted incluso podría asistir a clases como alumno oyente. Es más, usted puede complementar sus ingresos alquilando habitaciones a estudiantes o profesores.

- Piense en pequeño. Con frecuencia la vivienda es menos cara en las comunidades más pequeñas.

- Disfrute la ciudad. Las zonas urbanas ofrecen cultura y comodidades para los jubilados. Usted podrá utilizar el transporte público o ir a pie. Y como no necesitará su auto, no tendrá gastos de mantenimiento, combustible y seguro.

Proceda con cautela. No se apresure a mudarse. Primero pruebe vivir por un tiempo en el lugar que eligió para tener una idea de la zona. Vaya a los restaurantes y las tiendas, utilice el transporte público y hable con los lugareños. Procure hacerlo en diferentes estaciones del año para tener una idea más exacta del lugar. Determine cuáles son los inconvenientes del lugar. Imagine lo peor, como impuestos sobre la propiedad muy elevados o la posibilidad de que ocurra un desastre natural, y asegúrese de que será capaz de enfrentar estos problemas.

EL SIGUIENTE PASO

Si decide cambiar su lugar de residencia vaya a los siguientes sitios web en inglés para averiguar el costo de vida en distintas ciudades.

En *www.bestplaces.net*, sitio web de Sperling's, usted puede ingresar la ciudad, el pueblo o el código postal para averiguar el costo promedio de las viviendas, las estadísticas de población y las tasas de desempleo en esos lugares.

O puede comparar el costo de los alimentos, la vivienda, los servicios públicos, el transporte y la atención médica entre su actual lugar de residencia y otra ciudad en *cgi.money.cnn.com/tools*. Haga clic en "*Compare the cost of living*".

Pase su jubilación en la carretera

Los vehículos de recreo (casas rodantes o RV, en inglés) son perfectos para viajar durante las vacaciones. Pero usted también puede transformar una casa rodante en su hogar a tiempo completo.

La conveniencia y la comodidad juntas. Con una casa rodante es fácil visitar a la familia. Y usted no estará abusando de su hospitalidad, ya que ahora cuenta con su propio alojamiento. Es más, usted puede ser espontáneo y salir a recorrer el país en cualquier momento. No tiene que preocuparse por reservar vuelos ni habitaciones de hotel.

Usted gozará de las comodidades de un hogar y tendrá menos problemas. Ya nunca más tendrá que salir con una pala a mover la nieve, ni tendrá que cortar el césped o pagar impuestos sobre la propiedad. Tendrá menos espacio que limpiar y más tiempo para estar con la familia o hacer nuevos amigos en los campamentos de casas rodantes. Viajar en un vehículo de recreo (RV, en inglés) es también una agradable manera de explorar los lugares donde le gustaría vivir.

Reduzca costos. Un vehículo de recreo puede costar entre $15,000 y $100,000. Sin embargo, usted ya no tendrá necesidad de pagar por uno o más coches, por una casa, por el mantenimiento de la casa y del jardín, ni por los gastos de viajar, como son los pasajes aéreos, el alquiler de un auto y la comida en restaurantes. En una encuesta informal que se llevó a cabo entre propietarios de estos vehículos, la mitad de los encuestados declararon vivir con menos de $2,000 al mes y el 11 por ciento dijeron que se las arreglaban con menos de $700 al mes.

La mayoría de las comunidades para este tipo de vehículos ofrecen tarifas diarias, semanales, mensuales o, incluso, anuales que son bastante asequibles. Usted puede ahorrar aún más si pasa algunas noches en los estacionamientos de *Wal-Mart* o si opta por lo que se conoce como "*boondocking*" —acampar en un lugar sin instalaciones— en alguna propiedad de la Oficina Federal de Gestión de Tierras (BLM, en inglés) pagando muy poco o nada.

Evalúe las desventajas. Vivir en una casa rodante también tiene algunas desventajas. Tal vez le resulte difícil acostumbrarse a un espacio pequeño. La persona con la que usted comparte la casa estará a su lado a toda hora. Tal vez le sea difícil conducir un RV. También hay que tener en cuenta los costos de mantenimiento y de reparación, así como el alto costo del combustible. Y a diferencia de una casa normal, el valor de su casa móvil no incrementará.

Disfrute de la jubilación en el mar

Cambie su casa por un barco y prepárese para vivir una gran aventura. Usted nunca se aburrirá y la vista será insuperable. También gozará de mucha más libertad. Eso sí, usted tendrá que adaptarse a vivir en un espacio más pequeño. Eso significa menos objetos, menos espacio de almacenamiento y electrodomésticos más pequeños. Usted también tendrá que acostumbrarse a que su nuevo hogar se mece y a la falta de privacidad a bordo.

Vivir en un barco pequeño es más barato que comprar una casa frente al mar, además usted tendrá menos cuentas que pagar. Pero no olvide que tendrá que pagar por el mantenimiento y las reparaciones y por atracar en un puerto deportivo. Estos gastos pueden ser mayores de lo esperado. Asegúrese de saber cómo manejar la embarcación y respete las reglas. Para ahorrar dinero, usted también tendrá que saber cómo hacer algunas reparaciones por su cuenta. Esta vida no es para todos. Si usted cree que esto es algo que le gustaría hacer, pruebe primero vivir por un tiempo a bordo de una embarcación atracada a un muelle.

Piense globalmente y ahorre

Cada vez más jubilados deciden irse a vivir en el extranjero para que sus ahorros duren más. Los destinos más populares de jubilación son México, Costa Rica, Guatemala, Panamá y Belice. En los últimos años, países como Bolivia, Croacia, Tailandia, Turquía y Uruguay han empezado a atraer a los jubilados estadounidenses.

El clima templado y el bajo costo de las viviendas, junto con un sistema tributario favorable, hacen que estos países sean un destino atractivo para los jubilados con ingresos fijos. Usted puede disfrutar de un estilo de vida con más comodidades. En la mayoría de los casos, usted puede seguir recibiendo los beneficios del Seguro Social.

Es posible que usted tenga que aprender un nuevo idioma, acostumbrarse a una nueva cultura y adaptarse a un nuevo ritmo de vida. Sepa qué esperar en cuanto a la banca, las conexiones a Internet, la atención médica y otros aspectos de la vida cotidiana. Usted ya no contará con la cobertura de Medicare, por lo que usted tendrá que obtener un seguro privado o participar en el sistema de salud de ese país, que podría ser muy bueno o muy malo.

Tenga en cuenta, además, la seguridad, la estabilidad política, la infraestructura y el tipo de cambio de ese país. Y no olvide que usted aún tendrá que pagar impuestos en Estados Unidos. Es aconsejable que consulte con expertos fiscales, tanto en Estados Unidos como en el país al que piensa mudarse.

Antes de tomar la decisión final, reúna información sobre ese país. Póngase en contacto con la embajada de Estados Unidos en ese país. Si conoce a personas que se han jubilado en el extranjero, hable con ellas acerca de sus experiencias. Usted también puede comunicarse con los expatriados a través de *www.liveabroad.com*. Otro buen recurso es el sitio web *www.internationalliving.com*, donde usted podrá obtener información sobre la vida cotidiana en otros países y detalles asociados con la compra de propiedades en el extranjero. Considere la posibilidad de alquilar un lugar en el extranjero por unos meses para explorar si esto es algo que realmente quiere hacer. Recuerde, usted siempre podrá volver a Estados Unidos.

Glosario
de términos,
siglas
y acrónimos

Glosario general

ATM. Cajero automático.

Bicarbonato de sodio. Bicarbonato de soda, bicarbonato sódico. En inglés: *baking soda*

Carne molida. Carne picada. En inglés: *ground meat*

Chícharos. Alverjas, arvejas, guisantes. En inglés: *peas*

CFL. Bombilla fluorescente compacta. En inglés: *Compact Fluorescent Light*

Estampilla. Sello postal, timbre. En inglés: *stamp*

Frijoles. Alubias, caraotas, habichuelas, judías, porotos. En inglés: *beans*

Harina común. Harina sin preparar de uso general. En inglés: *all-purpose flour*

Herpes zóster. Culebrilla. En inglés: *shingles*

Lejía. Blanqueador, cloro, lavandina. En inglés: *bleach*

Llanta. Caucho, cubierta, goma, neumático. En inglés: *tire*

PSA. Antígeno prostático específico En inglés: *prostate-specific antigen*

Glosario relacionado con la planificación de la jubilación

AAA. 1. Agencias del Área para Adultos Mayores; 2. Asociación Estadounidense del Automóvil. En inglés: *1. Area Agencies on Aging; 2. American Automobile Association*

AARP. Asociación estadounidense de jubilados. En inglés: *American Association of Retired Persons.* Información en español: *www.aarp.org/espanol*

AGI. Ingreso bruto ajustado. En inglés: *adjusted gross income*

Anualidad individual. En inglés: *single-life annuity*

Anualidad mancomunada y de sobreviviente. En inglés: *joint-and-survivor annuity*

BBB. Oficina de buenas prácticas comerciales. En inglés: *Better Business Bureau.* Información en español: *bbb.org/us/comunicados-de-prensa-de-bbb/*

Cartera. Cartera de inversión, cartera de valores, portafolio de inversión. En inglés: *portfolio*

CCRC. Comunidad de cuidados continuos para jubilados. En inglés: *Continuing Care Retirement Communities*

Centro de enfermería especializada. En inglés: *skilled nursing facility*

CEO. Director ejecutivo, gerente general. En inglés: *Chief Executive Officer*

CFP. Planificador financiero certificado. En inglés: *Certified Financial Planner*

ChFC. Asesor financiero colegiado. En inglés: *Chartered Financial Consultant*

Clave de cotización. Clave de pizarra, símbolo de cotización. En inglés: *ticker*

COBRA. Ley Ómnibus Consolidada de Reconciliación Presupuestaria. En inglés: *Consolidated Omnibus Budget Reconciliation Act*

Contribuciones paralelas del empleador. Aportaciones del empleador. En inglés: *company match*

Cooperativa de crédito. Cooperativa de ahorro y crédito. En inglés: *credit union*

CPA. Contador público certificado; contador público autorizado. En inglés: *Certified Public Accountant*

CPT, código de. Código de Terminología Actualizada de Procedimientos. En inglés: *Current Procedure Terminology code*

Cuenta corriente. Cuenta de cheques. En inglés: *checking account*

DDS. Servicios de Determinación de Incapacidad. En inglés: *Disability Determination Services*

Doughnut hole. Período sin cobertura (de Medicare), interrupción de cobertura

ECHO. Oportunidades de vivienda para personas mayores. En inglés: *Elder Cottage Housing Opportunities*

EDGAR. Sistema de recopilación, análisis y recuperación de datos electrónicos de la Comisión de Bolsa y Valores de Estados Unidos. En inglés: *U.S. Securities and Exchange Commission's Electronic Data Gathering, Analysis and Retrieval system*

EEOC. Comisión para la Igualdad de Oportunidades en el Empleo. En inglés: *Equal Employment Opportunity Commission.* Información en español: *www.eeoc.gov/spanish*

EPA. Agencia de Protección Ambiental. En inglés: *Environmental Protection Agency.* Información en español: *www.epa.gov/espanol*

ESOP. Plan de propiedad de acciones para empleados. En inglés: *Employee Stock Ownership Plan*

ESPP. Plan de compra de acciones para empleados. En inglés: *Employee Stock Purchase Plan*

ETF. Fondos cotizados en la bolsa; fondos negociables en la bolsa. En inglés: *Exchange-traded funds*

Exención fiscal sobre la propiedad principal. Exención de impuestos sobre la propiedad que es su residencia principal. En inglés: *homestead exemption*

FCRA. Ley de información justa sobre crédito. En inglés: *Fair Credit Reporting Act*

FDA. Administración de Alimentos y Fármacos. En inglés: *Food and Drug Administration.* Información en español: *www.fda.gov* y haga clic en *Publicaciones en español*

FDIC. Corporación Federal de Seguro de Depósitos. En inglés: *Federal Deposit Insurance Corporation*. Enlaces en español: *fdic.gov/quicklinks/spanish.html*

FFS. Pago por servicio. En inglés: *Fee-For-Service*

Fideicomiso. En inglés: *trust*

Fideicomiso de desvío. En inglés: *bypass trust*

FINRA. Autoridad reguladora de la industria financiera. En inglés: *Financial Industry Regulatory Authority*

Fondos con fecha establecida. Fondos a fecha fija. En inglés: *target-date funds*

Fondos indexados. Fondos de índice, fondos índice. En inglés: *index funds*

Fondos mutuos. Fondos mutuales, fondos de inversión. En inglés: *mutual funds*

Fondos sectoriales. En inglés: *sector funds*

FSA. Cuenta de gastos flexibles. En inglés: *flexible-spending account*

FSBO. En venta por el propietario. En inglés: *For Sale By Owner*

FTC. Comisión Federal de Comercio. En inglés: *Federal Trade Commission*. Información en español: *www.ftc.gov/espanol*

HECM. Hipoteca de conversión del valor acumulado de la vivienda. En inglés: *home-equity conversion mortgage*

HICAP. Programa de asesoría y defensa sobre seguros de salud. En inglés: *Health Insurance Counseling and Advocacy Program*

HMO. Organización para el mantenimiento de la salud. En inglés: *Health Maintenance Organization*

HRSA. Administracion de Recursos y Servicios de Salud. En inglés: *Health Resources and Services Administration*. Información en español: *www.hrsa.gov/espanol*

HSA. Cuenta de ahorros para la salud. En inglés: *health savings account*

HUD. Departamento de Vivienda y Desarrollo Urbano. En inglés: *Office of Housing and Urban Development*. Información en español: *www.espanol.hud.gov*

IAPD. Divulgación pública sobre los asesores de inversiones. En inglés: *Investment Adviser Public Disclosure*

Impuesto sobre la renta. Impuesto sobre el ingreso. En inglés: *income tax*

Incapacidad. En inglés: *disability*

Indemnización laboral. Compensación a trabajadores por accidentes en el trabajo. En inglés: *workers' compensation*

IRA. Cuenta individual de jubilación, cuenta personal de retiro. En inglés: *Individual Retirement Account*

IRS. Servicio de impuestos interno. En inglés: *Internal Revenue Service.* Información en español: *www.irs.gov/Spanish* o *www.irs.gov/Spanish/Publicaciones*

Legado. Asignación testamentaria. En inglés: *bequest*

Letras del Tesoro. En inglés: *Treasury Bills, T-bills*

LIHEAP. Programa de ayuda con los gastos de energía para hogares de bajos recursos. En inglés: *Low Income Home Energy Assistance Program*

Medicare. Información en español: *http://es.medicare.gov/*

Medigap. Póliza de seguro complementario de Medicare

MLS. Servicio de listados múltiples utilizado por agentes de bienes raíces. En inglés: *Multiple Listing Service*

NCPSSM. Comité Nacional para Mantener el Seguro Social y Medicare. En inglés: *National Committee to Preserve Social Security and Medicare.* Información en español: *www.ncpssm.org/EnEspanol*

NEAR. Proyecto nacional de referencia para recibir ayuda con los gastos de energía. En inglés: *National Energy Assistance Referral*

NUA. Apreciación neta no realizada. En inglés: *Net Unrealized Appreciation*

Opt out. Exclusión voluntaria

Pagarés del Tesoro. En inglés: *Treasury Notes, T-notes*

PFS. Especialista financiero personal. En inglés: *Personal Financial Specialist*

PIN. Número de identificación personal. En inglés: *Personal Identification Number*

Planificación patrimonial. Planificación sucesoria. En inglés: *estate planning*

Poder legal. Carta poder, poder de representación. En inglés: *power of attorney*

Poder legal condicional. En inglés: *springing power of attorney*

PPO. Organización de proveedores preferidos. En inglés: *Preferred Provider Organization*

RBD. Fecha de inicio obligatorio. En inglés: *required beginning date*

Rollover. Transferencia de fondos entre planes de jubilación; reinversión

RMD. Distribuciones mínimas requeridas. En inglés: *required minimum distributions*

SBA. Administración de la pequeña empresa. En inglés: *Small Business Administration*

SCSEP. Programa de empleo para personas mayores en servicios a la comunidad. En inglés: *Senior Community Service Employment Program*

SEC. Comisión de Bolsa y Valores. En inglés: *Securities and Exchange Commission.* Información en español: *www.sec.gov/investor/espanol.shtml*

Seguro a término. Seguro de vida de término fijo, seguro de vida temporal. En inglés: *term insurance, term life insurance*

SEP. Pensión simplificada para empleados. En inglés: *Simplified Employee Pension*

SHIP. Programa estatal de asistencia sobre seguros de salud. En inglés: *State Health Insurance Assistance Program*

SIMPLE. Plan de incentivo de ahorro para empleados mediante contribuciones paralelas. En inglés: *Savings Incentive Match Plan for Employees*

SIPC. Corporación de protección al inversionista en valores. En inglés: *Securities Investor Protection Corporation.* Información en español: *www.sipc.org/espanol*

SSA. Administración del Seguro Social. En inglés: *Social Security Administration.* Información en español: *www.ssa.gov/espanol*

SSI. Seguridad de ingreso suplementario. En inglés: *Supplemental Security Income.* Información en español: *www.ssa.gov/espanol/11090.pdf*

STRIPS. Valores segregados en capital e intereses. En inglés: *Separate Trading of Registered Interest and Principal Securities*

Suscripción, beneficios de. En inglés: *underwriting profit*

Suscriptor. En inglés: *underwriter*

Tasa de interés. Tipo de interés. En inglés: *interest rate*

TCE. Asesoramiento sobre impuestos para personas mayores. En inglés: *Tax Counseling for the Elderly*

Testamento vital. Declaración de voluntad, documento de directivas médicas o voluntades anticipadas, testamento en vida. En inglés: *living will*

Valor líquido de la vivienda. Capital acumulado en la propiedad, valor neto de la vivienda. En inglés: *home equity*

Valor nominal. Valor a la par. En inglés: *face value*

VIPPS. Sitios verificados de práctica farmacéutica por Internet. En inglés: *Verified Internet Pharmacy Practice Sites*

VITA. Asistencia Voluntaria al Contribuyente. En inglés: *Volunteer Income Tax Assistance*

WAP. Programa de asistencia para la protección contra los efectos adversos del clima. En inglés: *Weatherization Assistance Program*

Índice
de términos

Índice de términos

Impuestos diferidos, cuentas con 261. *Vea también* IRA; plan 401k

Incapacidad
seguro por 320
Seguro Social e 162-165

Incumplimiento universal 19

Independencia, vida saludable e 126

Índice de gastos 186

Inflación
jubilación e 110
tasa, estimar 117

Informe de crédito 12, 226

Ingresos imponibles 261

Inodoro de bajo flujo 40

Inquilino, encontrar 369

Intercambio 1035 327

Interés compuesto 120

Internal Revenue Service (IRS)
donaciones de caridad y 83-84
publicaciones gratuitas y 268

Internet. *Vea* En línea

Inversión. *Vea también* Acciones; Bonos; Fondos mutuos
asesor 205
comisiones 185-187
estados de cuenta, guardar 252

IRA (cuenta individual de jubilación)
contribuciones máximas 179
impuestos y 257, 260
retiros de 181-182, 216-220, 260
rollovers 143-144
tipos de 176

IRA tradicional 176

J

Jardinería de bajo costo 370

Jardines, diseño de 47, 370

Jubilación
calculadoras 118-120
cambiar de lugar residencia y 110-113, 379-381, 386
duración de 108
edades para beneficios 109, 148
en el extranjero 389
en el mar 388
errores 113-115
estilo de vida y 109-110
herramienta de estimación 149
hojas de trabajo 118
inflación y 110
posponer 153-154
seminarios 225
trabajar y 355-356

Jubilarse en el extranjero 389

K

Keynes, Maynard 192

L

Lavado en seco económico 64

Legado condicional 334

Lejía 372

Lentes
baratos 54
deducción fiscal por 240

Lesiones. *Vea* Incapacidad

Limpieza, artículos baratos de 371

Llantas, rotar 92

Libros, intercambio de 58

M

Maestro 359

Manchas, eliminar 65

Mantenimiento
auto 91-93
vivienda 367-368

Mantenimiento de la casa, servicios de 377

Mantillo gratis 371

Margen de seguridad 198

Masajes, terapeuta de 359

Mascota, guardián de 339

Matrícula, gastos de 106